かつてそのゲームの世界に住んでいたという記憶はどこから来るのか

郡司ペギオ幸夫

青土社

かつてそのゲームの世界に住んでいたという記憶はどこから来るのか

目次

第2部

第3部

かつてそのゲームの世界に住んでいたという記憶はどこから来るのか

はじめに

本書で論じられるのは、脳科学や人工知能研究が、積極的に問題としてこなかった創造性の問題であり、創造的に知覚し、感じ、動き、考える「わたし」が、いかにして可能かという見取り図である。すると読者の多くは、「創造とは、極めて個人的なもので、その方法に一般論があるとも思えない」と訝るに違いない。創造とは、「私が思いもよらなかった外部を、徹底して受け入れること」によって可能となる。本書では、その受動的な構えを、構造として形式化し、様々な具体例を挙げながら、その有効性を論じることになる。もちろん、徹底して受動的であることはひとつの条件に過ぎず、それによって常に創造が可能となるわけでもない。つまり創造とは、賭けなのであり、少しでも創造の可能性の高い構えを構造化して示すことが、本書の目的となる。

本書は、創造的に生きることを唱える自己啓発本ではない。それどころか、絶えず賭けに出ることで知覚し、認知し、意思決定する、「わたし」の意識に関する理論書と思ってもらっていいだろう。徹底して受動的であることが、ここでは、二項対立的な二項の、肯定的アンチノミーと否定的アンチノミーの共立によって構造化される。その構造を担う知性が、天然知能と呼ばれ、その構造図は天然知能図式と呼ばれる。これは以前著者が提案した天然知能概念を、深化させたものと思っていいだろう（もちろん前著『天然知能』〔講談社選書メチエ〕を読んでいなくても、問題のないように書かれている）。アンチノミーとは矛盾である。いずれか一方のみが存在を許されるとき、にもかかわらず、その両者が同時に存在する矛盾こそ肯定的アンチミーであり、両者がどちらも存在しない矛盾こそ否定的アンチノミーである。アンチノミーというだけでその存立様式は曖昧に思えるが、ここでは、さらに肯定的アンチノミーと否定的アンチノミーの両者が共立する。論理的にはあり得ない状況であるが、問題としているのは現実世界である。現実世界において、いかにその複雑な様相が可能となるかも、本書では様々に論述される。

　創造的な「わたし」の構えを、肯定的アンチノミーと否定的アンチノミーの共立によって構造化する。第一に、それは、私の意図的な振る舞いにおいて実装できる。我々は通常、受動的であることと能動的であることを、いずれかしか取り得ない態度と考えがちだ。その意味で、能動と受動は二項対立的だ。このとき、両者の共立、すなわち能動的でありながら受動的である態度が、能動と受動に関する肯定的アンチノミーということになる。最近なら中動態という概念もよく用いられるが、本書で問題とするのは、この先である。能動と受動に関する肯定的アンチノミーを担保しながら、同時にその両者を打ち捨てる。それがいかにして可能なのかは、本書のいくつかの章で論じている。こうして初めて、徹底した受動性という態度に開かれることになる。この受動は、もはや二項対立を想定した、当初の能動・受動における受動とは、似て非なるものだ。

　第二に、肯定的アンチノミーと否定的アンチノミーの共立は、私の脳の中、知覚や認知の構造として実装される。ここで二項対立的な二項は、脳の外にある対象と、脳の内にある表象と仮定される。もちろん、この内と外は、当初対立する能動と受動を想定したように、当面想定されるものに過ぎない。この図式に従うなら、知覚とは対象と表象が一致することで表されることになる。しかし、ここで対象と表象が同時に存在することは、肯定的アンチノミーとみなされ、さらに両者が共に否定される、否定的アンチノミーが導入される。つまり肯定的アンチノミーと否定的アンチノミーの共立こそ、知覚であり、認知であると唱えられるのである。

重要な点は、対象と表象に関する肯定的アンチノミーと否定的アンチノミーの共立を二項関係として定式化するとき、ここから量子論理が得られることである。意識や認知現象には、認知に関する異なる決定が相互作用することや、異なる知覚が分離できない形で混在した知覚など、量子力学を用いて初めて説明可能となる現象がある。量子力学の使用を物理的実体として根拠づけようとした量子脳理論と区別する意味で、量子力学を情報数学としてのみ使おうとする分野は、現在、量子論的認知科学と呼ばれている。しかし、用いれば説明はつくが、その使用の根拠は相変わらず不問に付されたままだった。これに対して、本書で論じる天然知能図式は、量子論理を直接的に導き、それが認知の有するアンチノミーに関与していることを示すのである。こうして、本書が意識に関する理論書であることが明確になる。

本書は、大きく第1部から第3部に分けられる。ただし、各々独立したものなので、どこから読んでも問題はない。第1部は、天然知能の構造について直観的に理解できる事例を挙げ、肯定的アンチノミーと否定的アンチノミーの共立に関する定義が与えられる。第1部を構成する第1章は、現代舞踏における創造を、第2章は、拡張された意味での腐女子概念を、ドラァグクイーンとして扱っている。現代舞踏家や、ドラァグクイーンにおいて、天然知能的構造は明確に見てとれる。第

3章では、肯定的アンチノミーと否定的アンチノミーの共立を「トラウマ構造」と呼称する理由と共に、共創学や共生学の事例をそれによって構想する。読者は、共創や共生と呼ばれるものが、天然知能的構造を見出すことで、見通しがよくなることに気づくだろう。

第2部は、量子コンピューティングから出発する「わたし」の理論の可能性を示す第4章、不在として構想される「全体」を天然知能図式で解釈する第5章、認知を記述するための数学として期待される圏論をめぐる、むしろその拡張となるような、圏論の転回を示唆する第6章から構成される。第1部で身体、振る舞いという、どちらかというと人文系の議論から、第2部では、計算やシステム論、圏論といった理数系における天然知能図式の展開が、示されることになる。特に、第4章、第6章では、天然知能図式と量子論の関係が概観される。概観だけで消化不良を起こす読者もいるかもしれないが、この量子力学、量子論理、天然知能の関係は、第3部の最終章で詳述される。

第3部は、第7章から第10章の四章から構成される。第7章はJホラーのパイオニア『リング』に見出される創造の構造である。ここでは、敢えて肯定的アンチノミーと否定的アンチノミーという言葉を使っていないが、本書を頭から順に読んでいる読者は、どこにそれらが見出されるか直ぐに理解できるだろう。第8章はメタバースにおける人間（プレイヤー）の役割に焦点を当てて、神経科学者の言う意識モデルを批判している。ここでも、トラウマ構造のなんたるかは、読者に見当がつくだろう。第9章は砂山のパラドックスを解決するのではなく、転回する方法が、天然知能図式にあるという議論である。ここでは暗に、内と外、一人称と三人称をうまく接続するといった議論を批判し、そこからいかに転回するかが、示される。そして第10章は、天然知能図式から、直接、量子論理が導けることを証明する。ここでは、量子力学、束論、量子論理を定義から説明し、詳述している。

本書では、書き下せない無際限さ、外部、展開ではなく転回といった様相をキーワードに、できるだけ具体的に、かつ詳細に、肯定的アンチノミーと否定的アンチノミーの共立として構成される天然知能図式を、論述したつもりである。どうしてそれが創造と関わるのか、創造の瞬間にどのように立ち会えるのか、読者が本書を通じて、創造の瞬間に立ち会えるのなら、望外の喜びである。

第1部

第1章　ダサカッコワルイ・ダンスという創造＝脱創造

1　遭遇

ある日、日本画家の中村恭子(1)から「ダサカッコワルイ・ダンス」というものがあるらしいことを聞く。許されるものは「ダサカッコイイ」までで、それを突き破って「カッコワルイ」まではみ出すことなど、通常、誰も考えないだろう。ところが中村は、「郡司(2)さんはそもそもダサカッコワルイのでは」と言い、その後、共に「ダサカッコワルイ」を標榜するまでになったが、翻って、洗練されたダンスの世界に、「ダサカッコワルイ」など存在するのかという疑念が浮かんだ。怪訝に思ってネットで調べると、「ダサカッコワルイ・ダンス」のサイトが現れ、公演の予定が記載されている。しかも、このダンスは郡司ペギオ幸夫の『やってくる(3)』に触発された旨が記されているではないか。そのサイトには、主催者である山崎広太の動画もついており、手足をチグハグに動かしながらも洗練された、不思議な動きが提示されていた。

私は、ダンスの世界を何も知らない。私の研究室で博士号の学位を取り、今はアメリカ在住の箕浦舞(4)によれば、彼女の兄である箕浦慧(5)は、ロシアでのバレエダンサーとしての経歴を持ち、現在は京都芸術センターに属しながら、モダン・ダンスの活動をされているとのことだった。そのことがあって彼女にメールで聞いてもらうと、すぐ返信が届き、演者はみんな有名どころとの記述と共に、兄の言葉として以下が記されていた。

キュレーターであり、映像に映ってる山崎広太さんは、日本でいま最も取り上げられているダンサーの一人で、キレキレ。できないことを装うこともできる。あと、島地（保武――引用者註）さんもそうだね。舞台芸術のシーンで成功している、強いキャリアを持つエリートだと思うよ。だから上手な人が下手を装うプログラムに見える、ダサカワみたいな媚びを売る路線と、モダンアートの抜け道的な未だ発見されていない踊り、その両方を超える、新しい文脈が見つかるといいと思う。

なるほど、これは凄そうだ。なんとしても行かねばなるまい。卒論の指導が押している時期でもあり、こういったイベントに参加するのも初めてだったが、ネットで一日券を買い、その日を待った。

その前に、少しだけ、いわば私のそれ以前の、「ダサカッコワルイ・ダンス」体験について、簡単に触れておこうと思う。

2　異界からやってくる

神戸の震災はもう二七年も前のことになるが、私はその地震を、神戸の中心部、三宮にあった公務員住宅で経験した。それがＮＨＫ庁舎のすぐ裏にあったと言えば、当時繰り返し流されたＮＨＫ庁舎内の映像を覚えている人間は、その揺れの凄まじさを容易に想像できるだろう。宿直で寝ていた職員が宇宙遊泳のように飛び、全ての棚が倒れていく様を映した防犯カメラの映像は、その地での震度７を強烈に印象付けるものだった。それと同じことが、私の宿舎でも起こっていたのだ。築五〇年以上の公務員住宅は、とても持ち堪えそうになく、四階にいた私は確実に崩れると思っていた。あぁ、このまま崩れて瓦礫の中で死ぬのか。普段から死ぬのが怖い私は、妙に冷静にそう思っていた。

神戸の震災で特徴的だったのは、被害が局所的だったことだ。神戸市街の至るところは、世界の終わりのような惨状だったが、臨時バスを乗り継いで大阪の北の中心部、梅田まで出ると（私鉄の特急なら二五分で着いた）、そこには普段と変わらない雑踏と日常があった。私は稀に梅田にまで出ることがあったが、梅田駅地下街の広場のような場所で、「あっ」と声を出すような光景を目にしたのだった。上下灰色の作業服を着込み、黄色いヘルメットを被って長靴を履いた初老の男性が、台のようなものを持って走り回っていたのだ。周囲には家路につくサラリーマンが、縦横に闊歩していた。そこで、五メートルほど一直線に走っては台を置き、その上にのっては、つま先立ちの勢いで声を張り上げる。「みなさん、大変なことになっています。神戸では大変なことになっているのです」、こう叫んで、台を降り、また台を持って別の方向へ五メートルほど走り、台に登って同じことを叫ぶのだ。「大変です。神戸は大変なんです」。何とかしなければ、という切迫感だけは伝わるものの、具体的に何を訴えたいのか、まるでわからない。しかし、その人は、私がずっと眺めている間中、その行為を繰り返していた。走る、台を置く、乗る、叫ぶ、走る、台を置く、乗る、叫ぶ……。広場で展開されるアルゴリズム化されたような、しかし逸脱し続けてもいる無限の反復は、有機的に統合されようとしながら統合されず、何かを強く訴えながら、同時に何も示していない。私にとって、それは、「ダサカッコワルイ・ダンス」だったのだ。

娘が小学三年生の頃、私と二人で、阪急電車・三宮駅の、ホームを歩いているときのことだった。三〇代後半ぐらいの男性が、右手で作った拳を、ピノキオのように伸びた鼻をあたかも握っているように、鼻の頭に当て、弾むように歩いていた。目は、不安げな楽しげな、複雑な憂いを湛えている。突然、彼は握った拳を、まるでトロンボーンのスライド管を動かすように、前後に動かしながら、「テテーテテ」と叫んだのだ。思わず見惚れていると、また「テテーテテ」。不可視の鼻を伸縮させるようにスライドさせては、「テテーテテ」。何度もこれを繰り返す彼は、私がハッと気づいたときには人混みに紛れ、どこかに消え去っていた。妖精にでも会ったのだろうか。顔を紅潮させた娘が、「お父さん、今日は得したな。いいもの見たな」と言ったのだった。それは、九歳の子供にも、「ダサカッコワルイ・ダンス」だったのだ。

通勤電車は、最寄りの三宮駅から始発に乗れた。ある日のこと、乗り込んだ車両には誰もおらず、発車までの間、一瞬意識が飛んでいると、前の座席には、太った大柄なおじいさんが、いつの間にか座っていた。脚を開き気味で、何か笑みを浮かべながらこちらを見ている。無言のまま、こちらを見ろといった表情を浮かべ、胸ポケットから五センチ四方の紙片を取り出した。それをこちらに向け、額の辺りにかざすと、右手で紙片を指差し、見るように促してきた。そこには「雲」と書いてある。こちらも無言のまま頷き、「はぁ、見てます、見てます」といった感じの動きで応じた。おじいさんは左手で「雲」を額に掲げながら、右手で、空中から何かをつまむような仕草をし始めた。何もない空中から何かを取っては、それを、種でも撒くように周囲に散らしていく。綿花を摘むように取って集めては、流れるような所作で、撒いていく。空中から水分を集め、雨を降らせている仕草にも見えた。私は前のめりになりながら、一つ一つの動作に頷き、見ていることを全身でアピールしていた。ほどなくすると、おじいさんは、「儀式」を終了し、まだ発車しない列車から降りて行った。いったい何だったのか。何かの神様がやってきたような、そんな感覚を覚えたが、おじいさんの一連の動作は、まさに「ダサカッコワルイ・ダンス」だった。

　そう、このおじいさんに限らない。ここにあげた、ダサカッコワルイ・ダンスは、皆、異界から迷い込んできた者に、実現されているかのようだ。ところが異界は、私自身にも接続していたのだ。やはり始発の車両で、ドア付近の椅子に腰掛け、発車を待っていたときのこと。ある女性が私に、聞いてきた。「この列車は、向こうの方に行きますか」。向こうの方、変なことを聞く人だと思いながら、私は、列車の進行方向を訊ねているのかと思い、列車の前方を指差して、「この列車は、こちらに行きます」と言った。すると女性は、聞き取れなかったのか、また同じように、「この列車は、向こうの方に行きますか」と繰り返してくる。何か仕草が曖昧で声が小さかったのかと思い、私は、両腕を肘で直角に曲げ、両の手で車両の進行方向を指差し、「いえ、この列車は、向こうの方じゃなくて、こっち。こっちに行くのです」と、やや声を大きく張って言った。折角教えたのにもかかわらず、そのひとは怪訝な表情を浮かべ列車から降りていった。気づくと、周囲に座っていた他の乗客も、席を移動し、私の周囲はエアポケットのように広がっている。その後、かなり経ってから、阪急の路線に、武庫之荘《むこのそう》という駅があることを知り、この一件をすぐさま思い出した。そうか、あのひとは、「この列車は武庫之荘に行きますか」と聞いていたのだ。私は、意図することなく、ダサカッコワルイ・ダンスを踊ってしまったようだ。

まだあった。ベルギーの国際会議に参加した帰り道、地下鉄のチケット売り場付近で、母親に連れられた小さな姉妹と目が合った。姉は幼稚園児ぐらい、妹はまだベビーカーに乗っておしゃぶりを咥えていた。なぜそんな動きをしたか、もはや覚えてもいない。姉妹に何か見せてやろうかと、変わった動きをしてしまった。両方の二の腕を体の側面に押しつけたまま、肘から下だけを、激しくパタパタと体の前方に曲げ伸ばしたのだ。掌は腹部に打ち付けられ、パタパタと明るい音を地下街に響かせた。すると、姉妹は、大きく目を見開き、こちらをガン見したのだった。姉のほうは、仁王立ちして、歓喜の表情のまま凍りつき、全身で興奮を発していた。おしゃぶりの妹の方も、これ以上開かないくらい目を大きく見開き、ガン見していた。その二人にとって私の動きは、「ダサカッコワルイ・ダンス」だったに違いないのだった。

3　スパイラル・ホールとカニッツァ図形

ダサカッコワルイ・ダンス、当日。観客は、スパイラル・ホールの大広間で、車座になって椅子に座り待っていた。演者が現れる。その瞬間、私は演者の一人の姿を見て、ダンスが始まる前からわかった。これは紛れもなく、ダサカッコワルイ・ダンスになるわ。もう間違いないわ。彼は、丸刈りがちょっと伸びたような頭に、上半身はワイシャツ、下半身は七分丈のような黄緑色のジャージで、黒い靴下を履いていた。

私には、ことあるごとに脳裏をよぎる、ハンガリーの生化学者で生物計算機研究者の姿がある。まだ分野が発展する可能性もおぼつかなかった九〇年代初頭、バイオコンピューティングの国際会議の懇親会で、その小太りの中年男性は、マティーニのグラスを持って私に声をかけてきた。飲んでるか。俳優のダニー・デヴィートを知っている人は彼を思い出せば、まず間違いがない。『カッコーの巣の上で』（ミロス・フォアマン監督、一九七五年）では、賭けトランプの点棒がわりのタバコを半分に折って、ジャック・ニコルソンに叱られたマティーニを、『ツインズ』（アイヴァン・ライトマン監督、一九八八年）ではアーノルド・シュワルツェネッガーの双子の兄を、『バットマンリターンズ』（ティム・バートン監督、一九八九年）ではペンギンを演じた彼のことだ。国際会議の懇親会といっても、そんな大層なものではなかった。芝生の公園に、大きなテントを張り、地面に直にテーブルを並べ、クラッカーや飲み物が並べられているだけのものだった。マティーニグラスの彼は、ものすごく小柄にもかかわらず、上下の黒いジャージはサイズが合わず、七分丈のように脛が見えていた。足は裸足に黒い革靴を履いていた。丸刈りに近い超のつく短髪で、笑顔を浮かべる丸顔の姿は、異界の住人を思わせるものだった。

ネットなど存在せず、メールさえおぼつかなかった九〇年代初頭、つまり現在使われる通常のコンピューターですら可能性の限界は無限の果てに思え、その枠組みの中でいくらでもやることがあると思えていた頃、わざわざその枠組みの外に出ようというのが、生物計算機の構想だった。(6) その会議の参加者は、生体組織や生体高分子を用いてコンピューターを作ろうとする者たちだった。そのようなコンピューターでは、計算限界ギリギリのところで実現される、不安定さをある程度引き受けながら、創造に開かれた計算が構想された。数学者が想定してこなかった、数字の世界だけではない、物質を伴う現実世界における計算限界、それに触れながら進行する、拡張された意味での、もはや計算とは言えないかもしれない計算に、「生きている」ことを見出そうとする研究者。そういった者どもが、そこには集まっていた。それは、オーソライズされた固い研究者から見たら、なんとも胡散臭い、山師のような連中だっただろう。まさに異次元の、それぞれが無関係な人間たちだった。だからこそ、意識しなくても、外部に触れる彼らからは、異界の匂いが滲み出ていた。形から入るんじゃない。逆に、意図せず、自ずから、外部の気配を纏ってしまう。それが七分丈のジャージに黒い革靴だった。ダサカッコワルイ・ダンスにおける、七分丈に黒い靴下は、まさに異界からやってきた者の正装だった。

　果たして、私の直感は、想像以上に当たっていた。左右の手を同期させていたかと思う刹那、非同期にし、足は崩れそうになりながら、常人では持ち堪えられないバランスで次の動きを導いていく。ぶちまけられた道具を、ダンスにおけるモノボケのごとく使う気配を見せ、モノと肉体を融合させたかと思うや、それを打ち捨て、否定する。激しい動きが突然完結し、肩を組んで暗号のような言葉を吐きながら、空虚な日常を作り出し、永遠に歩いていく二人を観客に思い出させながら、崩れるように離れていく。それを着用しなければ危険な惑星に降り立つかというように、突如、トウシューズを履き、つま先立ちのまま他方の太ももを胸につけるように伸長し、ダンスにならないダンスをする。それは、身体化でありながら、同時に、脱身体化であって、身体化と脱身体化との裂け目によって、異界を召喚するパフォーマンスだった。

　ここで繰り広げられたダサカッコワルイ・ダンスについて理解するには、心理学で頻繁に用いられるカニッツァの多角形[7]に対する、私の理解を示しておくことが一助になると思う。**図1―1**の上段中央に描かれている図形が「カニッツァ図形」である。それは内向きのパックマン――「口を開いたように一部を欠いた円」――が、口を内側に並べた図形だが、これを見ている読者は、黒い四

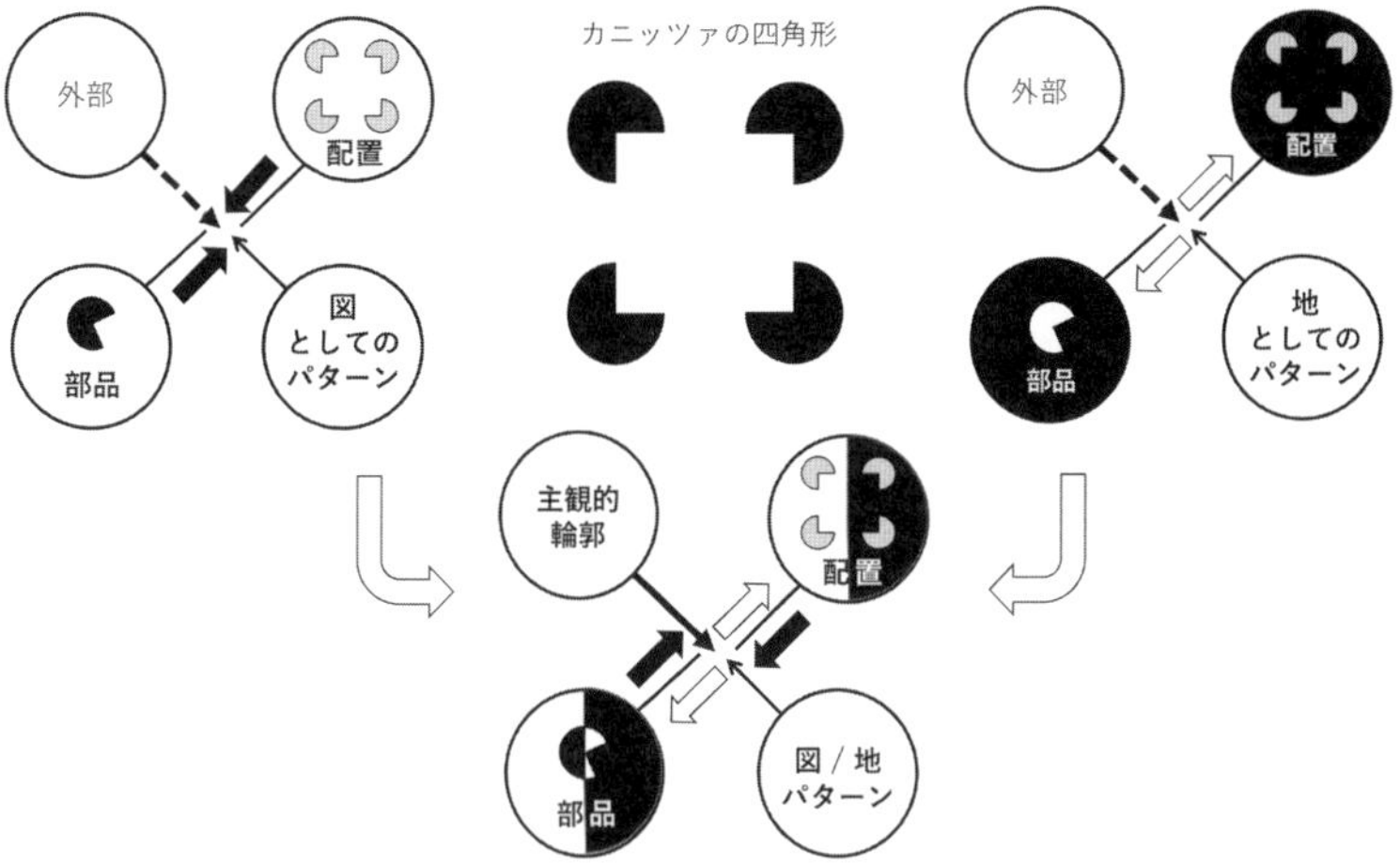

図１—１　ダサカッコワルイ・ダンスのメタファーとしてのカニッツァの四角形

つの円の上に白い四角形が置かれているように感じるだろう。この、存在しないはずの、知覚される四角形が、「カニッツァの四角形」だ。実際には存在しないが、白い面として感じる四角形の辺は、主観的輪郭と呼ばれている。実際、脳の後頭葉の一部が積極的に、この多角形を作り出していることがわかっている。(8) 幻覚が見えるなどというと、特殊な話に聞こえるかもしれないが、実は人は誰もが日常的に幻覚を見ている。カニッツァの四角形は、それを教えてくれるわかり易い例だ。

カニッツァ図形はカニッツァというイタリアの研究者が考案したわけだが、これと同様に、なにか想定もしなかったことが知覚される仕掛けの作り方として、カニッツァ図形は極めて参考になる。それは私の私見であるが、それを少し丁寧に説明しよう。まず図１—１上段左の図を見て欲しい。ここでは四つの円が描かれている。右上と左下の円は、レベルの異なるもので、同列に扱うと色々問題がある、そういったもののペアを成していると思って欲しい。

だから中央に向かって線は伸びているが、切れている。カニッツァ図形の場合、左下に「部品」であるパックマン、右上には四つのパックマンの並べ方（「配置」）がここにセットされている。パックマンは「部分」、配置は「全体」を示すとも言えるから、「同列に扱うと色々問題がある、レベルの異なるペア」になっている。右下の円は、このペアをなすものの関係性、レベルの異なるものを接続する概念を示している。ここでは「図としてのパターン」と記されているが、それは、パックマン自体とそれが作り出す配置を、注目する図として見ること、を意味している。パターンとは、部分が配置されて作り出すイメージに他ならないからだ。この「図としてのパターン」から中心に向かう細い矢印は、ペアを接続しようとする力を表している。しかし「図としてのパターン」に関係づけられたとして、「部品」と「配置」が原理的に融合することはない。だから、「部品」と「配置」の各々から伸びる線が、繋がることはない。

左上にある円、ここではその中に「外部」と書かれている円は、「部品」と「配置」というペアを考える水準の、外部にあるものを表している。単に、四つのパックマンを並べてみるとき、パックマンが作る配置以上のものは見て取れないだろう。例えば、パックマンの口を全て外向きに向けて配置すれば、部品と配置によって四弁の花を表しているようには見えるが、そこでは、部品と配置で完結しており、その外部は関与していないことが明らかだ。この場合も、「図としてのパターン」は「四弁の花」として明確に存在し、「部品」と「配置」を媒介しようとしているわけだが、それ以上何もない。「四弁の花」は単に、「部品」と「配置」の関係に留まる。その意味で外部が召喚されることはなく、この第四の円、「外部」から中央に伸びる矢印は点線に留まるのである。部品と配置は別のものだが、「図としてのパターン」によって、媒介され、接続されようとする。この接続させようとする力を示すものが、互いに中心を向く、黒く塗りつぶされた太い矢印の対である。

同じカニッツァ図形に向かいながら、今度はその背後に注目しよう。それを図的に表しているのが、図1―1上段右の図だ。背後に注目するとは、図であるパックマンを抜いて、むしろ今まで図を浮き上がらせるだけの地（背景）を、図として反転することである。「背景に注目する」ことを強調するため、図1―1上段右の図では、右上、左下の円が黒くなっている。ここでの部品と配置を結びつけるもの、それもまたパターンだが、今度は図・地対立の観点からすると、地に焦点を当てている。だから、地としての部品（左下）、地としての配置（右上）を接続する概念は、「地としてのパターン」（右下）となる。ここでも、地に注目するだけでは、外部（左上）は関与しない。だから外部から伸びる矢印は、点線のままだ。地としてのパターンは、本来、図として存在するパックマンを脱色し、意味を失わせている。配置さえも、その背景に注目することで、それ自体が意味を失う。だから、地という「無関係な漆黒」によって、パックマンという部品やその配置という概念は、関係づけられるという意味さえ失ってしまう。つまり部品と配置は、無限に隔てられてしまうのだ。それを表しているのが、図の中央から部品、配置の各々へ伸びる白抜きの太い矢印対である。それは部品と配置が隔てられることを意味している。

さて、図としてのパターンは、部品と配置を接続させようとし、地としてのパターンは、部品と配置を切断し、その間に空虚な闇を作り出すのだから、全く逆のことを主張しているように思える。図として見るか、地として見るか、その間を逡巡し、いずれかに決まるというのが通常の視覚のあり方だろう。そのような騙し絵は、アハ体験と呼ばれてかなり流行したものだ。ところが、読者が知覚した「カニッツァの四角形」は、図でも地でもない。第一に、主観的輪郭に囲まれた白い四角形は、パックマンの配置それ自体をイメージ化するものではないため、図としてのパターンではない。第二に、知覚されるカニッツァの四角形は、パックマンの背景ではなく、あたかも黒円の上に置かれた四角形として知覚されるので、地でもないのである。実際、カニッツァの四角形は明るく知覚され、それにより黒円の置かれた平面より手前に知覚されることで、遠近感が作り出されていることは、脳科学のある研究で示されている(8)。その意味で、同一平面上にある、図・地関係を成していないのである。

図でも地でもない、カニッツァの四角形の出現状況を示している図が、図1―1下段の図である。この図では、部品と配置の円が、各々、半分白く、半分黒く描かれている。また上段左図にあった互いに接近する黒い太矢印対と、上段右図にあった互いに離反する白い太矢印対とが両者ともに描かれている。これらは、下段の図が、上段左と上段右の図を重ね描いている状況を示している。まさに、図としてのパターン、地としてのパターンを両義的に満たし、部品と配置の間に接続と離反の緊張状態が強いられているとき、果たしてその緊張の果て、部品と配置の間の空白地帯に、「カニッツァの四角形」はやってくる。ここに、単なる心理学的に重要な錯視の例としてではない、藝術におけるメタファーとしての意義が「カニッツァの四角形」に見出される。部品と配置で完結するような枠組み、せいぜい図としてのパターンと地としてのパターンとしてしか想定されない枠組みには決してなかった「カニッツァの四角形」は、部品と配置のような対立的な概念が、共に要請されるような状況（ここでは図としてのパターン）と、共に脱色され排除されるような状況（ここでは地としてのパターン）を共立させるとき、召喚することができるということなのだ。「カニッツァ

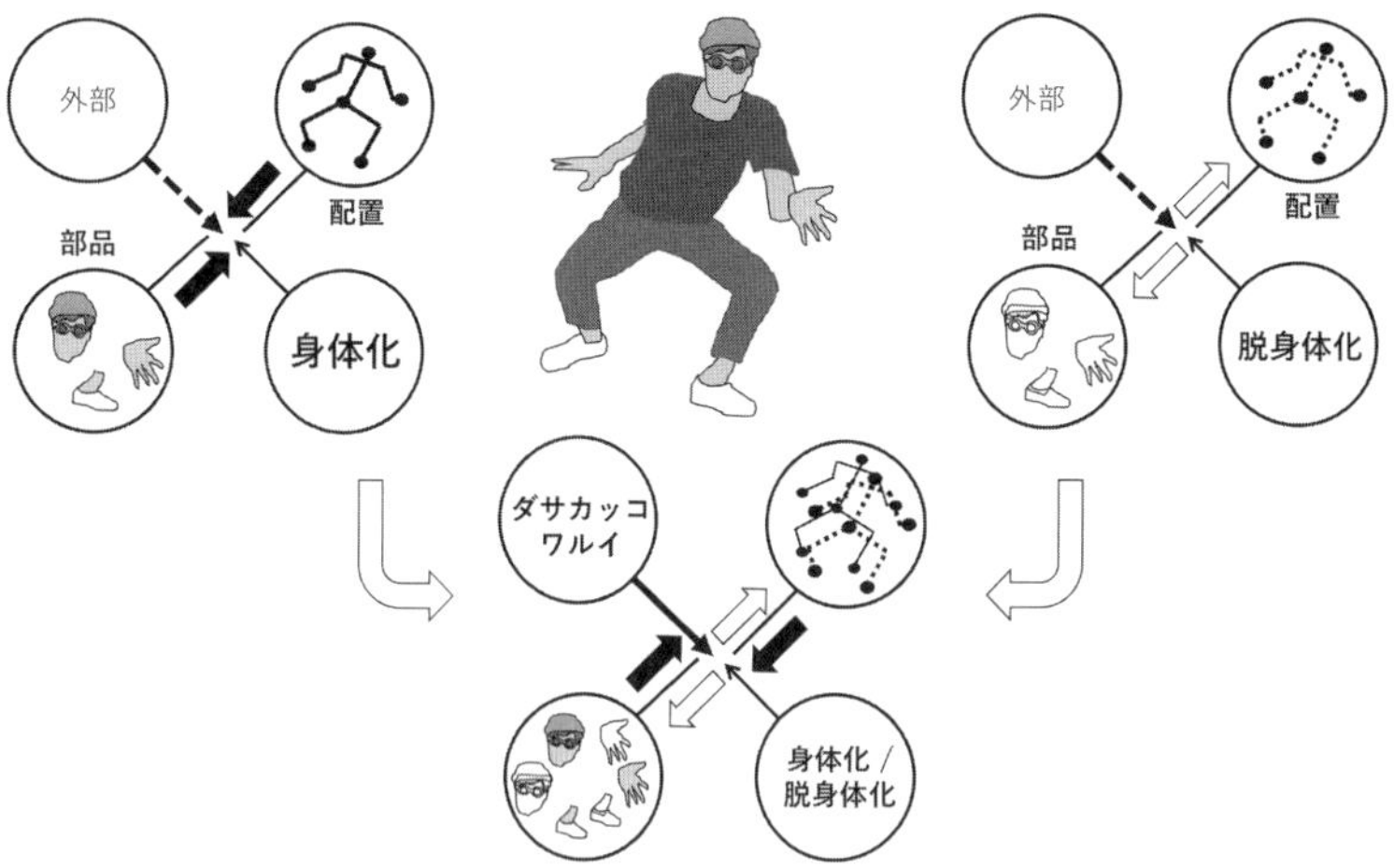

図1―2　「ダサカッコワルイ」を召喚するダサカッコワルイ・ダンス

の四角形」は、想定もされない藝術的感興に相当する。パックマンを外側に向けたのでは、共に要請される状況と共に排除される状況は共立しない。そのような場合には、せいぜい図と地の反転が、反復するだけなのだ。口を内に向けたパックマンが、四角形を作るように配置されたことで、図としてのパターンと地としてのパターンは共立し、外部を召喚したのである。それこそが、ダサカッコワルイ・ダンスのメタファーなのである。[9]

4　身体化・脱身体化の共立

「カニッツァの四角形」を召喚する仕掛けこそが、パックマンの口を内向きに向けて配置された、カニッツァ図形だった。まさしく、藝術的感興・「ダサカッコワルイ」を召喚する仕掛けこそ、スパイラル・ホールで展開されたダサカッコワルイ・ダンスだった。図1―1の説明を下敷きにして、**図1―2**のように図解し解読してみよう。

図1―1の説明における「図としてのパターン」、

「地としてのパターン」の各々が、図1―2では「身体化」、「脱身体化」に対応している。身体化とは何か。バラバラで統合されるべき根拠を持たない肉体の断片が、滑らかに繋がる不可思議な媒体、それが一般に、身体と呼ばれる。思考する抽象的な「わたし」、理念的存在としての裸のわたしが、わたしを生かしてくれる外部世界・環境に向き合うとき、その媒介をし、異質なもの同士の、わたしと環境、を滑らかに接続してくれるもの、それが身体である。あたかも異質なもの同士を共生させる、魔法のような概念が身体なのだが、図1―2に示す「身体化」は、身体の不可能性を担保している。レベルの異なる部品と配置を一緒にできるとする媒介は、むしろ、異質なものが決して融合しないままに混じり合ったもの、滑らかな溶媒の中にいつまでも溶けずに刺々しい違和感を発し続ける異物を伴う混合体、なのである。だから身体化は、滑らかな媒介である身体を志向しながら、決して身体を実現できない。

まさに、ダサカッコワルイ・ダンスで繰り広げられたダンスは、身体ではなく、身体化を実現する。右手から発せられる動きに滑らかに接続し、連動するかに見えた左手は、突然、ギクシャクと場違いな動きを始め、身体の実現を阻んでしまう。志向された身体を、永遠に辿り着けないゴールに向かって無限に漸近するように、身体は決して実現されない。それは決してカメに追いつけないアキレスのようだ。(10) こうして体の各部位と全体（配置）は、決して実現できない身体化を垣間見せる。図1―2上段左の身体化の図式では、部品の一部として、頭部、手、足を示しているが、もちろん体のあらゆる部位、意識化されて断片化された部位の全てが部品なのだ。配置の方では、部品が実線で結ばれ、あたかも全ては滑らかに繋がっているかの様だが、この配置は理念的な設計図、目標であり、実現されているものではない。いわば身体化は、実体としての部分と、理念としての全体を接続せんとして実現できない運動と考えられる。

ところが、スパイラル・ホールで展開されたダサカッコワルイ・ダンスは、身体化や、無論、身体にとどまるものではなかった。抽象的なAIにロボットという身体を伴わせ、身体を持った人工知能を構築すれば、人間のような知性が構成できるに違いない。人間の心とは、抽象的理念ではなく、身体化した心（エンボディード・マインド）として実現されている、といった身体礼賛の科学的趨勢を嘲笑うように、脱身体化するのである（因みに身体化した心という意味での身体化は、先の身体化と異なり、身体と融合したという意味だ）。脱身体化とは何か。それは文字通り、折角接続されようとしている肉体の部品や、その配置を脱色し、「両者を関係づける」という目論見さえ、無効にしてしまう運動である。とすると、読者は、それは身体実現の不可能性＝「身体化」の中にすでにあるのではないか、と思われるかもしれない。そうではない。

身体化においては、部品は実体化され、配置も理念として認識可能なものだった。共に認識可能でありながら、例えば定量化にあたっては異質である。こういう場合、両者を結びつける媒介＝身体は、やはり実体を持つことになる。ヒューマノイド制作の黎明期、金属製のロボットの手に卵を握らせることは計算上、難しかった。平滑な面に囲まれたロボットの金属の指に、微妙に凸凹があり丸みも一個ごとに異なる繊細な卵。この異質なものの接触において、卵が割れないように指からの圧力をコントロールする計算は、リアルタイムで膨大な計算量を必要とし、それでも実現が難しかった。ところが金属製の手にゴム製の手袋をはめてやると、ゴムがショックを吸収し、卵の把持は簡単に実現できる様になった。いわば、ゴム製の手袋は、膨大な計算の肩代わりをした。これは、最も理解しやすい計算論的な身体の機能である。ここでは論理的に制御可能なロボット、不可能な卵、両者を媒介するゴムの手袋の全てが具体的な形を持っている。だからこそ、ゴムの手袋はロボットの指からの圧力と卵からの圧力を受け入れることができた。すなわち、身体、身体化は、具体的な形、実体的イメージに根拠づけられた運動だと考えられる。

ところが、脱身体化は違う。脱身体化は、ロボットの指、卵、両者を媒介するゴムの手袋のような具体的な形を全て無効にし、脱色してしまう。そのような具体的な形と思っていたものの意味を失わせてしまう。だから、図1―2上段右の図では、部品である肉体の各部位は色を失い、また部位を結びつける配置は、理念的にも形を失い、点線で描かれている。意味を失った部品や配置は、形を失ったことで、もはや接近させようがない。両者は一見接続できるような場所にいながら、無限に隔てられてしまう。ダサカッコワルイ・ダンスでは、それがいとも簡単に実現される。どういうことか。

身体の実現を阻むと一瞬見えたところで、翻って、身体化を脱色してしまう。両手を外向きに湾曲させ、胸を張るかと思いきや、一気に肩を落とし前のめりになる。こうして身体化が実現されるや否や、上体は海老反りになって上空を睨む。常人であるなら、とうにバランスを崩して倒れてしまうところを、易々と腰をひねって再度反転し、静止する。ここにはもはや腰の可動域、手と肩の接続の制限が失われている。次の瞬間覆されるだろう、制限や可動域は、有限の範囲に収まらない。体の部位の一つ、一つがその形態、その定義を覆され、確定されることを原理的に阻む。つまり我々が考える肉体の部位や、部品や、配置は、目に見えるということの延長上にある認識可能なもの、自分自身の経験から想定し理解可能な形で確定できるもの、として規定されたものに過ぎなかった。これが覆されることで、肉体の部位、部品は、無限に落ち込むことで色を失い、認識された部位の間は、その接続を無限の可能性に開かせることで、無限に深い淵を落ち込ませる。

すなわち脱身体化とは、我々が、理解している・認識していると思っていた体の部位や部位間の関係を、無限に開いていくことなのだ。確定できなくなることで、体の部品や配置は意味を失っていく。ダサカッコワルイ・ダンスの演者は、肉体の動かし方だけで、それをあからさまに示していく。もちろん、この脱身体化は、鑑賞者である我々だけのものではない。鑑賞者においては無論、想定外に繰り出される運動に、無限の深みを見出すことになるが、日々の練習の中でこれを実現するダンサーにおいても、制限や可動域は絶えず予想外に変質し、無限に開かれるに違いない。どんなに鍛錬し、体の制限や可動域を把握しても、ちょっとした動かし方次第で、予想外の可動域が生じ、確定されたはずの可動域は覆される。ダンサーは練習において、体の可動域の範囲を確定し、見極めるのではなく、動きの潜在能を確認するのだろう。だから、脱身体化は、鑑賞者にとっても、ダンサーにとっても成立するのである。

ここまでくると、カニッツァ図形における「図としてのパターン」と身体化、「地としてのパターン」と脱身体化との対応が理解できるに違いない。カニッツァ図形における地、それは確定的に描かれ有限の大きさと形を持ったパックマンの背景だった。二次元平面は原理的に制限なく、無限に広がっているから、地は無限に開かれていることが理解できる。つまり地に注意を向けるものは、この無限の広がりに開かれ、無限の淵にどこまでも落ち込んでいくことになる。

ダサカッコワルイ・ダンスは、かくして、身体化と脱身体化の共立（重ね合わせ）によって、そのどちらでもない「ダサカッコワルイ」を召喚する（図1―2下段）。身体化と脱身体化の共立は、一人ひとりのダンサーの中に実現されていく。

上半身は巫女が何かを捧げるように、拝礼をする姿勢をとりながら、下半身はその姿勢を嘲笑うように崩れながら後退する。

ヘルメットを被り、右半身でパワーショベルの操作をしながら、左手は自らがパワーショベル化してしまったかのように、虚空を弄《まさぐ》る。

折れ曲がって動かなくなった腕が、その根元で痙攣するように激しく振動し、それを周囲に示すように手や足は外気を威嚇する。

何かを示すように指を差し、周囲を睥睨しながらも、捻られた歩みが、何も差していないことを暴き立てる。

瀕死の蝉のように横たわり、今までの生を思い出すように、脚の一本だけが空を切り続けたかと思うや、障害物を巻き込んで、生を漲らせる。

何かを語っていた舞台俳優が、異界からの電波を受信したかのように突然、全身を緊張させる。宇宙からの磁力によってのみ支えられた体は、いつしか丸みを帯び後退する。

不定な多面体が、どこに転がるかわからないように、不規則にコントロールされた足の動きは、前転、後転に歪な軌跡を作り出し、突然覆される。

赤い甲殻類のようなダンサーが、シャツを脱ぎ捨て、カニのような腹筋を見せながら、エビのように床へ飛び込んでいく。

その基本には、おそらく、身体化・脱身体化の共立を謳う、何か端的な標語でもあったのではないだろうか。例えば、「何かをせよ・かつ・するな」のような。各々のダサカッコワルイ・ダンスは、多様でありながら、身体化・脱身体化の共立に関して、どれもが筋を通している。そして、身体化・脱身体化は、各々の肉体で実現されるだけではない。一人一人が断片となり、ダンサーの集団全体として身体化（＝組織化・社会化）しつつ、同時に脱身体化（＝脱組織化・脱社会化）を繰り広げている。あるときには複数のダンサーの動きが同期し、つぎの瞬間、無関係性を表明し、ダンサーの間に漆黒の暗い穴が穿かれる。公演の中盤、突然、ボニーMのラスプーチンが鳴り響き、全員が片足立ちでジャンプを始めた。それは、ボニーMの、歌っていないボーカル、ボビー・ファレルが、しばしばラスプーチンでみせる動きであり、ダサカッコワルイ・ダンスのパイオニアであるボビー・ファレルへのオマージュとも取れるものだ。[12] この一瞬だけダンサー全員が同期を取るが、しかし、他のいかなる瞬間も、全員がBGMを聴きながら、同期をとっているときと全く同様に、他の者と接続・脱接続していることがわかる。

「ダサカッコワルイ」と聞くと、何か逸脱の連鎖であるように感じるかもしれない。逸脱は、何らかのかっちりした制度、規則、構造があって初めて成り立つものだから、ダサカッコワルイを標榜するダンスとは、何かに従いながら逸脱すること、これさえ満たせば、簡単に実現できるようにも思える。そう考える人間は、創造の瞬間、「できた!!」と感じる瞬間に立ち会ったことのない人間だろう。藝術が悪い意味で相対化され、意味が失われたと感じる者が多い昨今、藝術の価値など、言ったもの勝ちだと思う人間が数多くいる。そのような感性に対する異議申立てとして、私は、「ダサカッコワルイ」と「カニッツァの四角形」とを対比しているのである。「カニッツァの四角形」は、よくわからないもの、あるのかないのかわからず、解釈によっていかようにもなる不明確なものではなく、かっちりとした知覚である。ほとんどの人間が明確に「カニッツァの四角形」を知覚し、「これか」と指し示すことができる。これに対比される藝術的感興、「これだ」という感覚は、それこそ感じる者と感じない者がいるだろう。しかし、それは藝術における「これだ」が、曖昧で、解釈の上で成立する相対的なものだということを意味しているのではない。それは創造に立ち会えた人間において固有でありなら、明確な形を持つという意味で普遍的なのだ。カニッツァの四角形が図と地のパターン化の共立を実現する、内側に口を向けたパックマンによってのみ実現されたように、「ダサカッコワルイ」を召喚できる装置は、ダンサーの「これだ」によって見極められた、身体化・脱身体化の共立によってのみ、実現されたのである。

＊＊＊

ダサカッコワルイダンスは、ダンスだけではなく、誰でも、それぞれの現場で実装でき、踊れるものなのだ。少なくとも私は、この公演を見て、「こうしてはいられない」という、希望と焦燥の入り混じった興奮のうちに、会場を後にしたのだった。

註

（1）中村恭子は、日本画家で現在、九州大学大学院藝術工学研究院所属。ホームページは、http://www.kyokonakamura.jp/. 代表的な単著論文は Nakamura, K.（2021）De-Creation in Japanese Painting: Materialization of Thoroughly Passive Attitude. *Philosophies*, 6(2), 35.

（2）ダサカッコワルイの精神は、中村恭子＋郡司ペギオ幸夫（2018）『TANKURI――創造性を撃つ』（水声社）および、郡司ペギオ幸夫（2019）『天然知能』（講談社選書メチエ）に実現される。郡司は二〇一九年、大喜利ＡＩを開催した株式会社わたしは代表・竹之内大輔らとダサカッコワルイを標榜した「ダサカッコワルイ祭り」を開催する。参加者は、郡司と竹之内以外では、プロレスラーのスーパー・ササダンゴ・マシン、漫画家の宮川サトシ、作家のダ・ヴィンチ・恐山、神戸大学に勤める建築学者・長坂一郎、博報堂のクリエイターで雑誌『広告』編集長（当時）・木原龍太郎だった。https://watashiha.wixsite.com/dasa-kakko-warui

（3）郡司ペギオ幸夫（2020）『やってくる』医学書院。

（4）博士論文は自閉スペクトラム症（ＡＳＤ）者に心の落ち着きを与える効果があると言われる、体を板に挟んで締め付ける締め付け機を用いた実験に関するもの。論文として Minoura M, Tani, I, Ishii T & Gunji Y-P.（2019）Observing the Transformation of Bodily Self-consciousness in the Squeeze machine Experiment. *Journal of Visualized Experiment*, 145 および、Minoura, M., Tani, I., Ishii, T., Gunji, Y-P.（2020）. Squeezed and Released Self: Using a Squeeze Machine to Degrade the Peri-Personal Space (PPS) Boundary. *Psychology of Consciousness: Theory, Research, and Practice*, 8(3) を挙げておく。

（5）　箕浦慧のプロフィールに関しては、名古屋音楽大学のＨＰの紹介が詳しい。https://www.meion.ac.jp/teacher/%E7%AE%95%E6%B5%A6%E3%80%80%E6%85%A7/

（6）　そのパイオニアとして Liberman, E.A.（1979）Analog-Digital Molecular Cell Computer. *BioSystems,* 11, 111-124; Liberman, E.A., Minina, S.V., Shklovsky-Kordi, N.E.（1989）Quantum Molecular Computer Model of the Neuron and a Pathway to the Union of the Sciences. *BioSystems* 22, 135-154; Conrad, M.（1985）On Design Principles for a Molecular Computer. *Communications of the ACM*, 28, 464-480 および、Conrad, M.（1977）Evolutionary Adaptability of Biological Macromolecules. *Journal of Molecular Evolution* 10, 87-91. を挙げておく。七〇年代、英語を話さないロシア人のリーバーマンとロシア語を話さないアメリカ人のコンラッドが、独立に生物のタンパク質を用いた計算機を構想し、コンラッドはそのままモスクワに飛んで共同研究を開始する。

（7）　カニッツァ、G（1985）『カニッツァ視覚の文法――ゲシュタルト知覚論』野口薫訳、サイエンス社。

（8）　von der Heydt, R., Peterhans, E. and Baumgartner, G.（1984）Illusory Contours and Cortical Neuron Responses. *Science*, 224 (4654), 1260-1262.

（9）　図1―1、1―2の図式は『天然知能』（註（2）参照）で用いた図式をわかりやすく発展させたもので、以下の論文に詳しい。Gunji, Y.-P., & Nakamura, K.（2022）Kakiwari: The Device Summoning Creativity in Art and Cognition. In: *Unconventional Computing, Philosophies and Art* (Adamatzky, A. ed.), World Scientific (in press).

（10）　アキレスは亀より早く走ることができる。しかし、亀がハンディをもらってスタートラインをアキレスより前にして競争を始めると、アキレスは亀に決して追いつけない。実際はそんなことはないが、論理的にはそういう馬鹿げたことが有り得ることを示した議論が、アキレスと亀のパラドックスである。それはどのような論法か。亀はアキレスより前にいるが、アキレスはいずれ、亀のいた場所まで辿り着く。しかし亀も止まっているわけではないので、アキレスがその場所に来たときには、少しだけ前進して前にいるわけだ。その新しい亀の位置にも、アキレスはいずれ辿りつく。しかしそのときにも、亀は少しだけ前に進んでいて、その場所にはいない。この論法は延々と続けられるが、常に、亀はアキレスに先行し、アキレスは亀に追いつけない、というわけである。ただし、本章の文脈では、身体化の実現不可能性は幻想ではなく、現実に起こっているものとして論じている。

（11） Varela, F. J. Thompson, E. and Rosch E.（2017）*The Embodied Mind: Cognitive Science and Human Experience*（Revised Edition）, The MIT Press.

（12）『やってくる』（註（3）参照）5章にてダサカッコワルイの文脈で言及している。

第2章　クイズ番組のドラァグ・クイーン的解体

1　クイズ番組vsル・ポールのドラァグ・レース

クイズ番組が流れていると、ついつい「アルには、都道府県名が隠されていて、ナイには隠されていない」などと声をあげ、積極的に参加してしまう。そのぐらい、クイズ番組は、見れば入り込んでしまう。

日本のテレビ番組を見ているとあらゆるものがクイズ化されてきたと感じる。単なる知識を問うものではなく、ある種の閃きを問うものではあっても、その頭の使い方には、常に同じ匂いがする。それはどうも受験勉強の得手不得手と関係があるようで、クイズの回答者はいずれも高学歴タレントが占めるようになり、そのうち高学歴者自体がタレントになってきた。

要求があるから人気があって番組は増えているのだろう。しかしNetflixの番組を見て驚いた。『ル・ポールのドラァグ・レース』(1)のことである。「テレビはもうダメだ。ネットにやられる」と言われて久しいが、なんだかんだと言っても、書籍にせよ、タレントにせよ、ネットで売れたものでもテレビで取り上げられると売れ方は桁が違う。その意味でまだまだテレビの力はすごいということとか。ところが、クイズ番組とル・ポールのドラァグ・レースを見比べると、「うーん、これは」と唸ってしまう。両者は違っているようで似ながら、本質的に異なる。

　ドラァグ・クイーンとして知っているものというと、自分にとっては、映画『ピンク・フラミンゴ』[2]のディバインや、『ロッキー・ホラー・ショー』[3]、それに『ヘドウィッグ・アンド・アングリーインチ』[4]ぐらいだった。それでもウェザーガールズの『イッツ・レイニング・メン』[5]のプロモーション・ビデオに、「フィーチャリング・ル・ポール」という別バージョンがあって、二〇〇〇年ごろからル・ポールの存在は知っていた。YouTubeでB－52's のプロモーション・ビデオ『ラブ・ショック』[6]を見ると、これは一九八九年の作品だから、おそらくまだ二〇代のル・ポールがアフロヘアで踊りまくっている。

　身長一九〇センチ超、二〇二二年現在六一歳で女装家であるル・ポールが、次代を担うドラァグ・クイーンを選考するリアリティーショーが、『ル・ポールのドラァグ・レース』である。一〇人ほどの候補者が、毎回なんらかの課題を与えられる。カテゴリーは「キラキラしたもの」、「動物」などと言われると、そのテーマに合わせて自らドレスを作り、ドラァグ・クイーン風の化粧をし、審査員の前でモデル歩きを披露する。同時に、歌やコメディ、ダンスなども審査の対象になる。こうして毎回一人がふるい落とされ、最後に一人のクイーン＝ネクスト・アメリカン・スーパースターを決める。私は、コロナ事情もあって家にこもっていたこともあり、一一シーズンをあっという間に見てしまった。女装などに特別興味がなくても、いつの間にかその圧倒的迫力に気圧され、最後にはその美人ぶりにただただ圧倒される。[7]

　さてクイズとドラァグ・レースはどう違うか。そもそも比較できるものか。いや比較し、クイズの可能性と意味について考えることが、実は本章のテーマなのである。まずはわかりやすい違いから見ていこう。つまりいかにもクイズという固いクイズを考える。そういったクイズには正解がある。問題があり、解答があり、しかも正解という一つの解答が用意されるのだから、問題と解答は「唯一つの関係」によって強固に結びつき、その間に何かが入り込む余地はない。特定の文脈の下で、原理的に曖昧さや多義性のない言葉のネットワークが張りめぐらされ、その中に入り込むことがクイズを解く鍵となる。(8)

問題と解答は、未だ問題であるとき解答は存在せず、解答が得られたとき問題は必要ないという意味で排他的であり、二項対立を意味する。そこで問題と解答の関係を二項対立に一般化することで、クイズとドラァグ・レースを比べてみる。ル・ポール自身、生物学的な男性、女性の区別を無効にし、両者を自由に行き来しながらも、男女の二元論ではない地平を切り開いていく。今まで男女二元論を当たり前としてきた人間が、LGBTに関する問題が社会的に議論されるようになって初めて、生物学的な男女の区別の自明性に、違和感と懐疑を持ち、何か新しい感覚をつかむ。(9)

ル・ポール自身、そのような違和感と懐疑こそが、美につながるとして、八〇年代初め、ウィー・ウィー・ポールというパンクバンドを始める。クラブシーンを中心に、アンチ・エスタブリッシュメントのパフォーマンスを展開するが、その後ニューヨークへ移り、前述したB‐52'sのPVに参加したことを契機に、レコードレーベルと契約し、『スーパーモデル』を発表し、一気に人気者となる。トークショーである『ル・ポール・ショー』では政治的な議論もものともせず、様々なゲストときわどいトークの面白さを身につけ、これらの経歴全てをぶち込んだショーとして『ル・ポールのドラァグ・レース』を打ち出した。(10)

問題と解答に対比可能な、男性と女性、の間にスキマを穿ち、何か新しい感覚を呼び込む装置こそがル・ポール自身の構えでもある。『ル・ポールのドラァグ・レース』はそれを、クイズの脱構築のような形で敷衍している。つまり問題と解答の間に積極的にスキマを空ける仕掛けを用意する。

番組はレースと言われるくらいなので、勝負事である。課題は問題であり、一人一人のパフォーマンスが解答となる。そこはクイズと同じだ。クイズと違う点は、解答が予め想定されているのではなく、むしろ予想外の解答こそ期待されていることだろうか。何しろ、スーパースターの条件として、ユニークさ、カリスマ、度胸に才能、というキーワードが何度も繰り返される。これを満たして発揮されるパフォーマンスが、予め想定可能であるはずがない。

ところが、『ル・ポールのドラァグ・レース』の面白さは、そういった単なるパフォーマンスの凄さにあるのではない。まさに問題と解答の関係を変質させ、その二項対立の向こう側へのスキマをこじ開ける点で、問題・解答の構図に留まらないのである。

第一に、問題・解答の構図を成立させる基盤、前提が、もしかすると思っているものと違って、いかようにも変わるのではないか、というその脆弱ぶりが見せつけられる。問題と解答の関係は、想定内に留めるクイズ、想定外を尊ぶレース、という違いだけなら、共に、想定される枠組みがとりあえずは設定されている（だからこその想定外も認識できる）。対立し、付き合わせる条件が成立しているからこそ、問題・解答の枠組みが決まる。ところが、これを実現するパフォーマーが、あまりに思っていた者たちと違うのだ。課題のカテゴリーが「キラキラしたもの」と決まると、作業スペースで一斉にドレスを作り始める。ミシンを使いながらも、トルソーに様々な素材を載せ、場合によってはグルーガンで糊付けする。この忙しい作業は、参加者全員、化粧もしない姿で実行されるのだ。あるものは腹の出たオッサンであり、ある者は魚屋で威勢のいい売り声を張り上げそうな元気なお兄ちゃんである。そういった人たちが、いざドレスを披露するラン・ウェイに向かうとなると、鏡の前で化粧をし、変身していく。

変身する前に作業する姿というのは、当たり前といえば当たり前だが、それは通常表に出ない。「秘すればこそ花」的な美意識からすれば、スッピンを見せないことが常識だ。ところがこの番組では過剰なほど舞台裏を見せ、化粧して初めて、問題・解答の図式が成立していく、その劇的プロセスを露わにする。これはつまり、問題・解答の成立条件が思っていたような堅固で、自明なものではなく、場合によっては成立条件を揺るがすであろうことを予見させるものなのだ。予見させるため、戦略的に見せているのである。(11)

第二のポイントは、第一のポイントに直接するもので、これによって、いよいよ問題と解答の間はこじ開けられる。舞台裏では様々な駆け引きが繰り広げられるのだ。あからさまに「あんたにはセンスがない」と批判し、自信を失わせる。裁縫の得意でない者は、得意な者の手を積極的に借りる。仲良くやっているのかと思うと、教える方は「あいつは人の時間を取る戦略だ」と怒り、教えられる方まで、「あいつは親切を装って、私を見下してプライドを汚そうとする」と陰口を叩く。つまりドラァグ・レースは純粋な競技というよりもむしろ、この足の引っ張り合いをひっくるめたレースなのだ、と思わせるのだ。ところが、それだけではない。足を引っ張り合い、パフォーマンスだけではない形で、問題・解答の関係をグズグズにする、と思っていると、突然、自分の過去の独白が始まり、ゲイであることでいじめられた少年時代が、涙ながらに語られる。先ほどまで罵り合っていた者同士が、腕を取り、慰め合い、共に泣き始める。だからといって、姑息な謀略や陰口が収まることもない。むしろ、蹴落とすつもりで節操なく争いながら、傷ついたものとは一緒に泣く。それは、問題・解答の二項対立から出発して、その成立条件を突き崩し、スキマがないと思われた問題と解答の間を広げていく。そうして、問題と解答に従属していただけと想定された参加者が、レース参加者に留まらない「何者か」として、そのスキマに「やってくる」のである。

問題・解答の枠組みに留まる競技者として想定されていた者が、人間としてやってくる。そう言いたくなるが、それは正しくない。競技者だけでなく、その人への情報が増え、「わかってくる」のではなく、姑息でいやらしくて、面倒くさいと同時に、人への思いやりや豊かな感受性を持った彼らは、レースが進行するほど、「わからない」人間になっていく。情報が増えることは「わかってくる」ことを意味するのではなく、視聴者である私に、「わからなくてもいい」ことこそがその人を見ることだと思わせてくれるのだ。見せられたものを見るのではなく、見えずわからない部分があることこそを許容し、見えない部分を愛でること。それはまさに、他者と接する態度ではないか。『ル・ポールのドラァグ・レース』は、他者をみるとはどういうことなのか、ということをショーとして切実に実感させてくれる。それこそが、この番組の核心なのである。

2 「知らない」という形で知り尽くすこと

他者との付き合い方を考えるなら、それは脱構築という構えが希望となる。一般には、他者と向き合うことを、心への共感や共同体への帰属に求め、自分にとって馴染みのあるものに根拠を求めがちだ。そのような、制度化されたという意味で馴染みのある知を、絶えず逸脱し、解体し、外部との接触を担保する脱構築は、他者を受け入れる態度となる。(12)

ここでよく言われることは、未知の他者、外部、とは恐ろしいもので、その恐ろしいものを受け入れることは困難だ、ということである。とするなら、外部との接続は、想定外のことが起こるまでは通常運転を取り、何か起こったときだけこれを受け入れ、想定外の現象を受容できるように、こちら側の制度を変え、事態が沈静化すれば通常運転に戻る。これで十分かと思われる。

他者と付き合うということは、他者を知ることであり、他者を知るとは、受け取る情報を絶えず「わたし」の中で制度化し、解釈可能なものとすることである。一般的には、そう思われている。つまり「このような反応ならば、こう対処する」といった因果のネットワークの中に他者を埋め込むことが、他者を理解することだ、ということが前提となっている。その上で、この因果のネットワーク＝制度を変えていくことを厭わず、絶えず外部の情報を取り込もう、という態度が脱構築ということになる。

ところが、『ル・ポールのドラァグ・レース』で示される他者と向き合うという態度は、情報を知ることが他者と付き合うことではない、ことを意味している。これを説明するために、まず他者が恐ろしいということの意味を考えておこう。恐ろしいということは、「わからない」それ自体ではなく、「わからない」というラベルを貼ることであり、「わからない」という意味で完全に了解し、わかりし尽くすということだ。これは、透視図の中に現れる消失点をモデルに理解できる。

図2―1Aに示す消失点は、風景の無限遠を表す点である。それは無限遠だから存在しない、と思う者が多いだろう。しかし画面の中には、実体のある近景、中景から伸びた線が収束する点として、消失点が実在しているのである。それは、風景の外部にあると思わせながら、外部を風景の中に取り込む方法なのだ。実体のないはずの無限遠は、近景・中景と結ぶ線の全体によって、その意

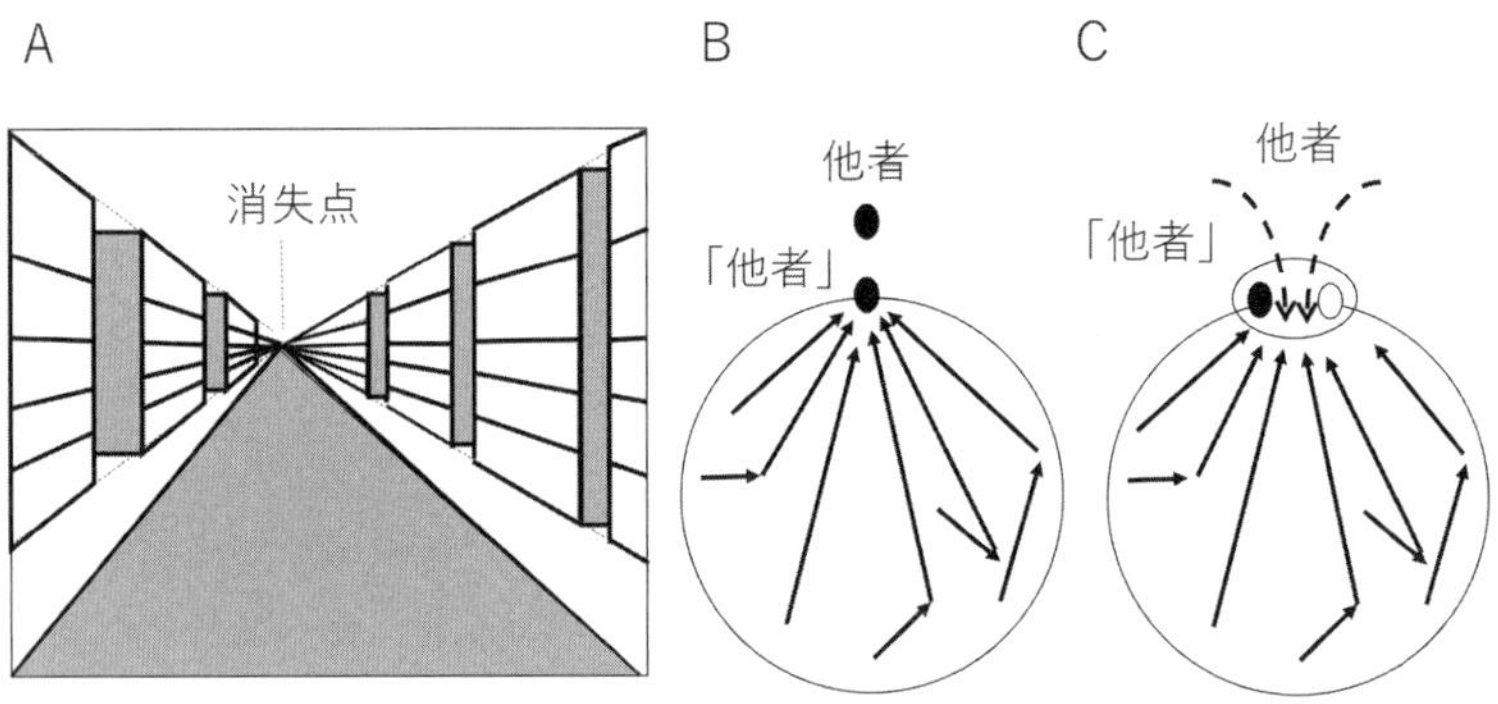

図2―1　消失点と「他者」および他者

味を外在的に構成され、実体化されてしまう。こうして「わたし」は、消失点ゆえに、無限遠まで見渡された世界の中に、逆に封じ込められることになる。[13]

外部を消失点に置き換え、風景の中に取り込むことが、他者を「未知」や「わからない」という形でわかってしまうことに対比可能だ（図2―1B）。わたしの世界（図2―1Bの大きな円）のあらゆる既知の事象に対して、無関係という特殊な、しかし紛れもなく、ただの関係（矢印）によって関係づけられた点こそ、カッコ付きの「他者」である。「他者」化とは消失点の制作と同じように、わたしの世界の外部に位置付けられるはずの他者、その意味を、無関係という関係のネットワークとして外在化する操作なのである（外在化とは、言葉とは裏腹に、自らの認知世界に取り込むことである）。

このような他者の「他者」化こそ、他者や外部に対するイメージを作り出している。なんらかの「わかる」イメージを恣意的に作れない、という他者や外部の成立条件が、逆に、わたしの世界の極限＝「わからない」という形で、「他者」や「外部」を構成してしまう。無関係という関係によって関係付けられるからこそ、わたしの感覚ともなんらかの形で関係づけられる。他者や外部が怖いというイメージはこうして作られるだけだ。消失点として「他者」化された他者は、意図せず、関係の否定＝無関係によって、わたしの世界という内側の否定としての外側、というステータスを獲得してしまう。つまり消失点として他者が、外部に位置付けられた他者に再投影され、「他者」の持つ恐怖を担保する。同時に、それをわたしの世界に位置付け、絶えず修正することが、他者を理解することである、と結論づけられる。このとき、理解は少なくとも、誤解を伴いながらも、わたしの世界内部で実現されることとなる。

これに対して、『ル・ポールのドラァグ・レース』で示される他者との付き合い方は、他者を、わたしの世界の意味のネットワークで構成しようとするのではない。つまり他者の意味とは、わたしの世界での了解事項ではなく、了解事項の裏側に潜むものに求められるのである。目の前のものが「猫である」と決められるとき、それは「白黒模様である」、「尻尾がある」、「ヒゲがある」など様々な猫としての属性によって与えられるものだ。それは一方で、「猫でない」可能性を背後に隠してしまうことで実現される。他方、「猫である」は、確かに白黒、尻尾、ヒゲなどわたしの世界の既知のものと関係付けられることで成立する。しかし、それは猫一般を形作るもので、目の前の一個体の猫と、実は無関係だ。目の前のこの猫のリアリティは、「猫である」ではなく、むしろその背後に潜む「猫でない」によって与えられ、「次はどのような、今考える猫ではないものが現れるのか」という動勢こそ、この猫のリアリティを作り出している(14)。

熾烈な争いを展開するクイーンたちは、ある場合には「端的な嫌なやつ」であり、ある場合には「他人を思いやる人」であり、錯綜した何者かとしてイメージされる。そしてその人のリアリティとは、「その人」の情報としての「端的な嫌なやつ」や、「他人を思いやる人」ではなく、その背後に潜む、錯綜と混同を通して感じられる「その人でない」ことなのである。図2―1Cに示すように、相矛盾するような錯綜した情報（図2―1Cでは、わたしの世界を表す円上にある白円と黒円）は、二項対立的でありながら混同される「その人」であり、それこそ、内側にスキマを担保することで、外部を迎え入れる装置となっている。男性・女性の間でそのスキマをこじ開けるル・ポールその人のように、登場するクイーンを絶えずそのような装置とする演出によって、視聴者は、外部を受け入れること自体が、その人のリアリティ（意味）であることを知るのである。

3　クイズは「外部＝リアリティ」を問題にできるか

確かにクイズ番組は、見始めると参加してしまい、楽しめる。しかしテレビを離れた瞬間に忘れてしまう。公共放送というものは、そういうものだろうと思っていたところに現れた『ル・ポールのドラァグ・レース』（ケーブルテレビではあるが）は、クイズ番組の持つ限界を易々と超えていったように思う。それは、第一に、問題と解答の間にスキマのない関係を想定し、その関係を成立させる文脈内部でやり取りすることよりも、その外部に潜むものへアクセスすることの方が、ずっと興味深く、興奮するものだということを教えてくれる。第二に、外部や他者に接すること＝リアリティを感じることは、認識できない外部を感じることであり、認識する総体である「わたしの世界」それ自体とは無関係だということを教えてくれる。

この第二のポイントは、他人と接するということ、他者と生きるということを、我々は脱構築も含めて誤解しているのではないか、ということさえ教えてくれる。理解とは、絶えず更新される「認識された情報」の総体にあるのではなく、外部のリアリティを感じることなのだ。ところが、理解を認識された情報の総体であり、そのような文脈を共有することだ、とすると、その世界観は、クイズの延長になってしまう。

問題と解答の間に一切の遊びがない厳格なクイズは、もちろん「外部＝リアリティ」とは無関係である。しかし、問題と解答の関係を緩和し、むしろ想定外を期待するクイズはどうか。問題に対して想定される枠組みはあっても、その外側へ逸脱することこそ尊ばれる。それはなんだか、自主性を重んじる教育者のようだ。特定の枠組みからの逸脱を期待されても、もちろん野放図ではない。結局、想定外の、しかし離れすぎない外部に遊ぶことが、期待されることになる。このようなクイズのあり方には、クイズだけではなく、問題に対する、そういった遊びを含む解答を与えることが、理解というものであるとする思想が透けて見える。それは、認識のネットワーク＝「わたしの世界」が可塑的で変更可能なことを認めながら、その中に取り込んで初めて理解が成立するとする、理解＝情報、に留まるのである。だから、この意味でのクイズの拡張は、決して「外部＝リアリティ」に届かない。

「この人」を見ながら「この人でない」を感じること。『ル・ポールのドラァグ・レース』の核心はこれである。それをクイズにおいて実装するとは、「解答」を認識しながら「解答でないもの」を感じることが必要となる。情報番組の体裁を取りながら、情報の外部を感じることが主題となっている。そのようなものがクイズとして可能だろうか。情報自体には意味がないのである。

見せられているものの外部にリアリティを感じる番組。私は、『太田和彦のニッポン居酒屋紀行』(15)にそのような番組のあり方を感じたものだった。日本中を席巻したグルメブームが次第に高級志向化したことへのアンチ・テーゼもあって、太田は居酒屋を紹介する紀行文を雑誌に連載するが、程なく単行本化される。[16] このヒットが、テレビ神奈川など地方局で放映された『居酒屋紀行』を生み出したのである。ところがこの番組が変わっている。多くの旅番組、グルメ番組が、旅館の設備や料理、その味を情報として伝えるのに対し、太田の番組から受け取られるものは情報としては不十分でもあり、何か釈然としない。しかしなんども繰り返し見ていると、与えられる情報の外部こそを感じ、その味わいを、映される料理や酒以上に味わえるのである。この感覚は、後続の居酒屋番組などには一切ない。

甘鯛の焼いたのは骨が多いが、うまく食べられるかと問う女将がカウンターから下がると、太田はすかさず言う。「魚を食べるのは上手ですか、と言われてしまった。私は魚を食べるのは上手ですよ」。黒糖焼酎の製造所を訪問し、素材である黒糖をカッターで削り出し、味見を勧める社長が、「潮風に当たっているから、ちょっとほろ苦いんですよね」と言う。これを受けて太田は、「へー」と言いながら口に含むのだが、しばらくすると独り言のように「ホロ苦いかな……」と呟く。すると絶妙の間をおいて、上方の虚空の一点を凝視しながら、社長は「今年はあんまり、ほろ苦くないみたいですね」と答えるのである。二人の間に何が流れたか、どういう思いがあったのかを想像することが楽しいのではなく、ただただ与えられた言葉と映像に向き合うことで、そこにないものが感じられる。これこそ、「この人」を見ながら「この人でない」を感じることの、太田和彦バージョンと言ってもいいものだ。

『居酒屋紀行』の場合、私には、その外部を感じるまでにはかなりの時間を要した。録画し、寝入り端には毎晩これを流しながら見ていた。その結果、ここに映されていないものの味わい、「外部」、を感じることができるようになったのである。できるようになった結果、太田和彦の言葉を、会話の例文として使えるようになった。早く伝票を出してと言われれば、「伝票を出してくれと言われてしまった。私は魚を食べるのは上手ですよ」。旅先で、「もうそろそろ出発しては」と言われれば、「もう出発しろと言われてしまった。私は魚を食べるのは上手ですよ」。何度も繰り返し見ているうちに、太田和彦の言葉を使う場を、発見できるようになったのである。それは、言葉の意味を憶測し、積極的に解釈することでもなければ、英語の例文を暗記し、生活の中で実際使えるようになることでもない。太田の例文を使えてしまうことは、その根拠を意味に求められているのではない。だから、意味を解釈することではなく、正しい使い方がないから、英語の例文とは訳が違う。つまり、「私は魚を食べるのは上手ですよ」の、ここでの言語的使用は、「私は魚を食べるのは上手ですよ」を使いながら、「私は魚を食べるのは上手ですよ」を意味していないのである。その使用こそが、「その人」を見ながら「その人ではない」を感じることの証左となる。

私は、長い時間をかけて、『居酒屋紀行』に、外部を感じることができた。それは何度も繰り返し視聴する、という、退屈な反復を含み、それを乗り越える無自覚な努力さえ含んでいた。この私の体験を、追体験するような、しかし退屈な反復を感じさせない番組は、クイズ番組として実現可能なのではないか。もしそうなら、それは、外部を呼び込む、うまい仕掛けになるだろう。

私が『居酒屋紀行』で体験したように、それほど大量の言葉も長さもない番組を繰り返し見て、文の、意味とは無関係な使われ方を示す。「伝票を出してくれと言われてしまった。私は魚を食べるのは上手ですよ」なる例文のように。このような例文の出現を解答とするようなクイズ番組は、成立するのではないだろうか。番組の出演者＝解答者は、『居酒屋紀行』を体験した私の役割を担う。だから、クイズ番組は、ある種のリアリティ番組のような体裁をとるだろう。外部を感じるためには、生活し、日常を生きることが必要になるからだ。

かくして番組の出演者は、何かその番組内で生活している。生活し言葉を交わすことはあるが、食事をしたり、バスに乗ったり、淡々と日常をこなす。ただしどの出演者も、味気ないようにさえ思える情報番組や、極めて短いドラマを見せられる。私が、『居酒屋紀行』を繰り返し見たように、である。視聴者もまた、出演者の各々が見ることで、番組内番組を繰り返し見ることになる。いつの間にか、そのセリフ、言い回しのイントネーションさえ暗記するように、繰り返し見る。こうして繰り返し見ながら、出演者は番組内番組の言葉を使い、使っている様を視聴者に見せる。単なる「あ」であっても、マや抑揚まで真似た「あ」からは、番組内番組の「あ」でありながら、「あ」ではないものを感じることができる。リアリティショーの出演者は、その番組内で言葉を使うだけであり、そこに評価や解釈はない。使われるだけなので、その使われ方を解釈し、視聴者の「わたしの世界」に内属させ、関係づけることができない。だからこそ、言葉の使用例を出演者一人一人が示すことは、「その言葉」を認識しそれを使いながら、「その言葉でない」を意味するように使うことに繋がる。だから視聴者は、『居酒屋紀行』を体験した私や、番組内番組を繰り返し見る出演者の体験を追体験し、「その言葉でない」を感じることができるのである。

この架空のクイズ番組であり、リアリティショーは、第1章で述べたような、創造＝脱創造の構造を有していると考えられる。第一に、出演者は日常を生きることを強いられる。日常とは、本来、同時に成立しない、以前と以後が反復において一致する状況である。だから、創造における「部品」と「配置」が一致させられようとしたように、「以前」と「以後」が一致させられようとする。しかし第二に、これは番組であって、出演者は退屈ではない何かを視聴者に与えるよう期待されている。厳密な意味で正解とは言えないまでも、何らかの例文を自ずから作るよう期待される意味で、クイズの体裁を取るのだから。したがって、出演者は、むしろ「以前」と「以後」が意味を失い、非日常を実現するように試みてもいるはずだ。それは、脱創造における「部品」と「配置」の脱色と同じ意味である。つまり、この架空のクイズ番組は、創造＝脱創造、すなわち、一見矛盾する創造と脱創造の共立を、実装している。

このような架空のクイズ番組を実装できるなら、それは外部を感じること、外部を愛でること、という経験が解答となるような、クイズ番組として成立するだろう。それは、ただ新しいクイズ番組ではなく、我々に他者とは何か、他者と付き合うとはどういうことか、を暗に示し、現代人、とりわけ現代の日本人の生き方を、変えてくれるのではないか。わたしの世界を変更しながらも、そこに位置付けることが理解なのではなく、その外部を感じることこそが理解なのだということを通して。現在のクイズ番組の延長を生きる我々は、やはり自らを封じ込める世界を作り出している。それを突破していくことこそ、創造的日常を生きることになるのである。

註

（1）『ル・ポールのドラァグ・レース』はドラァグ・クイーンのレジェンドであるル・ポールがMCを務めるネクスト・ドラァグ・スーパースターを決めるアメリカ合衆国のリアリティ番組。二〇〇九年から二〇一九年にかけて一一シーズンにわたって放映された。

（2）『ピンク・フラミンゴ』は一九七二年公開のアメリカ映画（ジョン・ウォーターズ監督／ディバイン主演）。

（3）『ロッキー・ホラー・ショー』は一九七五年公開のイギリス映画で、ミュージカル・ホラー（ジム・シャーマン監督／ティム・カーリー主演）。

（4）『ヘドウィッグ・アンド・アングリーインチ』は二〇〇一年公開のアメリカ映画で、オフ・ブロードウェイ・ミュージカルの映画化作品（ジョン・キャメロン・ミッチェル原作・監督）。

（5）『イッツ・レイニング・メン』は一九八二年にリリースされたウェザーガールズの楽曲。

（6）『ラブ・ショック』は一九八二年にリリースされたアメリカ・ニューウェイブ・バンドB-52'sの楽曲。

（7）ヘイスティングス、マグナス写真（2020）『WHY DRAG?』松田和也訳、国書刊行会。

（8）郡司ペギオ幸夫（2019）『天然知能』講談社選書メチエ。

（9）郡司ペギオ幸夫（2020）『やってくる』医学書院。

（10）Davis, J. (2019) *The Ultimate Fan Guide to Rupaul's Drag Race*, Smith Street Books.

（11）とりわけ番組の作業風景と註（7）における「出動」したクイーンの違いを見ると唖然とする。

（12）ドゥルーズ、ジル（1992）『差異と反復』財津理訳、河出書房新社およびジャック・デリダ他（2019）『デリダのエクリチュール』仲正昌樹訳、明月堂書店。

（13）中村恭子＋郡司ペギオ幸夫（2018）『TANKURI——創造性を撃つ』水声社。

（14）「猫でない」と「猫である」が両義的でありながら、「猫でない、というよりむしろ猫である」と決定される論理については Gunji, Y. P., Nakamura, K., Minoura, M., Adamatzky, A. (2020) Three Types of Logical Structure Resulting from the Trilemma of Free Will, Determinism and Locality, *BioSystems* 195 および Gunji, Y. P. & Haruna, T. (2022). Concept Formation and Quantum-Like Probability from Nonlocality in Cognition, *Cognitive Computation* 14 を参照。前出の『やってくる』では外部からもたされるリアリティについて論じている。

（15）太田和彦による『太田和彦のニッポン居酒屋紀行』（旧題『全国居酒屋紀行』）は一九九九年からCS放送の旅チャンネルで放映されている。

（16）太田和彦（1997）『ニッポン居酒屋放浪記』新潮社。ただし太田の最初の居酒屋寄稿文は太田和彦（1990）『居酒屋大全』講談社。

第3章　共創と共生　天然知能で読み解く『共生学宣言』(1)

共創も共生も、近年、一般的な概念として用いられ、各々学会も創設され活動している。「共創」は、複数の者が共に創造するという意味で、異質な者の「共生」を前提としているようにも思える。本章で題材として取り上げる『共生学宣言』という書籍は、共創と密接な関係にある共生を、様々な領域の専門家が論じるアンソロジーである。本稿では共創の核に、天然知能的構造、特に内在するトラウマ的構造が認められることを論じた後、それが共生の現場に広く認められることを、『共生学宣言』で論じられる具体例の中に見出していく。それによって共にトラウマを内在する意味で共通点を持つ共創と共生が、共創学は「創る」に焦点を当て、共生学は「異質なものとの共存」に焦点を当てている点で異なることを示し、両者の相互依存性を明らかにする。

1　なぜ『共生学宣言』か

私は、共生学会立ち上げのために刊行された『共生学宣言』の合評会で、その内容にコメントを求められ議論したことで、共生学が問題にしていることを自分なりに理解した。『共生学宣言』では、共生学が学としての形を取るための方法論にまで言及しているが、多くの論考はそれに則ってはおらず、一見統一感のない印象さえある。しかし、様々な共生論を天然知能的構造[2]に従って読み解くとき、そこには共通の問題意識が認められ、共創学との関係が明らかとなり、共創学にとって極めて有益な論点が見出される。

本稿で問題にする共生学は飽くまで、『共生学宣言』で問題にされている共生学である。しかしながら『共生学宣言』の第1章にあるように[3]、それは従来の共生学の知見を十分参照した上で、現代に生きる我々にとって構想されたものであり、その限りで一般性を失うものではないと考えられる。

共創という概念自体、未だ共創学会においても統一見解があるわけではない。「共に」という論点を感覚の共有に求めるか、求めないかにおいて、共創の意味は大きく変わる。ただし共創のいくつかの議論[4]には、確実に共通点がある。それは天然知能的構造であり、そこに潜むトラウマ的構造である。そしてその構造こそ、様々な共生の局面に見出されるものなのである。

そこで本章では、天然知能的構造を概観した後、いくつかの共創の場面に明らかにそれが見出されることを示し、『共生学宣言』で論じられる共生の局面にもまた、天然知能的構造由来のトラウマ的構造が認められることを示す。これらを通して、そのトラウマ的構造こそ、異質なものとの共存にとって本質的な構造であることが明らかとなる。ここから逆に、トラウマ的構造を認める共創は、異質な者との創造を捉えており、だからこそ新しいものを創造する共創となっていることが理解される。

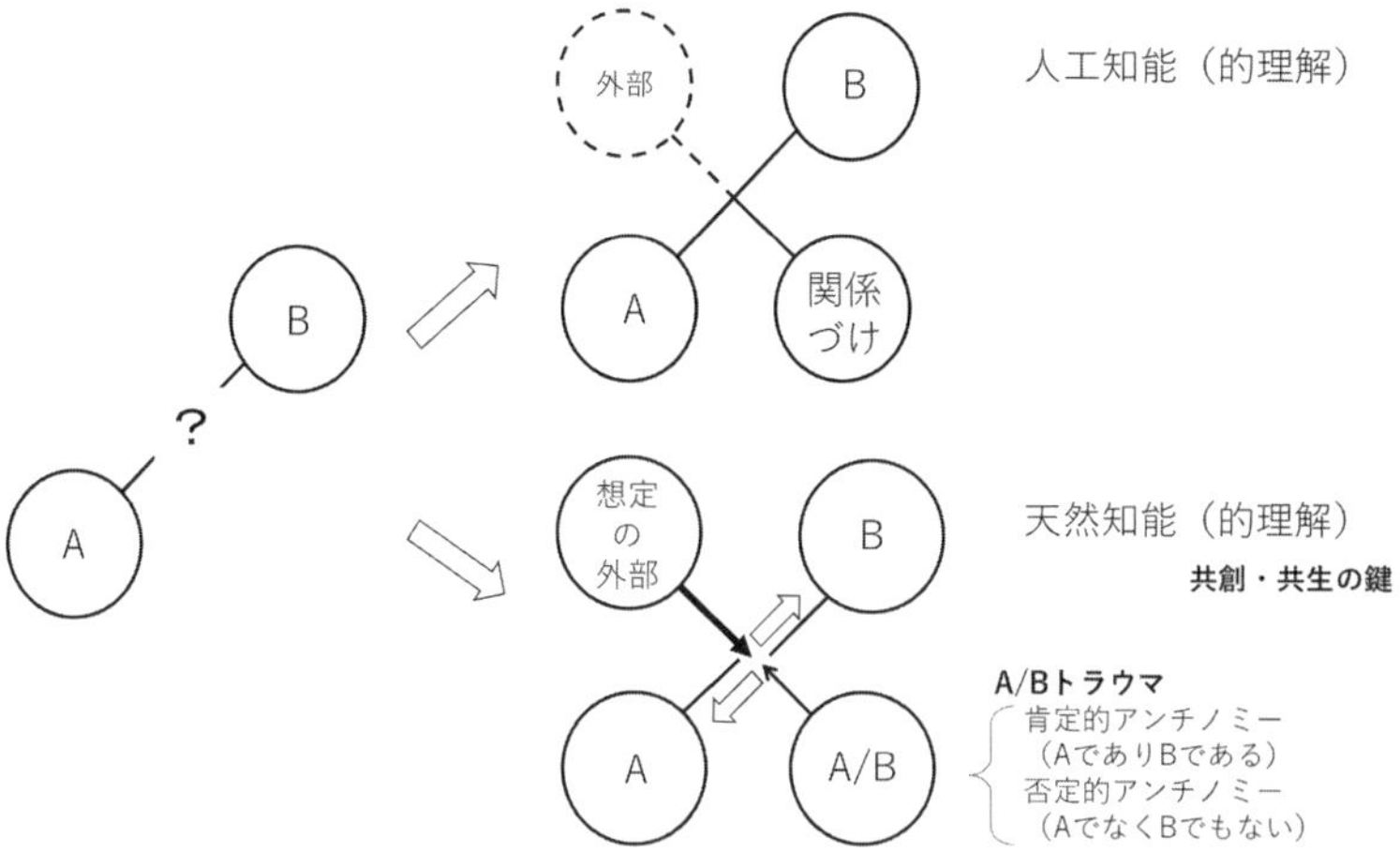

図3—1　人工知能的理解と天然知能的理解

2　天然知能に内在するA／Bトラウマ

2—1　人工知能的理解と天然知能的理解

私は、措定された二項対立的概念A、Bの間を構造化・関係化することを理解とする理解のあり方を人工知能的理解とし、これと対比的に、理解が同時に創造でもあるような理解のあり方を天然知能的理解とした（**図3—1**）[5]。人工知能的理解では、二つの概念が関係付けられる際、当初A、Bを措定する際の想定外部は、最終的に関与しない。天然知能的理解では、A、Bを接続しようとしながら同時に切断する運動が進行し、ここに想定の外部がやってくることで、理解が創造たり得る[6]。ここで重要な点は、接続し同時に切る図3—1中のA／Bトラウマである。それは内在する肯定的かつ否定的アンチノミーという形をとる[7]。ただし、第3章のすべての図では、以前の章で示した肯定的アンチノミーを示す、互いに中心を向く黒矢印の対は省略している。

アンチノミーは二つの概念の矛盾を意味するが、二種類あり、A、Bが共に成立するものを肯定的アンチノミー、共に成り立たないものを否定的アンチノミーという[8]。A／Bトラウマは、それを同時に満たす。ここでは戦場体験や虐待によって生じるトラウマに加害・被害に関する肯定・否定的アンチノミーが典型的に認められる理由から、この構造をトラウマと呼ぶ。

トラウマとあえて呼ぶ理由について詳述しよう。第一に肯定的アンチノミーの側面をトラウマが持つ点について述べよう。ここで問題にしているのは症状として現れる加害・被害の相互反転性ではない。その両義性はたまたま現れるのではなく、トラウマにおいて原理的なものと考えられるからだ。戦場体験では実際、被害と加害が共存し、両者が分かち難く結びついている。津波被害者のような端的な被害者の場合、生き延びてしまったという感覚が加害者意識をもたらすと言われる。しかし、そのような具体的な意識を持たなくとも、加害意識が被害意識に内在するのではないだろうか。あまりの理不尽さ故に、具体的な加害者を指定することが、本人にとって意味を持たなくなってしまうからだ（自然が加害者だということが意味を持たないように）。つまり、加害・被害の二項対立が無効にされる意味で、「被害」を指定するメタレベルの指定が「被害」に内在してしまう。メタレベルの指定を論理的に解釈しようとすると、被害・加害の両義性が顕在化するが、実際には両者は不分明な形で混在している。無意識に潜むトラウマの加害・被害の共存は、その意味で肯定的アンチノミー（矛盾）を担っていると考えられる。

肯定的アンチノミーとしての存在様式は、他の呼称を用いるなら量子力学で使われる「もつれ（エンタングルメント）」も有効だろう[9]。しかし以下に示す否定的アンチノミーとの関係から、ここではトラウマと呼ぶことが最も適切と考える。

トラウマという用語を用いる第二の理由は、否定的アンチノミーの潜在性にある。例えば宮地尚子はトラウマとは何かを論じながら、トラウマ要因の完全な解消については否定的だ。[10]この姿勢はトラウマのモデルでもある、自身が提案する環状島を（トラウマからの回復として）どう変形するか、という対談における議論でも言及される。[11]またヴァン・デア・コークはトラウマにおける非論理的な加害・被害の混在を認めながら、その回復を情動に訴える様々な方法で網羅的に論じ、それを普遍化しようとはしない。[12]これに対し本稿では、実はトラウマの回復とは肯定的「加害／被害」アンチノミーにおいて構造は担保したまま、その強度を脱色することではないかと考えている。それはまさに否定的アンチノミーを意味し、トラウマの回復に向けて、むしろトラウマ自体に潜在していると考えられる。トラウマの構造が変わることなく変化（回復）を示唆する宮地[13]の議論にも通じるものだろう。この意味で、トラウマは否定的アンチノミーを潜在するのである。このA／BトラウマがA、Bの間を接続すると同時に切断する。接続の意図によって、引力を孕む切断で拓かれる空白域[14]がA、Bの間に開かれ、そこに外部が召喚される。

創造とは何かに関する論点が、従来の創造論と天然知能では大きく異なっている。例えばBoden[15]は創造性を、探索、組み合わせ、変形の三つに分類しているが、前者二つは質的変化を伴わず、後者のみが相転移[16]のような質的変化を有すると述べる。しかしそれは結果における分類に過ぎず、たとえ組み合わせであっても、異質な二者を何らかの形で化学反応させ創造につなげる前提・状況の整備、創出[17]を選択する限り、質的変化は現れる。つまり創造とは、この前提の選択・準備をその本質とするわけだが、Bodenの議論はこれを見落としている。それは、変形をもたらす前提の準備は自明のものとして隠蔽することだ。[18]それが自明であるなら、創造は人工知能において容易に可能と

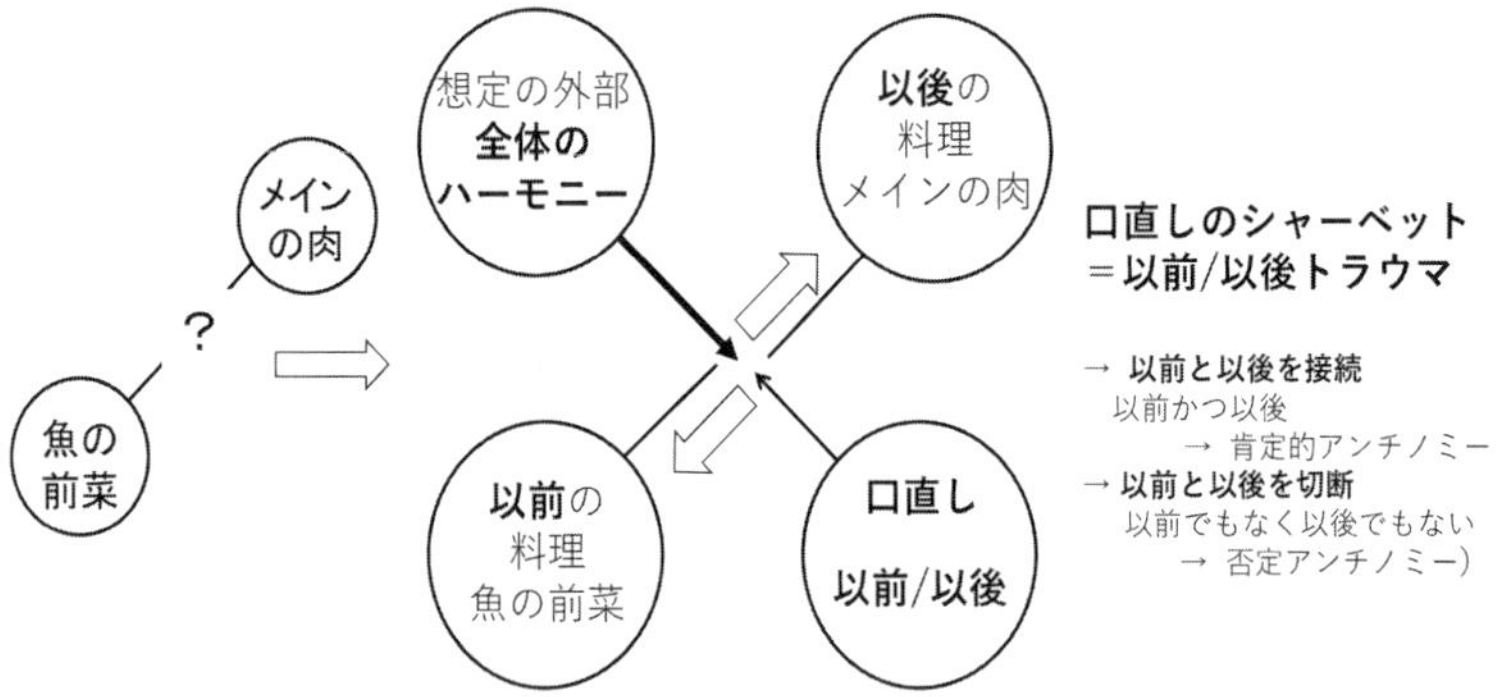

図3―2　内在するアンチノミーの例：口直し

なり人間の脅威となる。[19]

天然知能的理解で鍵となるものが、A／Bトラウマである。中村恭子と郡司の書籍や論文[20]において、示されたコース料理の「口直し」が、A／Bトラウマの典型的事例となる（**図3―2**）。Aを事前（の料理）――例えば、魚を使った前菜――とし、Bを事後（の料理）――例えば、ステーキのような主菜――とする。ここで口直しとは、以前の料理の後口をすっかり忘れさせ、次の料理を迎え入れる準備をするものだ。それは極力甘みを抑えた、スプーンに載せられたシャーベットのようなものかもしれない。それは以前と以後を切断するという意味で、両者のいずれでもない否定的アンチノミーであり、以前と以後を接続する意味で、両者を共に肯定する肯定的アンチノミーなのである。

肯定的アンチノミーと否定的アンチノミーは、論理的に同時に成り立つことなどできないだろう。しかし天然知能が問題にする知性、論理は、現実に接している知性であり論理である。従って知性・論理を実行する条件は不安定で、微細な環境・文脈の変化の影響を受けてしまう。この微細な環境・文脈の違いによって、一方で肯定的アンチノミー、他方で否定的アンチノミーを成り立たせる。

「以前／以後」トラウマである「口直し」は、接続し切断することで、両者の間を通して、料理全体のハーモニーといったある種の全体性を召喚する。それは、単に以前の料理と以後の料理を順次並べ立てるだけのコース料理では窺い知ることもできない、想定の外部なのである。もちろん外部とは常に相対的なものだ。ここで問題にしているのは、口直しという料理が発明される以前の状況で、外部を捉えることである。この状況では、料理全体のハーモニーを感じることは、外部へ接続することだ。しかし今となっては、もちろん、全体のハーモニーを素朴に全肯定するわけでもない。

2―2　共創に見出されるA／Bトラウマ

郡司[21]の共創は、最初から天然知能の図式において構想され、A／Bトラウマを内在させている。Aを理論、Bを実践とするとき、A／Bトラウマとは肯定的・否定的理論／実践アンチノミーを意味する。中村＋郡司[22]の論じる創造性は、Duchamp[23]が唱える創造性を深化させ、Aを制作意図、Bを制作実践とした天然知能的構造に整合的であることが主張されている。

特に中村＋郡司[24]およびNakamuraの論文[25]では、日本画の琳派に見られる板状に描かれた山並みを、舞台背景画に因んで「書き割り」と呼び、ここに「近景／遠景」トラウマを見出している。一枚板状の「書き割り」は、近景である裾野と遠景である山頂を共に含む意味で肯定的アンチノミーである。同時に「書き割り」は視界の限界を示しながら、その向こう側が、こちら側と同様に世界が広がっているとは言えないという意味で、近景も遠景も否定し、我々の世界の外部を示唆している。だから、「書き割り」は否定的アンチノミーをも成立させ、「近景／遠景」トラウマを成立させている。

肯定的アンチノミーと、ＡとＢとを関係づける人工知能とは、同一視される危険性もあるだろう。Ａ、Ｂの土台を提供することで両者を共に認める人工知能は、Ａ、Ｂを共に肯定し、肯定的アンチノミーを提供しているようにも思えるからだ。しかし、そうではない。その違いは、書き割りと透視図法を比較すれば明らかだ。

郡司[26]は透視図における消失点を無限まで見渡す超越者の視点としているが、Nakamura[27]はこれを「書き割り」と対比することで、よりその意味を明確にしている。すなわち「書き割り」は、本来同居してはいけない近景と遠景を、一枚の板に描いてしまう故にアンチノミー（矛盾）を意味する。他方、透視図は、無限遠を意味する消失点と距離概念の導入によって、近景と遠景の置かれる場所を区別することで、共存を排除し、矛盾を排除している。それは近景と遠景を矛盾なく区別する約束事の導入であって、矛盾そのものを許容することではない。この約束事を決めることこそが、前述の人工知能の定義における「関係づけ」なのである。

「書き割り」では肯定的アンチノミーが成立し、さらに近景・遠景の意味が無効にされることで、否定的アンチノミーが現れる。これに対して、透視図において近景・遠景が意味を失う地点とは、まさに無限遠を意味する消失点である。「近景／遠景」アンチノミーは、矛盾を意味する故に、近景や遠景を措定する認識空間を突き破り、その外部へと接続する。対して透視図は、肯定的アンチノミーさえ実装せず、矛盾を取り込むことはない。消失点は、認識空間を突き破るどころか、極限として認識空間に取り込まれてしまう。以上の考察から、肯定的「近景／遠景」アンチノミーと、近景・遠景の両者を距離概念によって「関係付ける」透視図＝人工知能的見取り図とは明らかに異

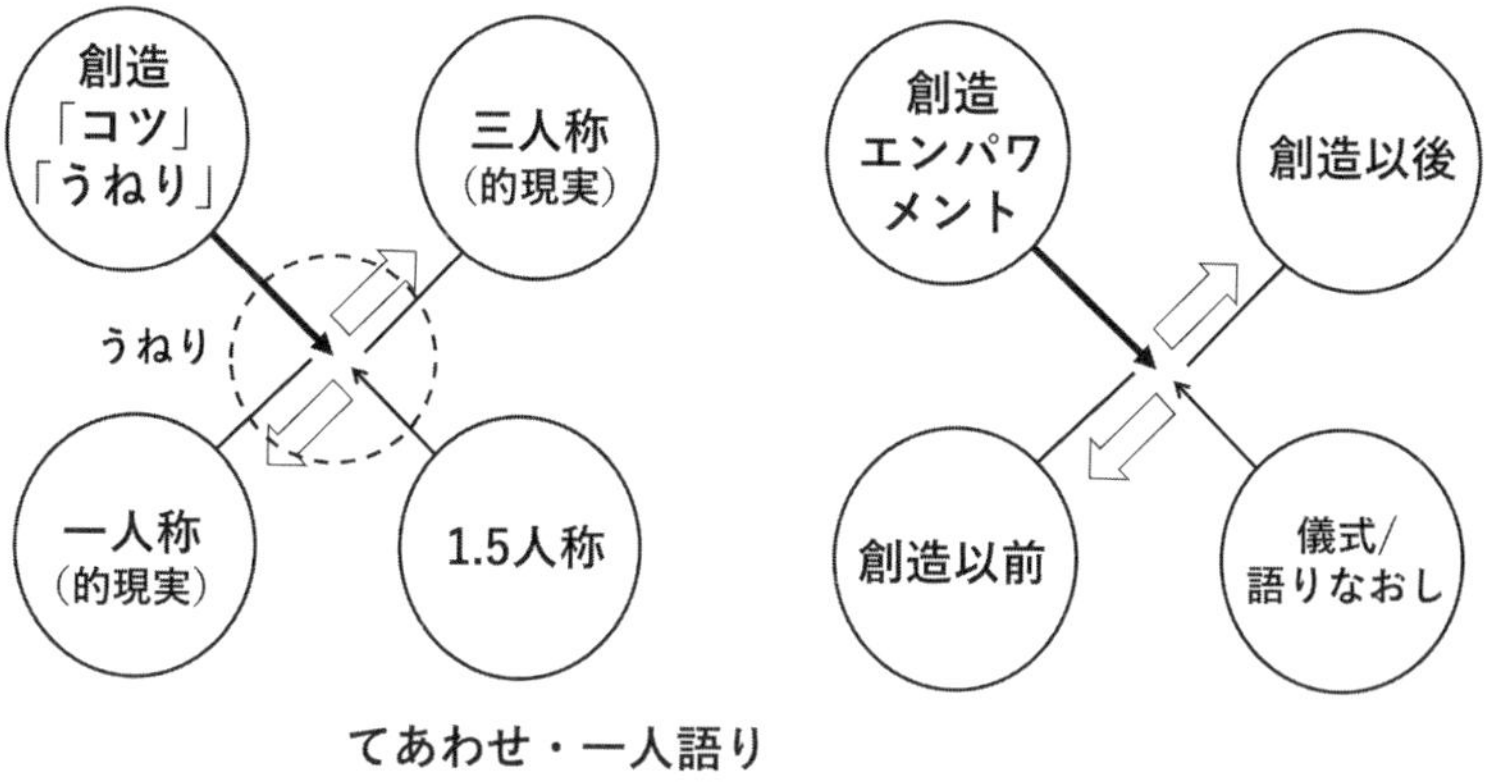

図3―3　共創における天然知能的構造

なっており、前者における近景・遠景の無効化が、認識の外部を召喚するのに対し、後者における近景・遠景の無効化が、それ（消失点）を極限として認識の内部に取り込むことは明らかだろう。

では共創学として論じられる他の事例はどうか。それらはもちろん天然知能と独立に発展したものだが、多くの研究が天然知能的構造を有している。それを簡単に見ていくことにする。三輪敬之と西洋子は西が発案した「てあわせ」という身体表現を共創のモデルとしている。[28] それは二人の人間が手を合わせながら心身の能動と受動を交錯させ、即興的に創りあげる表現であるが、当事者的視点（一人称）と俯瞰した視点（三人称）を同時に認めながらも、そのいずれでもない脱色された境地（空白域）が形成され、結果的に現れる二人の運動の反復から変調、波の「うねり」のような現象（三輪[29]によって詳細に解析されている）が現れる。ただし西[30]において二項対立的一人称と三人称は、一人称的現実感（Actuality）と三人称的現実感（Reality）や珠と布などのイメージに変奏され、それらを接続しようとしてできない間に現れる潜在性の発露＝空白域をも、西はうねりと呼んでいる（波における物理的うねりと区別される）。この意味で潜在性＝うねりを創り出す「てあわせ」は、「一人称／三人称」トラウマを成し、天然知能的構造をもたらしていると考えられる（**図3―3左図**）。郡司[31]は、「一人称／三人称」トラウマを一・五人称と呼んでいるが、「てあわせ」はその意味で一・五人称に相当するものと考えられる。

諏訪正樹[32]の議論では、一人語りという形で明確に一・五人称が実装される。多くの場合一人称と三人称の対立は、研究者、とりわけ、当事者として研究対象である共同体に入り、それを三人称的に記録する文化人類学者を、悩ませてきた。しかし諏訪は、オノマトペさえ多用する徹底した主観的一人語りを被験者に取らせる。被験者は毎日ボーリングの練習をし、毎日一人語りで練習を反省する。これを続けると、或るとき、突然ボーリングのコツを掴み技量が飛躍的に上がるという。一人語りは当事者の言語記録という意味で、肯定的「一人称／三人称」アンチノミーであるが、内的な当事者でないという意味で純粋な一人称ではなく、客観性を担保しない意味で純粋な三人称ではない。その意味で否定的「一人称／三人称」アンチノミーでもあり、故に「一人称／三人称」トラウマを成している。だからこそ、一人称と三人称の間を穿ち、「コツ」がやってくるのだと考えられる（図3―3左図）。

中村美亜[33]は参加型の芸術活動における、創造とエンパワメントがやってくる、或る種の条件について論じている。それは創造以前に創出を準備する儀式と創造以後の語り直しの対であるという。この密接な対は、対自体として「創造以前／創造以後」トラウマを構成している。第一に両者を共に満たすことは明らかであり（肯定的アンチノミー）、第二に両者が相互浸透し分離できないが故に、純粋な意味での創造以前、創造以後は共に存在しない（否定的アンチノミー）からだ。この「創造以前／創造以後」トラウマ（＝「儀式／語り直し」トラウマ）が図3―2における口直しの正確な相似形である点に注意してほしい。ただし中村の議論における以前・以後は通時的時間の中の現象ではなく、共時的構造の中での創造に内在する創造以前・創造以後と考えるべきだろう。芸術的創造の中で、儀式は反復的に織り込まれ、語り直しは予期されるわけだ（図3―3右図）。

以上の共創学的研究は、いずれも表現を問題にしており、豊かな表現がやってくる状況、創造が体験される状況を論じている。本稿では、それらがまさに天然知能的構造を有し、その核であるA／Bトラウマを内在していることが示されたわけだ。

同じく永田鎮也(34)の議論は明示的にトラウマ的構造を論じていないが、協同や協調関係が、想定される範囲で可能であるのに対し、共創には外部が必要であると論じている。植野貴志子(35)の議論は、日本語に特徴的な共話を分析し、そこに相互予期を見出し、これを可能とする共創の場を仮定する。しかし、そのような仮定はいらないかもしれない。相手の問いかけに対して絶えず正しい答えを予測するような対話なら、予測が成功し続けることは謎となる。しかし予期は予測と異なり、答えを予測しながら問いを事後において変えてしまう(36)。だから、結果的にうまく答えられたかのような対話＝共話が成立する。問いと答えの相互変質は、天然知能図式におけるA＝問い、B＝答え、において成立する。「答え／問い」トラウマによって、まさに共話的コミュニケーションは実現可能となる。郡司(37)は、パトカーの写真を見せられ「これ何だ」と問いかけられたとき、「カブトムシ」という答えが出されたことが、新たなコミュニケーション（特殊な共話）を開いたと報告している。「カブトムシ」こそ「答え／問い」トラウマを成すものである。

3 『共生学宣言』におけるA／Bトラウマ

3—1 共生学が警戒感を持つもの

共創学において天然知能的構造およびそこに内在するA／Bトラウマの意義が認められる。共生の現場においてはどうか。以下、『共生学宣言』の内容についてA／Bトラウマの観点から解読しよう。

『共生学宣言』序章において、編者の中心メンバーである志水宏吉[38]が共生学を定義し、学としての共生学を規定する。それは多数派をA、少数派をBとするとき、

A＋B→A'＋B'＋a

となるような、新たな制度aの創発を伴う共進化的イメージを共生に与えている。ただしこれだけでは**図3—4**のような共生モデルにも合致してしまう（それは後述するように誤解ではあると思われる）。それは共生の根拠を「わたしたち」に求め、「わたしたち」において「関係づけ」を実現するモデルである。

しかし『共生学宣言』の第2章では檜垣立哉[39]が、第8章では稲場圭信[40]が大きな物語や共創の場といった「わたしたち」への警戒感を示している。このことに整合的に、序章の後半、志水は、共生の目的を明示するフィロソフィー、共生に向けて現実を理解するサイエンス、共生の手立てとしてのアートの関係を提言する。通常の科学は因果関係を現象の説明として求め、哲学はそれを根拠づ

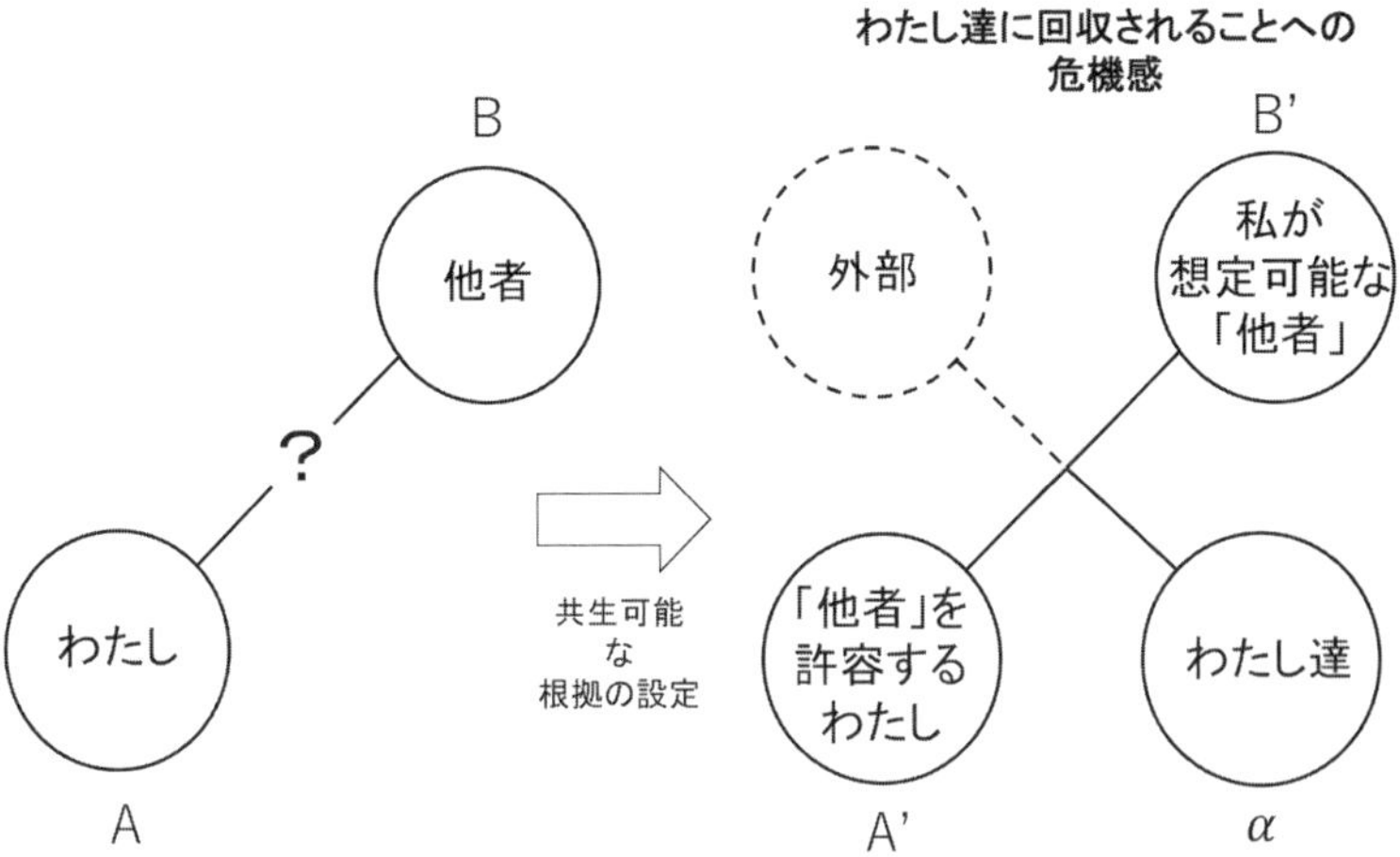

図3—4　「わたしたち」による共生根拠への警戒感

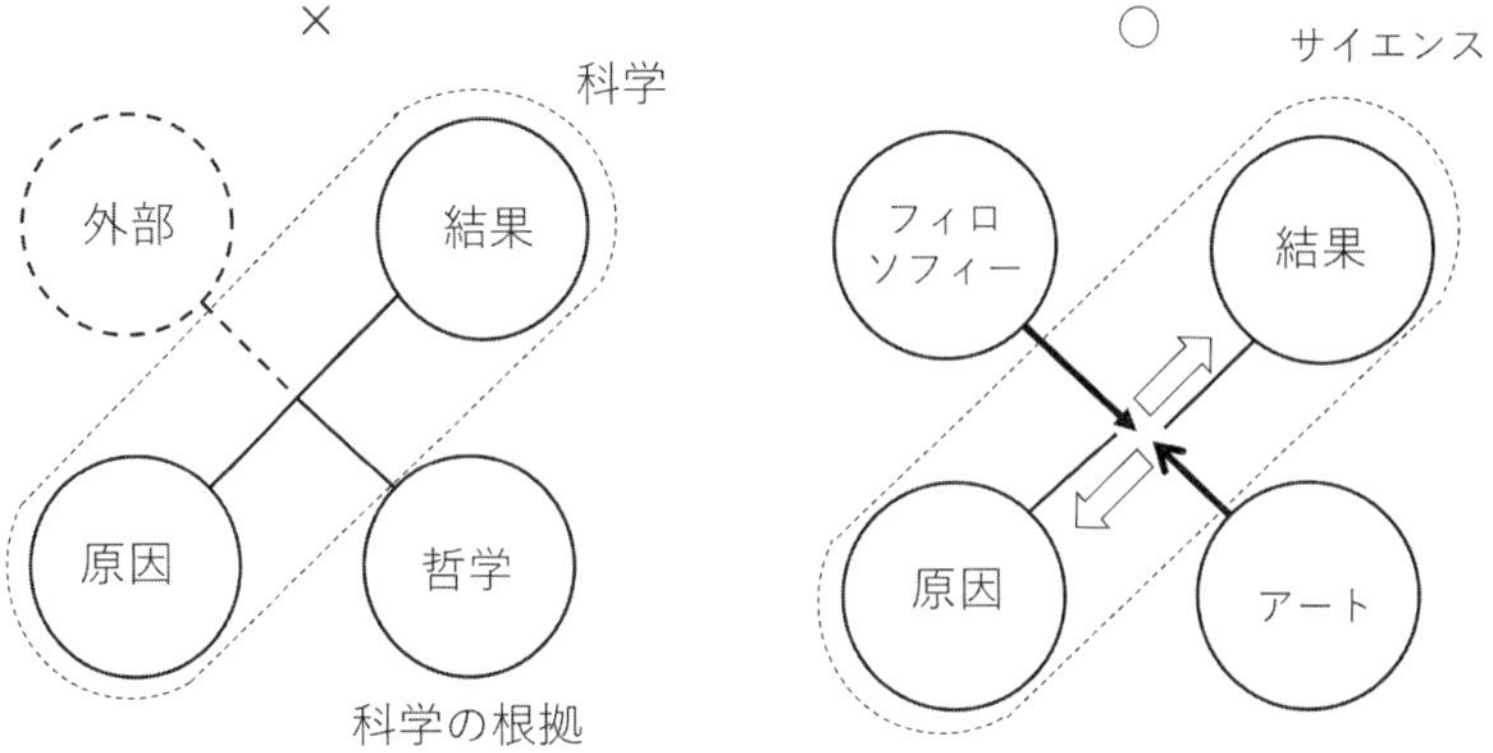

図3—5　既存の科学・哲学関係と共生学で想定されるサインエス、アートとフィロソフィーの関係

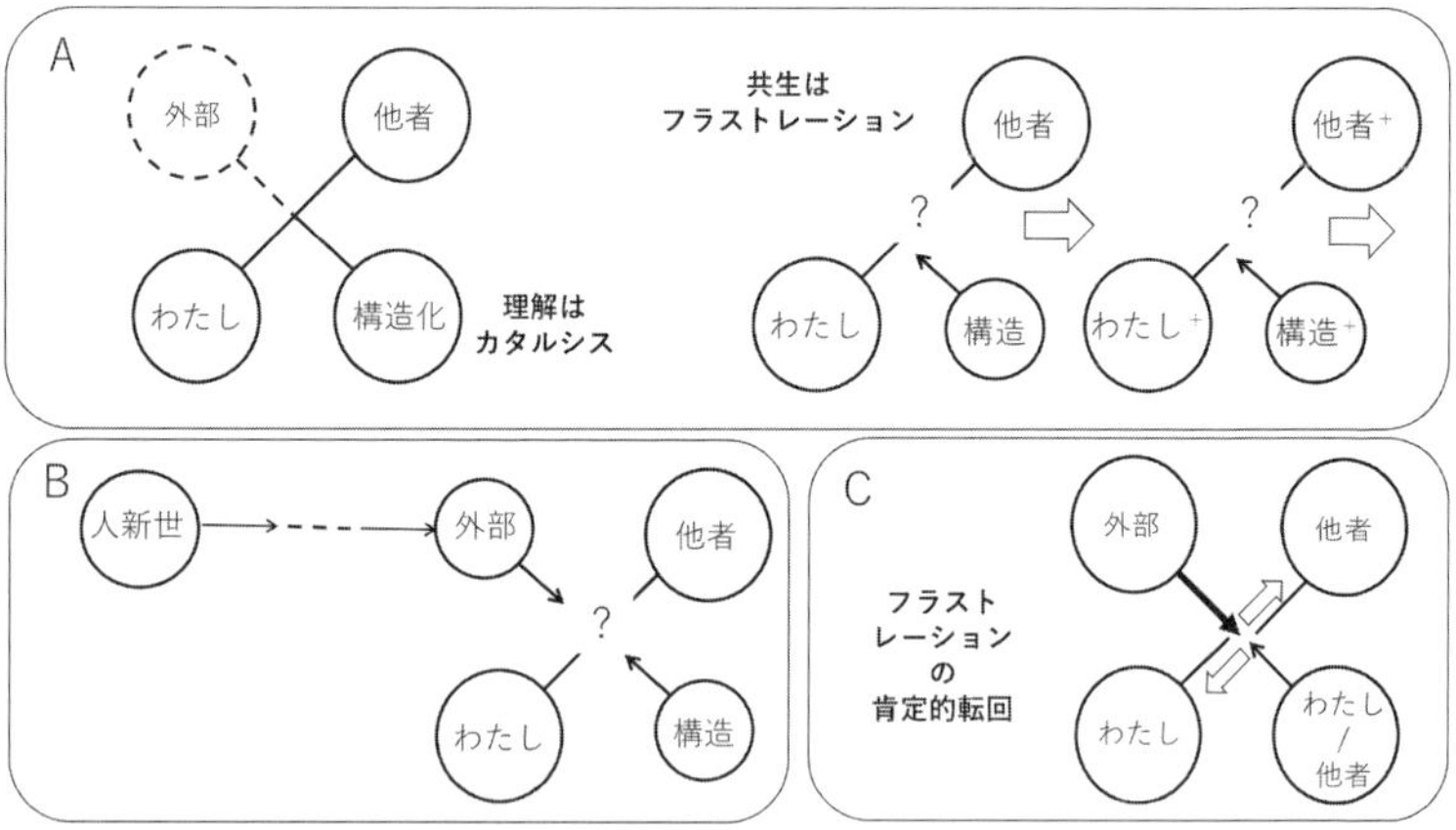

図3―6　A：カタルシスとしての理解とフラストレーションとしての共生。B：戦略的人新世の意味。C：フラストレーションの肯定的転回としての天然知能

けるものと構想されるだろう（図3―5左図）。ここに藝術の関与はない。ところが志水は、因果律の論理的決定を補完する機能に情緒や感覚に基礎づけられたアートを見出し、サイエンスと共生を関与づける。郡司(41)は図3―1の人工知能図式におけるA、Bおよび関係づけに質料因、形相因、作用因の各々を対応づけ、この三つ組が機械論に対応し、目的因はその外部へ排除されることで機械論vs目的論の対立がもたらされると説いた。脱機械論的生命論は、機械論に目的論（外部）を組み込む形で天然知能図式とならざるを得ない。志村の議論はこれに対比可能で、因果関係を接続・切断するアートは「因／果」トラウマ、目的（因）に対応するフィロソフィーは外部に相当すると考えられる（図3―5右図）。すなわち志水は、共生の基本理念が天然知能に整合的であることを示している。

　このことは、自らの認識世界外部と接続しようとするあらゆる実践＝理論が、天然知能の形をとることを意味しているのであり、天然知能の形を満たすものと満たさないものがあるわけではない。

3―2　カタルシス・フラストレーション・A／Bトラウマ

『共生学宣言』第2章で檜垣[42]は、共生のパイオニアである花崎皋平に言及し、政治運動が大きな物語に絡め取られることで、いずれ衰退する一過性のものと化してしまうことを説く。その上で、共生のような本質的にミクロな営為が、大きな運動として立ち上がる可能性を考察している。

ミクロな営為としての共生は、上野千鶴子の言葉「理解はカタルシス、共生はフラストレーション」を引くことで簡潔にまとめられる（**図3―6A**）。他者に対する理解がカタルシスであるとは、理解するわたしとされる他者が何らかの構造によって関係付けられることを理解とし、構造の発見＝構成によって理解の過程が完了することを意味する。ここに当初想定されたわたしと他者の外部は一切関与しない。これに対して「共生がフラストレーションである」は、わたしと他者の関係を構造化しようとしてそれが決してできない、もしくは、してはいけないことによって、わたしと他者の関係が不断に問われ続けることを意味する（図3―6A）。

このように異質な二者関係を変更し、端的な二項対立に陥らないよう、いわば保留し続ける営為は、デリダ[43]によって検討されている（デリダにおける友敵関係の脱構築は西島佑[44]が論じている）が、檜垣は構造の脱構築という点に言及していない。ただし檜垣は、構造を脅かす外部を啓蒙するため、人新世[45]を取り上げる。それは人間の産業活動に起因する温暖化のみならず、様々な原因で、いずれ人類が消滅する未来を喚起し、そこから現在への補助線上に、現状の少し先・少し外にある外部を啓蒙・構想する手段と考えられる（図3―6B）。フラストレーションと近接する外部から構想される見取り図は、外部を積極的に召喚する、他者とわたしの間を接続しようとして切断する「わたし／他者」トラウマではないだろうか（図3―6C）。それは天然知能が典型的に内包する接続・

切断の装置である。

3—3　特殊な共同体に見出されるA／Bトラウマの普遍性

『共生学宣言』第1章で栗本英世[46]はケニア北東部のトゥルカナという牧畜民を取り上げ、トゥルカナの「ナキナイ（○○をくれというトゥルカナ語）」の意義を論じている。日本人がそれに接する際の、違和感や不快感を強調しているが、これは第2章の檜垣が言及する「共生はフラストレーション」に繋がるという議論である。

ただし、ナキナイを許容する文化と許容しない文化の共生がテーマなのかというとそうではない。誇り高いトゥルカナにおいて、しかし自助努力ではなく相互にナキナイを許容することが、生存さえ脅かす予測不能な状況に対処する「文化であり制度」なのではないかと示唆している。これは天然知能的状況を極めて強く示している。第一に、ナキナイは「受動／能動」トラウマを構成している。乞う者（受動者）と施す者（能動者）は、語義的に二項対立を示している。ここで乞う者は、受動者として施されることを待つしかない。これに対して、「ナキナイ者」は、積極的に乞うという意味で、能動的受動者である[47]。すなわち、能動者でありかつ受動者（肯定的アンチノミー）であり、非対称性を担保した制度を否定する意味で、能動者ではなく受動者でもない（否定的アンチノミー）。したがって「ナキナイ者」は、明確に「受動／能動」トラウマを成している。つまり「ナキナイ者」は受動・能動の二項対立を接続し切断するものと考えられる。第二に、予測不能な状況とは、まさに受動・能動から構成される社会の外部であり、想定の外部である。この意味で栗本は、「受動／能動」トラウマが外部と接続し、外部を対処する、現実である事を示唆している（図3—7

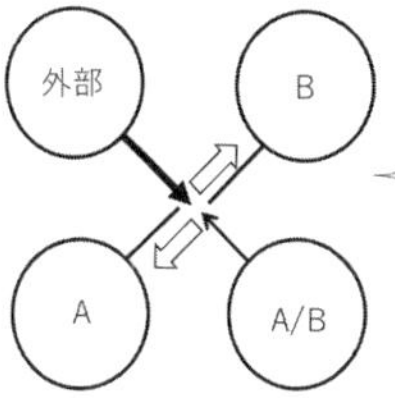

1：栗本

A: 乞う者（受動者）　B: 施す者（能動者）

A/B：　**能動的に乞う（ナキナイ）**→ 誇り高い「乞う者」

→ 予測不能な事態への対処

（外部との積極的接続）

3：河森

A: 受け手（受動者）　B: 支え手（能動者）

A/B：　**中山間地のサロン**　→　支援関係の外部へ開かれる

→「ただいること」の発見

（支える・受ける　関係の無効化）

図3—7　共同体におけるA／Bトラウマの普遍性。能動的受動者としてのA／Bトラウマと中山間地のサロンとしてのA／Bトラウマ

上段）。

『共生学宣言』第3章で河森正人[48]は、共同体における結節点となるような支援サロンについて論じている。サロンの機能自体、サロン外部に接続し、街全体を活性化する役割を担うものだ。しかし議論の中心になるのは都市部のサロンではなく、山間地域のサロンである。都市部のサロンでは、支援する側は中・若年層であり、支援される側は高齢層である。この年齢的非対称性が、常識的な意味での支援関係を成り立たせている。対して中山間地のサロンでは、過疎化・高齢化が進み、支援する側に中・若年層を期待できない。支援する側もされる側も高齢層であり、場合によってはその区別さえ難しい。このとき、中山間地サロンは、互いに日常のことを語り合う茶飲み話の場所となり、顔を合わせ、無事を確認し合う場所となる。この意味で中山間地サロンは、そこにいる一人一人が、支援する者と支援される者を同時に満たす肯定的アンチノミーとなる。

否定的アンチノミーについてはどうか。例えば、中

山間地のサロンで支援する・される側の両者が高齢者であり、当初は互いに慰めあっているように見えた場合でも、支援・被支援の強度が脱色され、それでもサロンで会話する、という否定的アンチノミーが現れる場合もあるだろう。その現れ方には詳細な評価が必要になるだろうが、もしそうなれば「支援する／される」トラウマを満たすものとなるだろう（図3―7下段）。

河森は、「受け手／支え手」トラウマである中山間地サロンに、肯定的意義を見出そうとしている。支援する・支援される、という常識的な関係を逸脱し、中山間地サロンは、明確な支援行為の授受で成り立つ支援制度の外部に接続し、新たな可能性を受け入れているというわけだ。それは「ただいること」に見出される幸せであり、意味や価値を見出すことだけに幸せを感じるのではない、幸福感である。そのような外部に踏み出せる装置はいかにして可能なのか。それは「受け手／支え手」トラウマによってこそ可能であると考えられる。

3―4　実験場におけるA／Bトラウマの二重性

『共生学宣言』第12章で編者の一人でもあるモハーチ・ゲルゲイ[49]は、日本とベトナムの、特異な薬用植物園について論じている。もちろん特異性によって一般化が困難になるのではなく、共生の普遍性をこの特異性から立ち上げることが、モハーチの目的である。そしてここでは二重の意味でA／Bトラウマが発見されていると考えられる。

モハーチはまず、日本の或る薬用植物園における、管理・保全状況を紹介する。そこでは育種のための独自のテクニックが生み出されていると共に、土壌のためには、この植物の作付けが必要だ、といった独自のエコ思想さえ生まれているそうだ。薬用植物園は、通常、いかなる植物が薬として

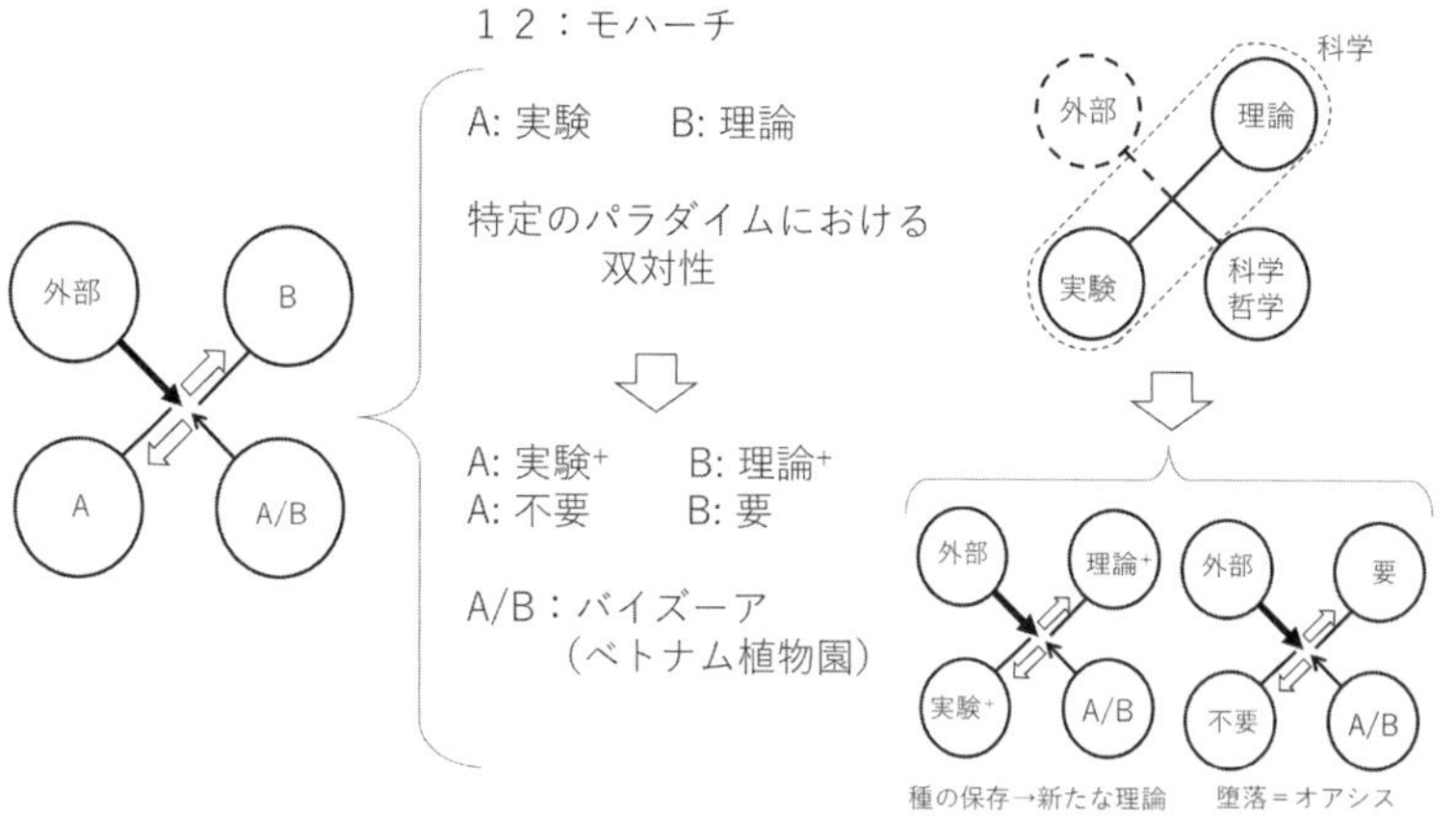

図３—８　薬用植物園におけるＡ／Ｂトラウマの二重性

有用で、そのため維持・管理する必要がある、といった、薬用植物園を運営する側の論理が存在するだろう。運営側の論理には、新規の植物を植えることは可能かといった質問もしくは要請も含まれるに違いない。運営される側、つまり実際に植物園を維持・管理する側は、その論理のもとで粛々と植物の保全を実現することになる。すなわち、植物園を運営する側（経営者）と運営される側（維持・管理者）との間には、一般的な意味での、科学における理論と実験の関係がある。理論家は理論によって新たな現象を予測し、そのための実験を実験家に要請する。実験家はこれを受けて実験を実施し、予測を実証するか棄却する。この限りで理論と実験は、常識的な科学哲学によって双対性を根拠づけられ、補完関係にあると言っていいだろう（**図3—8**上段）。

しかし大きな科学の変革は、多くの場合、そういった理論と実験の補完関係を無視したところで実現される。理論家が自明と思い、意味を見出さなかった現象を実験家はわざわざ取り上げ、それが突破口となって大きな変革がもたらされる。モハーチが示唆する薬用植物園は、

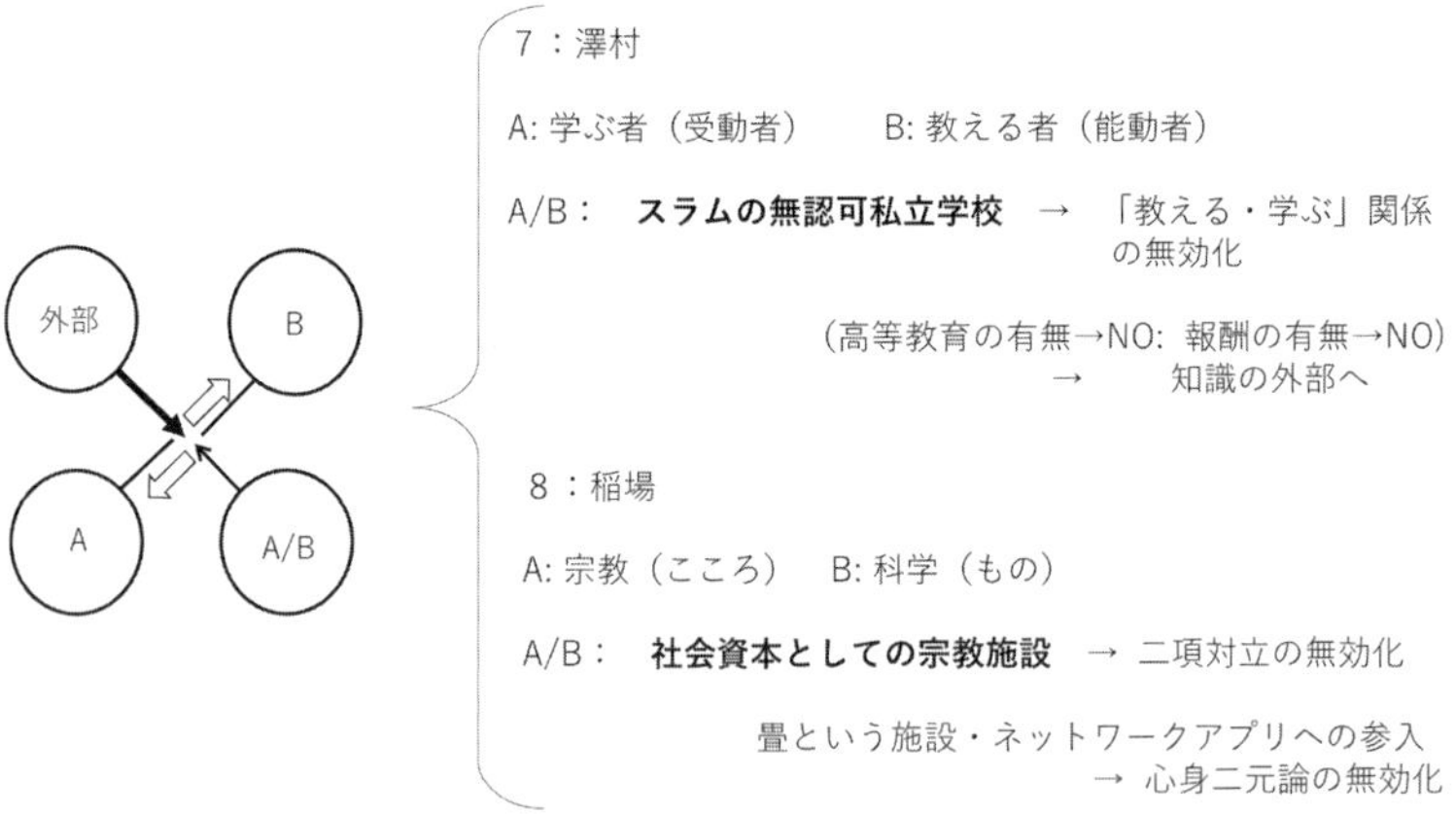
外部
B
A
A/B
7：澤村
A: 学ぶ者（受動者）　B: 教える者（能動者）
A/B：　スラムの無認可私立学校　→　「教える・学ぶ」関係の無効化
（高等教育の有無→NO: 報酬の有無→NO）
→　知識の外部へ
8：稲場
A: 宗教（こころ）　B: 科学（もの）
A/B：　社会資本としての宗教施設　→　二項対立の無効化
畳という施設・ネットワークアプリへの参入
→　心身二元論の無効化

図3—9　公共財におけるＡ／Ｂトラウマ。無認可私立学校と宗教施設

まさにそのような、理論と実験の関係を脱構築する装置として働いている。薬用植物園は、理論と実験を共に満たす意味で肯定的アンチノミーであり、整備された理論から実験をデザインする論理性や無矛盾性が担保されない意味で、通常の理論や実験が成り立たず、否定的アンチノミーになっている。つまり薬用植物園は、「実験／理論」トラウマを成している。

モハーチはベトナムの植物園、バイズーアについても言及する。それは市街地の河川の中州に位置し、富裕層を含む一般市民にとって不要な場所、忌み嫌われる場所である。その場所において、富裕層が必要とする薬用植物が栽培される。モハーチの強調するバイズーアのギャップは、「不要／要」トラウマの有する、肯定的アンチノミーと否定的アンチノミーのギャップである。要・不要の二項対立に則りながら（要・不要を共に肯定）要・不要の間に穴を穿つ（要・不要を共に否定）ギャップこそが、実は要・不要という素朴な二項対立の外部へ出る装置なのである（図3―8下段）。

以上の意味でモハーチは、明確には強調しないものの、特異な薬用植物園が、「実験／理論」トラウマ、「不要／要」トラウマの二重性を担うことを示唆し、そこにおいてこそ、新たな可能性＝外部へ接続する共生の鍵を見出していると考えられる。

3―5　公共財のA／Bトラウマ

ここでは、『共生学宣言』(50)第7章と8章で論じられる学校や宗教施設におけるA／Bトラウマの議論をみていこう。澤村信英は第7章で、ケニアのスラムにおける無認可私立学校の意義を論じている（**図3―9上段**）。なぜ共生の論考で無認可私立校の運営状態を論ずるのか。これも一見判然としないが、A／Bトラウマという観点で読み直すなら明快である（図3―9上段）。

ケニアに多く存在する私立無認可校は、公立校の不足を補い、未就学児童の救済に大いに寄与しているという。ところが多くの場合、そのような学校を運営する者は十分な資金を持たず、経営的に破綻している。

にもかかわらず運営する者はそれを大して気にも止めず、雇用される教師の方もほとんど無給で、熱心に教育をするということだった。教える（能動者）・学ぶ（受動者）の間には、通常、大きな非対称性がある。大学卒業資格など、高等教育を受けた者が教師であり、受けていない者が生徒である。しかしケニアの無認可私立学校において、教師は日本の中学教育程度しか受けておらず、受けた教育の程度において教師と生徒の間に大差はない。つまり受けた教育に関して、この無認可私立学校は、教える・学ぶの境界を曖昧にすることで共立させ、肯定的アンチノミー足り得ている。

読者は、肯定的「教える／学ぶ」アンチノミーが、例えば大学研究室内での、極めて優秀な学生と教員の関係でなければ成り立たないと考えるかもしれない。そのような場合、斬新なアイデアを思いついた学生が教え、教員が学ぶということもあるだろうし、学生と教員の垣根が低ければ、教え・学ぶ関係の両義性が実現されるだろう。しかし、肯定的アンチノミーは教育レベルとは独立である。ケニアの無認可私立学校では、学びながら教える教師だからこそ、子供から学ぶ姿勢も発揮されるからだ。

教える・学ぶの非対称性は、通常、給与の有無によっても根拠づけられる。しかし前述のように、ケニアの無認可私立学校では、教師はほとんど無給の状態で、できる限りきちんとした教育をしようと努力している。つまり給与の有無に関しても、教師と生徒の間に非対称性はなく、給与の有無によって明確に意識される、教える・学ぶ関係は無効にされる。この意味において、ケニアの無認可私立学校では、否定的「教える／学ぶ」アンチノミーが成立する。教師は報酬をもらい、生徒はそれを支払う、という非対称性は、教育に、「有用な何かを伝達するサービスである」というイメージを強く植え付ける。ところが教える・学ぶ関係では、伝達される何かについて共通の土台など存在せず[51]、それは言葉のやり取りにおいてさえ、暗闇の中の跳躍を伴うものなのである[52]。例えばヘレン・ケラーが手に水をかけられ、その後手の表面にwaterと指で書かれ知ったことは、水とwaterの対応関係ではなく、全てのものには名前がある、ということだった。すなわち、教える者、学ぶ者の間は、否定的アンチノミーによって切り開かれ、メタ認知を召喚するように外部を召喚するのである。

この意味でケニアの無認可私立学校は、肯定的アンチノミーと否定的アンチノミーを共に成立させており、「学ぶ／教える」トラウマを成立させていると言えるだろう（図3―9上段）。それはヘレン・ケラーが言語のメタ認知に開かれたように、むしろ素朴な知識の授受の外部に開かれ、生徒の自主性を促す教育となることさえ可能だろう。

稲場は『共生学宣言』第8章で、被災地における宗教施設の意味を論じている。[53] 図3―9下段に示すように、宗教施設自体が、こころの問題であるところの宗教と、ものの問題である建築施設を両義的に満たす意味で、肯定的「こころ／もの」アンチノミーである。稲場は宗教を仏教に限定しないが、檀家や畳敷きの記述もあり、仏教系寺院を対象にしているようだ。肯定的「こころ／もの」アンチノミーは、宗教施設という具体的場所が、利他主義（思いやり）の契機となるという稲場の主要論点と考えられる。さらに「もの」は科学へと拡張され、宗教施設が独立電源装置を完備し、災害時緊急被災地情報などの災害対策アプリに組み込まれることが構想される。これは肯定的アンチノミーの強化を意味するものである。

現実の周囲を見るなら、仏教は世俗化し、真にこころの問題としての宗教がどのように問われているのか、疑問を感じる読者も多いだろう。しかし稲場は過剰な理念化を避けた現状をむしろ肯定的に捉えていると考えられる。宗教と科学の両義性を徹底させるとき、肯定的「こころ／もの」アンチノミーは、解決すべき問題とみなされるだろう。最終的にその問題は、宗教を科学で根拠づけ、科学を宗教で根拠づけることによって、解決されることを宿命づけられる。そのような解決志向は、科学と宗教が論理で媒介されることで根拠づけられる。これを退けるとき、論理で理解する科学、そうではない宗教の両者は、通訳不可能な二元論を成すだろう。稲場は論理による宗教と科学の媒介（同化）とも、論理の有無による差別化とも異なる場所で、宗教と科学の共立を捉え直そうとしているようにもみえる。それは宗教施設に否定的「こころ／もの」アンチノミーさえ見出すことを意味し、この限りでそれは、「こころ／もの」トラウマを成している。

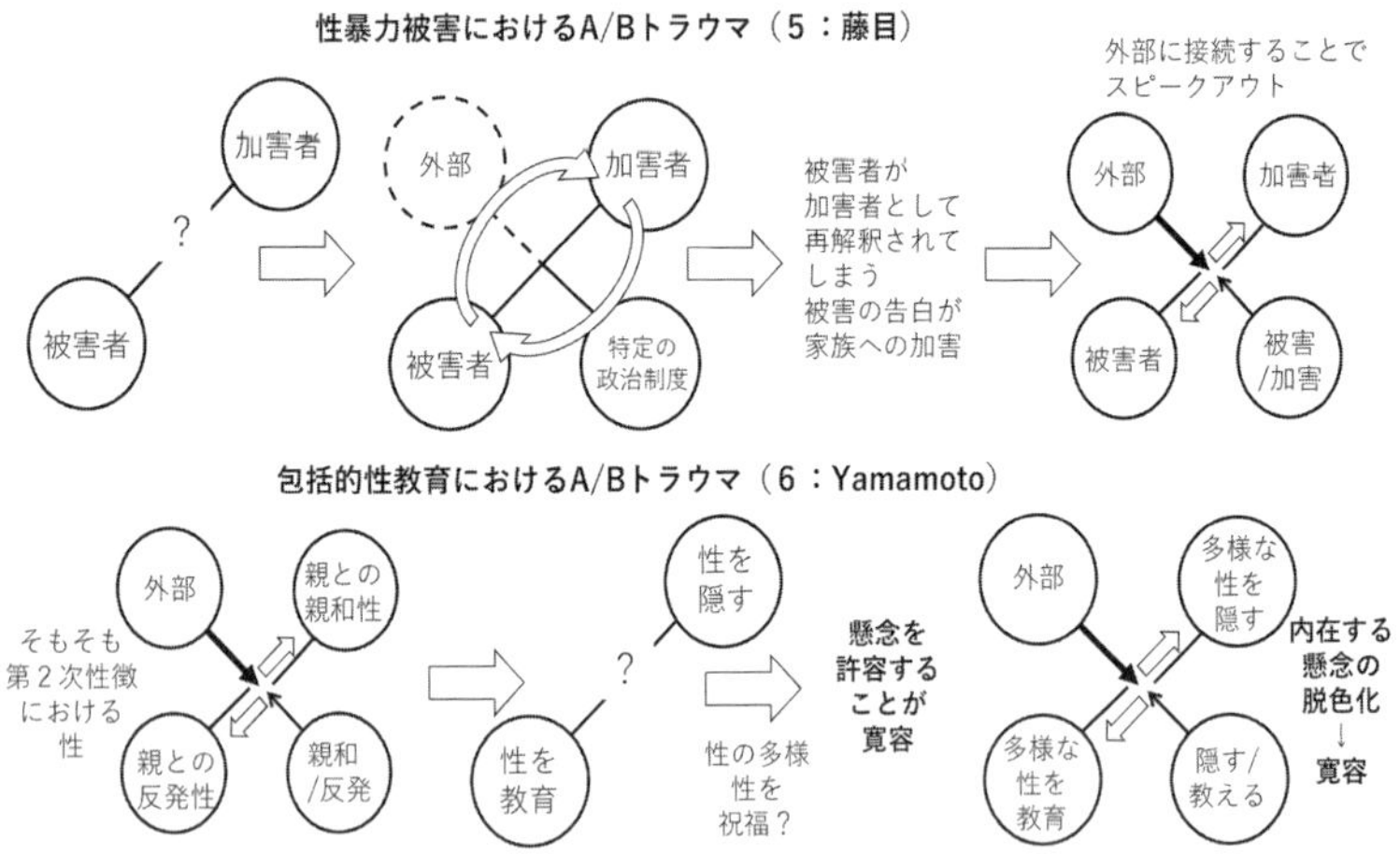

図3—10　性にまつわるA／Bトラウマ

3—6　性にまつわるA／Bトラウマ

『共生学宣言』第5章と6章では性被害の問題と性教育の問題が取り上げられる。いずれも、対立を超えて問題を焦点化することでA／Bトラウマの存在が明らかとされる。

第5章で藤目ゆき(54)が論じるのは、性暴力被害者がその被害をスピークアウトすることの困難さである。性暴力に関する被害・加害の関係は明らかであっても、それを明文化することは、何らかの文脈を固定して初めて可能となる。そのため文脈によっては、逆に明確な被害・加害関係がなかったことにされる可能性さえある。また何らかの文脈で被害・加害関係が構造化されることから、被害者自身が被害・加害の反転を憂慮して口を閉ざすことさえ起こり得るという。例えば、被害者の告白が被害者自身の家族を傷つけると、被害者が考えてしまうように（**図3—10上段中央図**）。

藤目は、いかにポリティカル・コレクトネスを考慮し、慎重に対応しても、被害者の告白を困難にする状況が存在すると論じ、これに抗して、いかにして、被害をスピークアウトすることが重要かを説いている。ここには第一に肯定的「被害／加害」アンチノミーが認められる。それは表面的には、加害・被害関係を明らかにすることで加害・被害の反転可能性が認められ、被害者であり加害者であることの共立が可能的に見出される状況に思える。しかし、加害・被害の反転可能性は、加害・被害関係の文脈、条件を明らかにされた後、たまたま実現されたのではなく、むしろ肯定的「被害／加害」アンチノミーが露わになったことで表出したと考えた方がいいだろう。肯定的アンチノミーこそが、先行的に潜在している。何れにせよ、ここで思考停止する限り、被害・加害は徹底して曖昧で、その区別は無根拠である、といった議論に回収され、逆に犯罪を隠蔽し加害者に利するような議論になるだろう。

しかし、肯定的「被害／加害」アンチノミーが認められるように、文脈の複数性に目を向けるなら、文脈依存性というメタな次元が発見されるだろう。それは、被害者や加害者を指定する文脈を相対化し、加害や被害という概念の意味を脱色する場所である。津波の被害者は、決してトラウマを解消できないだろうが、その意味を脱色し、それまで決して見ることのできなかった海を、眺められるようになるかもしれない。それと同じ意味で、加害・被害の強度が脱色され、被害者でも加害者でもないという否定的「被害／加害」アンチノミーが認められることになる。ここに「被害／加害」トラウマが認められる。

肯定的「被害／加害」アンチノミーに留まるのではなく、「被害／加害」トラウマにまで到達する。こうして初めて被害者のスピークアウトが可能になると考えられる。肯定的「被害／加害」アンチノミーのみなら、両者が成立するので、いずれかを主張することはできない、と結論づけられる。加害者に一方的に利するこのような論理に抗しようとするなら、「客観的に、圧倒的に明らかな被害・加害関係が存在する」といったようにドグマティックな客観主義へ回帰することになる。しかし、「被害／加害」トラウマは、アンチノミーの決定さえ特定の文脈に依存することを見通し、「Aであることを、Aでない可能性さえあることを認めてAであると決定すること」への道を拓くのである。そうして初めて、加害・被害の関係を接続しようとしてその間を開く運動が発生し、特定のコミュニティー内で考えられがちの閉じた加害・被害関係の外部に接続し、スピークアウトが可能になると考えられる（図3―10上段右図）。その場合、客観的に自明とされる被害・加害関係の刑罰とは異なる、新たな罰則・贖罪意識の出現も可能となるだろう。

第6章でYamamoto[55]が論じる包括的性教育の問題も、A／Bトラウマに本質的に関わる問題である。性教育の必要な第二次性徴に向けた時期は、子供にとって親との関係に関して葛藤する時期である。それまで親の愛情を受け、親の庇護の下にあることを喜んで受け入れてきた子供は、第二次性徴によって親の目から離れることを同時に欲することになる。それは親への親和と反発を同時に受け入れることである。ところがこの肯定的「反発／親和」アンチノミーのみに留まるなら、子供は世界との新たな関係を拓くことができず、親との関係の決定不能性の中に閉塞するだろう。すなわち、第二次性徴を乗り越えるには、肯定的アンチノミーにある自己を相対化し、文脈・状況を見比べることで否定的アンチノミーをも認めることが必要となる。かくして第二次性徴自体が、「反発／親和」トラウマを内包する問題と考えられる（図3―10下段左図）。

Yamamotoが論じるのは、本来的にトラウマを内包する性の、教育の問題である。取り上げる性教育の現場は、イギリスのバーミンガムで、性を公の場で語ることをタブー視する、イスラム教徒の多く住む地域である。だからこそ、性を隠すか、教えるかという決断は、決定不能の問題となる。

もちろん性を隠す・教えるの二項対立は、保守的な世界観に親和的か反発的かという問題の再現前とも言える。そのような場において、Yamamotoが取り上げる学校長は、自らLGBTの当事者であり、LGBTを含めた性教育を進めようとする。その教育プロジェクトは、いかなる性的マイノリティーも包括するという意味で、No Outsider Projectと呼ばれる。このプロジェクトは、地域住民の賛意を得られないが、多くの教育者、研究者や住民の高い評価を得ることになり、「性の多様性を祝福する」ことが標榜される。

しかしYamamotoは、性の多様性を肯定しながらも、自身もNo Outsider Projectに賛同するカトリックの神父の言葉を引用し、多様性の全肯定の先へと進む。その結果、性教育から現れる共生の鍵に、(性を)「隠す/教える」トラウマを見出すことになる。どういうことか。神父は「多様性を祝福できる人ばかりではない。懸念を許容することこそ、寛容である」と言うのである。懸念は性を教育することへの懸念であるが、教育の全否定ではない。教育を認めつつ、これに反する主張を認める立場が懸念である。この意味で懸念は、肯定的「隠す/教える」アンチノミーを成している。問題は、懸念を許容すること=寛容だ。寛容は、懸念を理解しながら、同時にそれを無効にする地平へ接続する。その意味で、寛容は肯定的アンチノミーにおける隠すこと・教えることを共に脱色し、否定的「隠す/教える」アンチノミーを構想し、「隠す/教える」トラウマを現出させることになる(図3—10下段中央~右図)。そこでは、多様な性を全肯定するNo Outsider Projectの立場とそれに反対する立場の両者を懸念(肯定的アンチノミー)において認めながら、多様性を認めるということが、一つ一つを指定し、枚挙することではなく、未だ指定されない外部に対する感度を磨くことだと知ることになる。それこそが、素朴な多様性の全肯定(多様な個物を囲いこむこと)の向こう側にある共生の鍵なのである。

3―7　不在におけるA／Bトラウマをいかに構想するか

宮前良平（第10章）[56]と山崎吾郎（第11章）[57]が問題としているのは、不在に関するA／Bトラウマではないかと考えられる。宮前は死者という不在、山崎は消滅という不在を取り上げるという違いはあるが、いずれも死者や消滅を或る種の極限と想定し、そこから遡及的に現在の我々の立ち位置を構想しようとしている。しかし、筆者たちの構想とは裏腹に、彼らが論文中で展開する方法は、極限からの遡及的構成ではない。そのことが、逆に共生のテーマにとって寄与する論述となっている。なぜなら、極限からの遡及的構成は、消失点から遡及的に透視図を構成するようなもので、外部を持たない閉じた描像となるからだ。

「書き割り」で論じたように、透視図は、消失点（無限遠である極限）から発せられた放射線をガイドラインに、遡及的に観察者のいるこちら側から見た世界の全体を構成する。それは前述のように、消失点さえ取り込む閉じた描像だ。死や消滅を消失点として構想することこそ、この閉じた描像を意味する。対して「書き割り」は同じ絵画でありながら、認識できないが存在する（だろう）向こう側を示唆することで、外部へ開かれる。この外部に開かれた描像にこそ、共生の鍵がある。

具体的に見ていこう。宮前は、東日本大震災の被災地に多く報告される幽霊譚を紹介し、幽霊の実在が、死者と向き合うこと、共同体という集合によって信じられることの二つの要素によって支えられていると論じる。第一に、向き合うことを内側に存在する死者、第二に、共同体を周囲の傍観者に置き換え、霊との共存、死者との共存を宮地の環状島モデル[58]で解釈する（図3―11上段左図）。

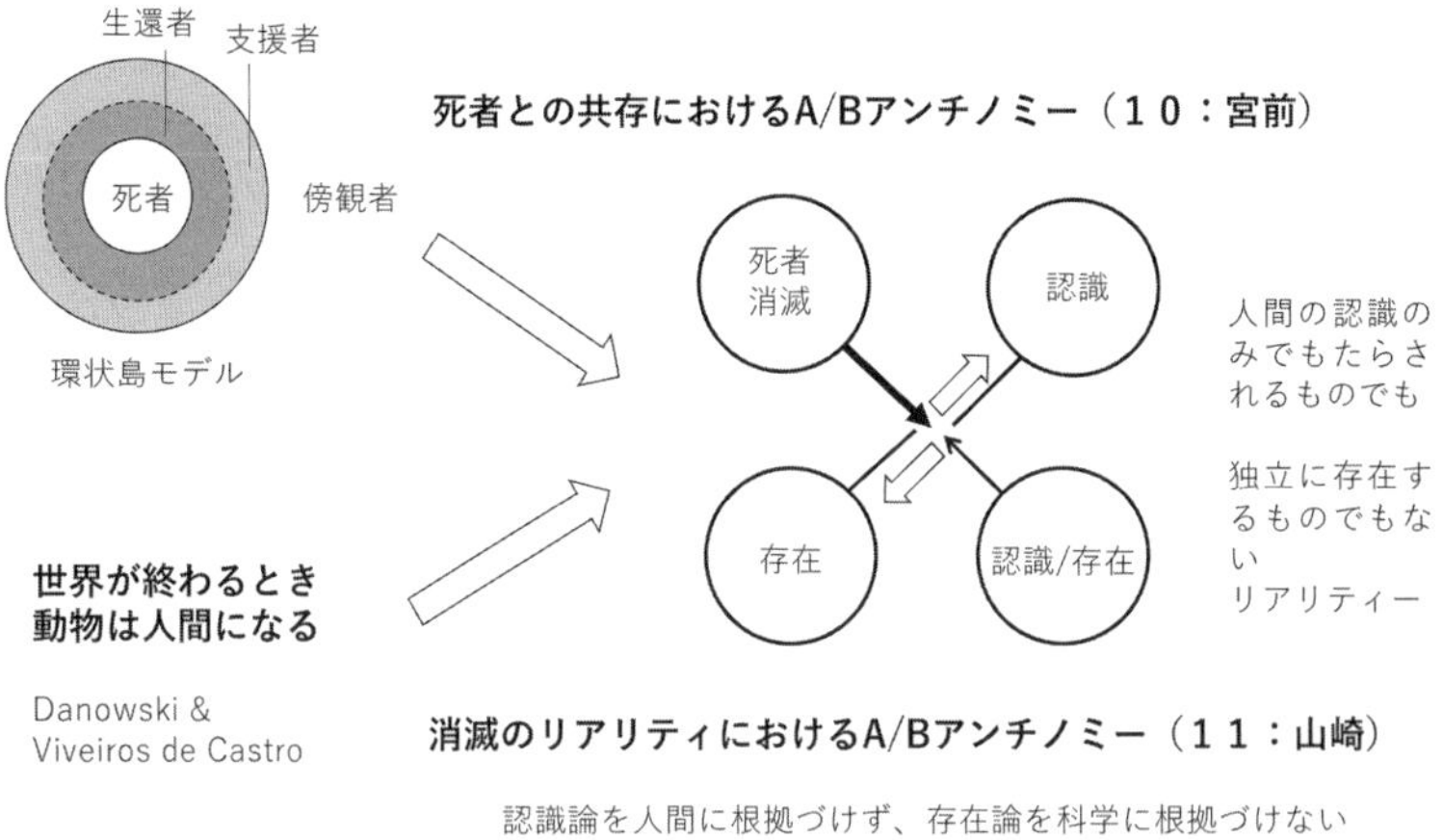

図3—11　不在のリアリティを召喚する「存在／認識」トラウマ

もし死者が単に同心円の中心である点なら、この「死者との共存モデル」は極限である死者＝点から遡及的に構成される幾何学に過ぎない。しかし宮前は、死者を点ではなく大きさのある内円とした点に意義を見出そうとし、単純に話すことのできない死者が、生者によって勝手に解釈されることを回避しようとする。

宮前の議論から少し逸脱しながら進めてみよう。大きさのある円だからこそ、死者には生前と死後が読み込める。死者の生前には故人の来歴が存在し、死後において故人の時間は止まる。死後できることは、周囲の者が故人を悼むことだけなのだ。死者にはこの意味で、生前・死後の二重性があり、両者を肯定する意味で肯定的「生前／死後」アンチノミーを有している。しかし死者のリアリティは、肯定的アンチノミーだけではもたらされない。個人的で具体的な故人の来歴は、生きていて欲しかったという激しい感情を惹起し、むしろ死者との共存を阻むものだから。すなわち共存される死者のリアリティのためには、故人の来歴や特別の追悼感情が脱色されている必要がある。それは否定的「生前／死後」アンチノミーを意味するものである。かくして死者のリアリティは「生前／死後」トラウマによって召喚される（図3―11中央・上段右図）。

図3―11中央の図において、存在・認識とあるのは、故人の生前が、故人に裏付けられることで存在し、死後は故人と独立に解釈する者において認識されるだけであることを示している。後述するように、それは認識論、存在論の二項対立を超克する具体例とも考えられる。

山崎は、多自然主義を唱えるダノウスキとヴィヴェイロス・デ・カストロの著作にあるアメリカインディアンの言葉から議論を始める（図3―11下段左図）。それはまさに、人類の消滅を消失点として、この現在を構成しようとする宣言に思える。実際、「世界が終わるとき」は人新世によって根拠づけられ、消滅はそれ自体リアリティを持っていると述べられる。

しかし山崎もまた、極限からの遡及的構成を取らず、現実に消滅した山村の記録によって、普遍的消滅のリアリティを立ち上げる。それは特定の個別的山村であり、消滅した過去の村である。それを山崎は未来にやってくるであろう、消滅一般のイメージとして用いるのである。つまり、過去の村と未来の想像によって、ここには肯定的「過去／未来」アンチノミーが認められる。しかし、過去の村によって普遍的消滅イメージを喚起するには、特定の村の来歴をできるだけ脱色する必要がある。同時に、普遍的消滅が、どこかの村の消滅でイメージされるには、任意の村の消滅に似ていることが暗黙の前提となる。したがって、その未来にあって、特定の或る未来であることは否定されなければならない。すなわち気候変動や人新世からイメージされる或る未来であることさえない。だから、ここには否定的「過去／未来」アンチノミーが認められ、「過去／未来」トラウマが発見されることになる（図3―11下段右図）。ここでの過去が特定の村の「存在」を意味し、未来を想像することが存在と独立な「認識」を意味することから、山崎の議論もまた宮前同様、「存在／認識」トラウマによって認識と存在を結び付けようとしながら切断し、その間に「不在のリアリティ」を召喚するのである。

不在を極限とみなし、ここから遡及的に「この現在」を構成するとは、不在を絶対的な実在とみなすことである。すなわち科学的言明をファクトとみなし、そこに一切の臆見や仮想が介在する余地がないと信じることである。そんなことがあるのだろうか。逆にリアリティが観測者のみに依存し、観測者の中にだけリアリティが存在する、ということもあり得ない。現実のリアリティは常に、認識論と存在論のトラウマを内在し、接続しようとする認識論と存在論の切断された空白域にこそやってくるものだと考えられる（図3―11中央図）。宮前と山崎は結果的に、それを志向している。

3―8　実践と理論に現前するA／Bトラウマ

第9章と第4章は『共生学宣言』の中でも他と異なる特色がある。第9章は新潟中越地震の被災地における渥美公秀[59]の論考であるが、ボランティア活動のドキュメンタリーの趣を持つ。対して第4章の木村友美[60]の論考は、インド・ヒマラヤ地域における栄養学的考察であり、現象を説明する理論的モデルになっている。

渥美はボランティア活動の場である小千谷市塩谷集落で、当初、住民は研究者を警戒し、研究者は住民を研究対象としてのみ見ていたと告白する。具体的な復興の手立てが決まらぬまま、田植えを手伝い一緒に酒を飲む日々が過ぎることで、「研究者／住民」トラウマが成立する。それは研究者と住民の区別が曖昧となることで肯定的アンチノミーであり、研究者は住民を研究対象としての

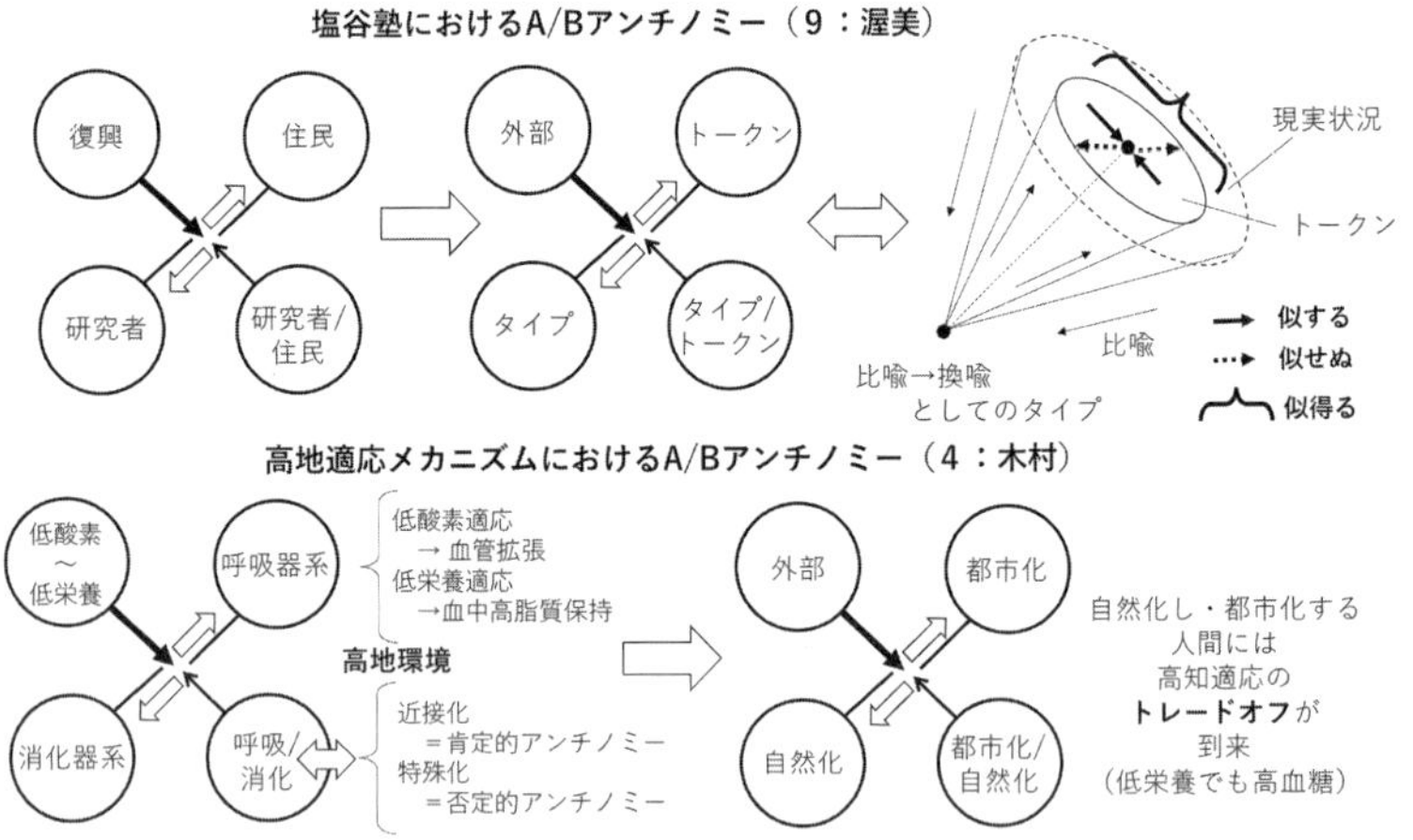

図3—12　ボランティアの実践と栄養学の理論に認められるＡ／Ｂトラウマ

み見ているという、既存の研究者、住民の定義を満たさないという意味で、否定的アンチノミーになっている。こうして「研究者／住民」トラウマが醸成されてきた頃、まさに被災地に入った頃には思いもよらなかった（したがって外部から）具体的復興がやって来ている（**図3—12**上段左図）。

塩谷集落における具体的復興は、復興の拠点を「塩谷分校」と呼ぶことでうまく回り始めたという。渥美はこれを比喩と呼んでいるが、タイプとトークンの混同[61]がその根底にあるとも言えるだろう（タイプとは原型的・抽象的記号で、トークンは個別的・具体的記号＝事物）。それは復興の現場で動き始める様々な動きの全体を、「塩谷分校」[62]で表象することから始まる。さらに、これをメトニミーとするような具体的イベントが構想・展開される。すなわち、塩谷分校を起点とするイベント・運動の全体が、塩谷分校と呼ばれる意味でメトニミーになっている。それは、「塩谷分校」をタイプとするような具体的事物・イベント（トークン）が現れ、それによってタイプの意味が変質し、さらに様々なトークンが現れる、という繰り返しによって実装されている。実際、「塩谷分校」で開かれる懇親会を「給食」と呼ぶことでトークン化し、さらにそのトークンによって具体的イメージが変質したタイプである「塩谷分校」は、学校なのだから「クラブ活動」もやろうと新たなトークンを生成する。このタイプ・トークンの不断の連鎖が、タイプ・トークンの両者を肯定し、かつ定義上両者を否定する意味で「タイプ／トークン」トラウマを実現し、それこそが、想定の外部にあった復興の実現をもたらしたと考えられる（図3—12上段中央図および右図）。

渥美は塩谷分校の在り様に世阿弥の『風姿花伝』で論じられる美への作法を見出している。[63]これは「タイプ／トークン」トラウマによって、現実の具体例であるトークンの空間に投影されたタイプを手本と考えるなら、手本への接近、離反が各々「似する」、「似せぬ」であり、手本を離れて自由にトークン空間を遊ぶことが「似得る」であると解釈可能となる（図3—12上段右図）。

木村が扱う第4章の事例は、木村自身によれば「環境と人間の共生」ということらしい。しかし天然知能の観点から考えるなら、より本質的な意味で共生の本質を突く論考であると考えることができる。それは適応に、本章で述べてきたトラウマの内在が関わっているとの指摘と読めるからだ。生物の適応は、生物と環境の分離独立を前提とした試行錯誤（自然選択）によって基礎付けられると考えられている。しかし突然変異が常に一定の比率でランダムに発生するだけでは、生物側の構造的問題に対処するには到底間に合わず、状況に依存して突然変異率が変化するような仕組みが推察されている。遺伝子配列の構造（順序）によって突然変異率が変化するといった報告もあり、[64]いわば外部（突然変異）を呼び込む仕組みが、生物に内在していると考えられる。木村の問題にする高地への適応は、そのような生物に内在する外部を呼び込む仕組みを示唆するものである。

天然知能図式に則して考えるなら、いかなる関係になっているか不分明な概念A、Bとして、木村が問題とするのは消化器系と呼吸器系である。両者は通常どのような関係にあるのか具体的にはわからない。しかし高地適応において、両者は強い相関を持つように顕在化する。この意味で消化器系と呼吸器系は、高地適応において接近し、共に肯定される（肯定的「消化器系／呼吸器系」アンチノミーを成す）。同時に高地で顕在化する相関を持った消化器系、呼吸器系は、もはや平地環境の意味での消化器系、呼吸器系の意味を失っているため、否定的「消化器系／呼吸器系」アンチノミーを成している。高地において顕在化するこの「消化器系／呼吸器系」トラウマは、すなわち平地においてすら人間に内在しているものだが、これが顕在化することで、低酸素に適応した血管拡張と低栄養に適応した血中高脂質保持の相関という、平地では想定もできなかった外部がもたらされると考えられる（図3―12下段左図）。

さらに高地適応した人間が都市に住むという状況は、適応という時間の中では共時的な都市化・自然化を意味し、肯定的「都市化／自然化」アンチノミーをもたらし、かつ一方のみに適応する意味での都市化、自然化ではない意味で否定的「都市化／自然化」アンチノミーをもたらす。この「都市化／自然化」トラウマにより、通常では想定できない（ゆえに外部）、低栄養でも高血糖がみられるという現象が現れると考えられる（図3―12下段右図）。

以上述べたように、『共生学宣言』にある論考は、一見わかりやすい共生（少数派との共生）が認められない場合でも、全てが異質なものとの共存の可能性を問題にしており、明示的に述べてはいないものの、天然知能図式におけるトラウマを、共生の核として取り上げていると読み解くことができる。

4　共創と共生の補完性

共創学における共創と共生学における共生を比較すると、動機において明らかな違いが認められる。共創は、文字通り「創る」ことを問題としており、表現、制作、適応といった、いわば外部がうまく「やってくる」事例を扱っている。必ず成功体験を含む形で論じられるため、成功＝外部がやってきた、における存在様式を見いだすことができる。この意味で、共創において天然知能図式やその核の内在するトラウマは見出し易い。

これに対して共生学では「創る」のではなく、直面している現実が扱われる。その多くは成功体験に至らず、発展途上のものもある。しかし論考の全てが、「わたしたち」のような等質化による共存を回避しようと、注意深く議論を進めるため、異質なものとの共存という存在様式を問題としていることが鮮明になっている。この異質なもの同士Ａ、Ｂの共存において、肯定的Ａ／Ｂアンチノミーと否定的Ａ／Ｂアンチミーを共に満たすＡ／Ｂトラウマを認めることができる。

本章でその詳細は述べていないが、外部がやってくる（＝成功する）Ａ／Ｂトラウマは、否定的アンチノミーの度合いが強く、通常定義されるＡ、Ｂの文脈を脱色したトラウマになっている。そのことが想定外部との接続に関与している。対して共生に認められるトラウマは、この意味で脱色が進んでいない場合が多く、外部との接続が果たされるか否かわからない場合もある。逆に共創では、創れることが目的となる余り、異質なものとの共創が俎上に載せられないこともあり、創造に至らない場合も起こり得る。

以上より、共創学は異質なものとの共存に留意すべく共生学に学び、共生学は外部との接続を果たすべく共創学に学ぶことが必要かと思われる。このとき、両者の相互関係を結ぶ鍵が、天然知能であり、その核となるA／Bトラウマであると考えられる。

註

（1）志水宏吉＋河森正人＋栗本英世＋檜垣立哉＋モハーチ・ゲルゲイ編（2020）『共生学宣言』、大阪大学出版会。

（2）郡司ペギオ幸夫（2019a）『天然知能』講談社選書メチエおよび、郡司ペギオ幸夫（2019b）「共創＝表現耕法の意味論――「わたし」の内在と解体」『共創学』1（1）、5-13

（3）志水宏吉（2020）「私たちが考える共生学」（前掲書・註（1）参照）1-30。

（4）郡司ペギオ幸夫（2019b）（前掲論文・註（2））、中村恭子＋郡司ペギオ幸夫（2018）『TANKURI――創造性を撃つ』（水声社）、中村恭子＋郡司ペギオ幸夫（2020）「書き割り少女――脱創造への装置」『共創学』2（1）、1-12。中村美亜（2019）「芸術活動における共創の再考――創造とエンパワメントのつながりを探る」『共創学』1（1）、31-38。三輪敬之（2019）「共創表現のダイナミクス――実践，理論，システム技術」『共創学』1（1）、23-30。西洋子（2019）「共創するファシリテーションのダイナミックレイヤー」『共創学』1（1）、13-22。

（5）郡司ペギオ幸夫（2019a）（前掲書・註（2））。

（6）郡司ペギオ幸夫（2020）『やってくる』、医学書院。

（7）肯定的かつ否定的アンチノミーやトラウマ構造について、日本語での初出は本章の初出論文である。英語では、Gunji, Y-P., & Nakamura, K. (2022) Psychological Origin of Quantum Logic: An Orthomodular Lattice Derived from Natural-Born Intelligence without Hilbert Space, *BioSystems* 215-216 にある。

（8）ヴァン・デア・コーク、ベッセル（2016）『身体はトラウマを記録する――脳・心・体のつながりと回復の手法』（柴田裕之訳、紀伊国屋書店）および宮地尚子（2020）『トラウマにふれる』、金剛出版。

（9）Gunji, Y-P., and Nakamura K.（2020）Dancing Chief in the Brain or Consciousness as Entanglement, *Foundations of Science* 25, 151-184 および Nakamura, K., and Gunji,Y-P.（2020）Entanglement of Art Coefficient or Creativity, *Foundations of Science* 25, 247-257.

（10）宮地尚子（2020）（前掲書・註（8））。

（11）宮地尚子編（2021）『環状島へようこそ――トラウマのポリフォニー』日本評論社。

（12）ヴァン・デア・コーク、ベッセル（2016）（前掲書・註（8））。

（13）宮地尚子編（2021）（前掲書・註（11））。

（14）アガンベン、ジョルジュ（2005）『バートルビー――偶然性について』高桑和巳訳、月曜社。

（15）Boden, M,（1998）Creativity and Artificial Intelligence, *Artificial Intelligence* 103, 347-356 および Boden, M,（2004）*The Creative Mind: Myth and Mechanism*, Routledge.

（16）氷（固相）は温度を上げていっても摂氏〇度を越えない限り固相にとどまり続けるが、〇度を超えると水（液相）に変化する。このように、温度のような指標を連続的に変化させるとき、或る安定相が特定の値を境に別な安定相へ変化する現象を相転移現象と呼ぶ。特に相の切り替えの点を臨界点という。

（17）久米是志（2000）「共創と自他非分離心――創出の「こころ」の実践的・主観的考察」清水博編著『場と共創』、ＮＴＴ出版、179-272。

（18）養老孟司（2020）『ＡＩの壁――人間の知性を問い直す』、ＰＨＰ新書。

（19）ソートイ、マーカス（2020）『レンブラントの身震い』冨永星訳、新潮社。

（20）中村恭子＋郡司ペギオ幸夫（2018）（前掲書・註（4））。

(21) 郡司ペギオ幸夫(2019b)(前掲書・註(4))。

(22) 中村恭子+郡司ペギオ幸夫(2018)(前掲書・註(20))および中村恭子+郡司ペギオ幸夫(2020)(前掲書・註(4))。

(23) Duchamp, M. (1957) Creative Act.

(24) 中村恭子+郡司ペギオ幸夫(2018)(前掲書・註(20))および中村恭子+郡司ペギオ幸夫(2020)(前掲書・註(4))。

(25) Nakamura, K. (2021) De-Creation in Japanese Painting: Materialization of Thoroughly Passive Attitude, *Philosophies* 6(2).

(26) 本書第2章参照。

(27) Nakamura, K. (2021)(前掲書・註(25))。

(28) 西洋子+三輪敬之(2016)「被災地での共創表現と共振の深化——このフィールドは、何を語りかけているのか」『アートミーツケア学会オンラインジャーナル』7、1-18。

(29) 三輪敬之(2019)(前掲書・註(4))。

(30) 西(2019)(前掲書・註(4))。

(31) 郡司ペギオ幸夫(2019a)(前掲書・註(2))。

(32) 諏訪正樹(2016)『「こつ」と「スランプ」の研究——身体知の認知科学』講談社選書メチエ。

(33) 中村美亜(2019)(前掲書・註(4))。

(34) 永田鎮也(2019)「超越動詞の誕生」『共創学』1(1)、44-50。

(35) 植野貴志子(2019)「会話におけるストーリーの共創」『共創学』1(1)、51-56。

(36) Gunji, Y-P., Murakami, H., Niizato, T., Adamatzky, A., Nishiyama, Y., Enomoto, K., Toda, M., Moriyama, T., Matsui, T. and Iizuka, K. (2011) Embodied Swarming Based on Back Propagation Through Time Shows Water-Crossing, Hour Glass and Logic-

Gate Behavior, *Advances in Artificial Life* (Lenaerts, T. et al. eds) 294-301 および Gunji, Y-P., Murakami, H., Tomaru, T., and Vasios, V., (2018) Inverse Bayesian Inference in Swarming Behavior of Soldier Crabs, *Philosophical Transaction of the Royal Society* 376 (2135) および Gunji, Y-P., Murakami, H., Niizato, T., Nishiyama, Y., Enomoto, K., Adamatzky, A., Toda, M., Moriyama, T., and Kawai, T. (2020) Robust Swarm of Soldier Crabs, Mictyris guinotae, Based on Mutual Anticipation. In: *Swarm Intelligence: From Social Bacteria to Human* (Schuman, A., ed.), CRC Press, 62-89 および Gunji, Y-P., Kawai, T., Murakami, H., Tomaru, T., Minoura M., Shinohara S. (2021) Lévy Walk in Swarm Models Based on Bayesian and Inverse Bayesian Inference, *Computational and Structural Biotechnology Journal* 19, 247-260 および Murakami, H., Tomaru, T., Nishiyama Y., Moriyama T., Niizato, T. & Gunji, Y-P. (2014) Emergent Runaway Into an Avoidance Area in a Swarm of Soldier Crabs, *PLoS ONE* 9(5). Murakami, H., Niizato, T., Gunji, Y-P. (2017) Emergence of a Coherent and Cohesive Swarm Based on Mutual Anticipation, *Scientific Reports* 7.

(37) 郡司ペギオ幸夫(2020)(前掲書・註(6))。

(38) 志水宏吉(2020)(前掲論考・註(3))。

(39) 檜垣立哉(2020)「「共生」の位相を巡る思想史——小さな物語の横溢?大きな物語の欺瞞?」(前掲書・註(1))53-78.

(40) 稲場圭信(2020)「共生社会に向けての共創——宗教と科学技術による減災のアクションリサーチから」(前掲書・註(1))193-214.

(41) 郡司ペギオ幸夫(2019a)(前掲書・註(2))。

(42) 檜垣立哉(2020)(前掲論考・註(39))。

(43) デリダ、ジャック(2003)『友愛のポリティクス』鵜飼哲+大西雅一郎訳、みすず書房。

(44) 西島佑(2020)『友と敵の脱構築——感情と偶然性の哲学試論』晃洋書房。

(45) 例えばボヌイユ、クリストフ+フレソズ、ジャン=バティスト(2018)『人新世とは何か——〈地球と人類の時代〉の思想史』（野坂しおり訳、青土社）を参照。
（46）栗本英世（2020）「共生の相互作用的基盤について――違和感、不快感と不断の交渉」『共生学宣言』（前掲書・註（1））、31-52。
（47）郡司ペギオ幸夫（2013）『群れは意識を持つ』、PHPサイエンス・ワールド新書。本書の中で、ダチョウ倶楽部の熱湯風呂コントが引き合いに出され、受動的能動と能動的受動とが提唱されている。それはこういうことだ。熱湯風呂に、ダチョウ倶楽部の三人のうち誰か一人が入らなくてはならない。リーダーの肥後克広が「俺が入る」と手をあげ、寺門ジモンが「俺が入る」と手をあげる。しょうがないので最後に、竜平も、おずおずと手を挙げると、他の二人から「どうぞ、どうぞ」と言われ、入ることになる。上島竜平の挙手は、彼自らの能動か？　いや、そうではない、彼は能動を受け入れざるを得なかった。これが受動的能動である。能動的受動の典型的例は、商店の店員の言葉、「いらっしゃいませ」に見出せるだろう。英語なら、より明確だ。「何か、お手伝いしましょうか」と能動的に受動性を表明するのだから。こういう議論が、中動態と無関係にされている点が重要だ。
（48）河森正人（2020）「「地域共生社会」の再検討――高齢者を起点とする多世代共生の実践」（前掲書・註（1））、79-96。
（49）モハーチ、ゲルゲイ（2020）「共に治す」（前掲書・註（1））、275-294。
（50）澤村信英（2020）「国際的支援と住民の自助を再考する――ケニア・スラムの無認可私立学校を事例として」（前掲書・註（1））、171-192。
（51）柄谷行人（1992）『探求　I』講談社学術文庫。
（52）クリプキ、ソール（1983）『ウィトゲンシュタインのパラドックス――規則・私的言語・他人の心』黒崎宏訳、産業図書。
（53）稲場圭信（2020）（前掲書・註（40））。

（54） 藤目ゆき（2020）「戦時性暴力と地域女性史——フェミニズムが支えるスピークアウト」（前掲書・注（1））、121-140。

（55） Yamamoto, B. A.（2020）「なぜ子どもたちが知らないままでいることを望むのか？」（前掲書・注（1））、141-170。

（56） 宮前良平（2020）「死者との共同体——記憶の忘却と存在の喪失」（前掲書・注（1））、235-256.

（57） 山崎吾郎（2020）「消滅というリアリティに向き合う——非人間的な存在とのかかわりをとらえなおす」（前掲書・注（1））、257-274。

（58） 宮地尚子（2018）『環状島＝トラウマの地政学』みすず書房。

（59） 渥美公秀（2020）「共生のグループ・ダイナミックス、その技法」（前掲書・注（1））、215-234。

（60） 木村友美（2020）「フィールド栄養学からみた食と健康——インド・ヒマラヤ高地の遊牧民と難民を事例として」（前掲書・注（1））、97-120。

（61） Gunji, Y-P., Takahashi, T., & Aono, M.（2004）Dynamical Infomorphism: Form of Endo-Perspective, *Chaos, Solitons & Fractals* 22, 1077-1101.

（62） レイコフ、ジョージ（1993）『認知意味論——言語からみた人間の心』池上嘉彦＋河上誓作訳、紀伊国屋書店。

（63） 世阿弥（2005）『現代語訳 風姿花伝』水野聡訳、ＰＨＰ研究所。

（64） Kong A., et al.（2012）. Rate of De Novo Mutations and the Importance of Father's Age to Disease Risk, *Nature* 488（7412）, 471-475.

第２部

第4章 「わたし」に向かって一般化される量子コンピューティング

1 データ・サイエンスという思想を超えて

量子アニーリング(1)の登場によって量子コンピューターへの期待が高まって数年、ここへ来て、グーグルの量子コンピューターは、従来型のスーパーコンピューターで一万年かかる計算を、わずか三分で計算したという。(2)従来型のコンピューターでは膨大な時間を有する計算を、量子コンピューターは現実的な時間内に計算できてしまう。いわゆる量子超越性である。グーグルは自社の量子コンピューターが量子超越性を実現したと主張している。その真偽のほど、意義について、未だ定まったわけではない。しかし私は、量子コンピューターの意義が、計算速度の飛躍的上昇などという点にあるのではなく、その延長上にある、無目的で、空洞化する「わたし」における外部の復権にこそ認められると考えている。それは、「存在するものは可能なものである」と信じ、組み合わせで全てが理解できるとする、データ・サイエンスに根ざす現在の人工知能や、「知覚の素朴な延長上に実在がある」と信じるデータ・サイエンスを盲信する現代人の意識を、大きく変えてくれると期待される。

データ・サイエンスの思想は、創造を概念から否定する。未だ実現されていないものも含め、全てが可能的に存在すると考えるデータ・サイエンスは、創造という概念を信じることができない。あなたが、自分のセンスで言葉を選び、短い詩、いや詩とも呼べない、しかし何らかの言語表現を作ったとしよう。あなたは、初めての表現行為に興奮し、創造の喜びというものを掴み取る。このとき、データ・サイエンスの信奉者はこう言うことになる。あなたは自分で創造したというけれど、日本語の表現は、所詮五一音の組み合わせに過ぎない。それは無から想像されたのではなく、原理的に以前から存在していたのだ、と。

チンパンジーがタイプライターを叩く場合でさえ、原理的には、いかなる小説の執筆も可能となる。この類の見解は何十年も前からあったが、以前は現実的な問題ではなかった(3)。実時間で実現できない、という時間の壁が、とても越えられないと思われていたからだ。ところがコンピューターの進化は、この程度の時間の壁は壊し、簡単な言語表現なら作れると信じられる段階に来ている。データ・サイエンスの信奉者は、計算速度の飛躍的進歩という量的な問題だけで、言語表現のような質に絡む問題さえ解決できると信じている。

しかし、チンパンジーの叩くタイプライターの問題は、時間の問題などではない。作家性の問題、主体性の問題だ。チンパンジーはランダムに文字を並べる機械的操作のモデルであるが、こうして生成される文字配列に意味を与え、選択するのは人間である。作家性は、この選択にこそ存在する。作家性、個人における選択という問題は、昔からなされる「カメラは見ていない」という議論に通じるものがある(4)。カメラは印画紙に対象のイメージを感光させるだけであり、デジタルカメラなら光がフォトダイオードによって電圧に変換され、画像イメージを出力する。感光フィルムの一点一点、一つ一つのフォトダイオードごとにイメージが作られ、その全体を見渡す者は存在しない。だから、カメラに見るという過程は存在せず、写真になったものを見る人間がいて初めて、見るという過程が成立すると考えられる。チンパンジーのタイプライター問題も同じで、文字配列の全体を見渡し、「小説」を成立させるのは、小説を選ぶ人間である。だから作家性はチンパンジーにあるのではなく、人間にあるというわけだ。

私の研究室では以前、アリや粘菌に錯視が成立するようなパターン、ミューラー・リヤー図形(5)や、カニッツァの三角形を餌のパターンとして与え、アリや粘菌の、その餌上に分布し形成されるパターンにおいて、「アリの群れや粘菌に錯視が成立する」と主張した(6)(7)。論文の中ではずっとおとなしやかな表現にしてあるものの、これは一見おかしな主張である。形成される全体を見る一個の「わたし」が、ここにいるとは思えないからだ。それはまさに写真を見る「わたし」の不在と同じである。では、アリの群れや粘菌で錯視が成立するとは、いかにして可能となるのか。

アリの群れを構成するのは互いに分離された一個の個体であり、粘菌は中枢を持たず、局所的相互作用のみでパターン形成を実現すると信じられている。もちろんその相互作用は非線形性を伴うため、得られる全体は、局所（部分）の単純な総和ではない。しかしそれでも、全体を見る一個のわたしがいるとは考えられない。

このとき私の研究室では、現実のアリや粘菌の形成する分布パターンが、アリや粘菌の運動を模した非同期オートマトンによって初めて模倣可能となることを示し得た(5)(6)。同じ条件で同期的時間の下で計算すると、そのようなパターンは得られない。局所的相互作用は、同期的時間で計算する限り、情報の伝播が局所に留まるが、非同期時間で計算すると情報はときとして一気に大域に広がり、それによって実現されたパターンでは局所的相互作用が無制限に拡張されることになる。(8) これは全体が局所に浸出し、部分的に両者が不可分となることを意味する。局所的情報伝播速度を超えた情報が伝わることで、より広域の情報が、より狭い局所に影響を与える。ここに、形成された全体が、局所で情報処理され、「見え」を出力することと同じ構造が見て取れる。その結果、形成されたパターンを最終的に評価する全体的視点と局所は分離できず、アリの群れや粘菌においても、「見え」や錯視が成立する、ということを主張できるのである。

ただし、これは全体と部分がうまく融合し、全体と部分の関係を決定論的な形で計算可能とすることを意味しない。非同期時間での計算は、規則の適用の順序が同時ではなく、あちらで計算されたかと思うと、しばらく経過してこちら、というように、計算の順序がランダムに実行される。したがって、局所と全体の間に、どうしても確率的な、非決定論的なゆらぎが介在してしまう。それがあって初めて、特定のパターン「見え」が成立している。だから、「見え」は、全体と部分が共立しながら、両者の関係をコントロールできないという意味で、当初に想定されていた全体と部分とが意味を失い、想定していなかった「ランダムネス」がやってくることで初めて、形成されるのである。

これは、「見え」において無条件に前提される「わたし」の形成を含めた主張になっている。恣意的に局所を指定したとしても、それは局所を超えた全体との非分離を余儀なくされる。逆に全体といわれる局所の外部によって、自存すると思われる局所が成立していると言えるのである。より正確に言うなら、互いに内側・外側の二項対立を成す、全体と局所はコントロールできず、その間に「ランダムネス」がやってくることで、「わたし」が形成される。ここでは、この「ランダムネス」こそが二項対立の外部であり、局所の外部にある全体は、このランダムネスも加味された全体なのである。かくして、自律的に存在すると思われる「わたし」もまた、その外部によって、作家性さえ主張し得るわたし足り得るのである。

アリの群れや粘菌における「見え」を、チンパンジーのタイプライター問題に適用するなら、小説を選ぶ人間の影響を受けながらタイプを打つチンパンジーを想像することになるだろう。チンパンジーが人間の意図の何を理解するかはもちろんわからない。しかし、人間の視線を感じて文字の選択を変えることはありえるだろう。このとき、人間の選択とチンパンジーのタイプ打ちは完全に分離できるわけではなくなる。その限りで、完成した文字列を小説として選択する、選択における作家性さえ、人間とチンパンジーの両者の混合物となり、判然としなくなる。

小説作成過程の下位に位置付けられるチンパンジーと、上位に位置付けられる人間が分離できない。両者が分離できなくなるとは、わたしがチンパンジーを前にして自分の姿勢や表情を、静止させることもできず、微細なレベルでコントロールできないことを意味し、同時に、チンパンジーがわたしの何を見ているのか、厳密に決定できないことを意味し、にもかかわらず両者は、「何らかの意味で」、わたしとチンパンジーの関係が、うまく動いていることを意味する。このとき、わたしが想定する「下位のチンパンジー」、「上位のわたし」といった階層が意味を失い、想定された階層外部が関与することで、「うまくいく」ことになる。そして、微細なレベルでコントロールできない=境界条件を指定できないという意味において、チンパンジーとわたしに関与するものは、外部としか言いようがない。だからこそ、作家性=「わたし」は成立するのである。わたしの境界が不確定であることで、わたしが受動的に外部からもたされるのか、能動的主体として外部に働きかけるのか、決定できないからこそ、内側にいる「わたし」は恣意的に自由意思を主張できるのである。「わたし」の意思決定の原因が無根拠で、指定できないことによってのみ、わたしの自由意思は主張可能となる。

自分が上位にいると信じる人間が、実はその状況を忖度するチンパンジーという外部によってこそ、特定の文字列を作れるのであり、チンパンジーを含むより広範な外部の影響によってこそ、生成された文字列を選択できる。こうしてわたしは、選択する主体たり得る。そして、わたしは、外部がわたしに何をしているか、その影響の実体を、それが外部にあって知覚できないがゆえに、作家性を主張できるのである。すなわち、「わたし」は外部の存在ゆえに存在し、外部を知覚できないがゆえに作家性を有する一個の「わたし」足り得るのだ(9)。

量子コンピューターが計算速度の問題だけで我々に貢献するなら、むしろそれはデータ・サイエンスの思考をより加速するだけだ。しかし量子コンピューターは、状態の重ね合わせや、こちら側とあちら側である外部が独立でないことを意味するエンタングルメントによって、計算を加速する。計算速度の上昇はそのような使い方をする限りでの現実にすぎず、量子コンピューティングの本質は、計算という現実が、知覚できないものの存在する外部と、関連しながら実行される点にある。それは、まさに、外部によってもたらされながら作家性を主張し得るわたしの存在様式であり、外部と接する方法＝計算、なのである。それは創造それ自体ではなく、外部から創造を掴まえるための計算なのである。

もちろん量子論や量子コンピューティングを、現実の意識や認知過程に直接適用するのは不合理だと思われる。しかしいわゆる量子脳理論(10)とは厳然と区別される形で、量子力学の用いる数学を単に情報論的計算の手段として用い、意識や認知を考えようという分野が展開され、成功を収めつつある。[11][12][13][14][15] それらは量子力学の物理的基盤を放棄した上で、数学として量子力学を用い、グッピー効果をはじめとする論理積に関する誤謬[16]や、順序効果、エルズバーグとマッキーナのパラドックス[17]など、様々な認知的誤謬を説明している。このような分野は量子論的認知科学と呼ばれている。

しかし、それでも相変わらず、なぜ量子論がマクロな認知現象に使えるのかという疑問は解決されないままだ[18]。私は逆に、より普遍的な、量子論を一部に含むような、認識できないが存在する外部との関わり方に関する理論が構築でき、それは量子論の一部を満たすような形で成立すると考えている[19][20]。それによって、量子力学それ自体を用いることなく、様々な認知的誤謬が解決できると考えられるのだ。ここでは、その試みの一端を紹介したい。

2　認知的誤謬と量子力学

まず、認知的誤謬にはどのようなものがあるのか、代表的なものを概説しよう。それは認知実験を通して得られる生起確率に関して論理的誤謬だと認められる。有名なものに、リンダ問題として知られる論理積（かつ）の誤謬がある[21]。被験者はまず、次のような文を読まされる。リンダは三一歳で未婚、率直で聡明な人物だ。学生時代、彼女は哲学を専攻し、差別問題や社会正義に深い関心を持ち、反核デモなどにも参加していた。このあと被験者は、リンダにおいて、次のいずれが尤もらしいか問われる。（イ）リンダは銀行の窓口係である、（ロ）リンダは銀行の窓口係で、かつ、女性運動に積極的だった。多くの被験者は（ロ）を選ぶことが知られているが、（ロ）は二つの事柄の「かつ」をとったものであり、通常、一つの事柄の生起確率より、二つの事柄を共に生起させる確率は小さくなるはずだ。にもかかわらず、そちらの方が選ばれやすいということは生起確率が高いことを意味しているというわけだ。

ブリュッセル自由大学のアーツは、論理積の誤謬をより明快な形式にし、認知実験を簡単に実行できるよう工夫した[22]。様々な動物のリスト、例えばマグロ、ウナギ、カエル、ネコ、ゾウ、シロナガスクジラ……などをあげておく。これに対して、魚と言えば何を想起するかをリストから選択させる。このとき多くの人間はマグロを選ぶことになる。次に、ペットと言えば何を想起するか、リストから選択させる。多くの人間は例えばネコを選ぶ。ところがペットのサカナ（ペット・かつ・サカナ）というとほとんどの人間は、リストの中からグッピーを見つけるのである。するとどうなるか。グッピーという文脈に限定して考えると、サカナ単独の生起確率やペット単独の生起確率より、ペット・かつ・サカナの生起確率が高くなるというわけだ。もちろん、マグロという文脈ではペット・かつ・サカナの生起確率はサカナの確率より低いだろうし、ネコという文脈ではペット・かつ・サカナの生起確率はペットの確率より低いだろう。通常、「かつ」で限定した確率は限定されない確率より小さくなるのだから、それは妥当だ。そのようなものがあってもよく、グッピー効果は、「かつ」で限定した場合でさえ、確率が高くなる場合があればいいのである。それだけで十分、論理積の誤謬を示している。

エルズバーグとマッキーナのパラドックスとして知られている現象も意思決定に認められる有名な認知的誤謬である。被験者は次のような状況を考えさせられる。壺の中に九〇個の球が入っていて、壺の中は直接見ることができない。そのうち三〇個は赤玉で、残り六〇個は黒か黄色の球である。黒と黄色の球の比率についてはわからない。黒玉は三〇個よりすごく少ないかもしれないし、ずっと多くて五〇を超えるかもしれないわけだ。ここで被験者は、壺に手をいれて一個の球を取り出し、その球が予め申告していた球の色と一致していれば賞金を得るという賭けをもちかけられる。賞金を得るため、被験者は赤玉を申告するか、黒玉を申告するか、いずれにするか問われるのである。このとき被験者のほとんどは赤玉を申告する。赤玉の確率は九〇個中の三〇個で三分の一と確実であるのに対し、黒玉の確率は確実ではないと考えてしまう。しかし実際には、赤玉と同じである。にもかかわらず、生起確率を高いと判断してしまうのである。これも量子力学を用いて説明されている。(23)

境界線上の矛盾というものもある。(24) 二郎は太っている、かつ、太っていない、ということはあり得ない。したがって、「太っている・かつ・太っていない」という生起確率は0だと考えられる。しかし現実にこのような文は、文脈に依存して使われる。二郎は通常の街中にいれば太っているのだが、相撲が好きでよく見学に行く相撲部屋では太っていない、というわけだ。だからその両者を考慮する限り、「太っている・かつ・太っていない」は確率0ではないということになる。

量子力学から認知的誤謬にアプローチする物理学者が最も引用する認知的誤謬が、順序効果だ。(25) カレー料理などで言われる、「辛い・かつ・美味い」という表現と、「美味い・かつ・辛い」という表現では、意味が異なると考えられる。それは語順によって、後に現れる語の意味が強調されるからだ。「辛い・かつ・美味い」は、「辛いが美味い」を意味し、「美味い・かつ・辛い」は、「美味いが辛い」を意味すると考えられるというわけだ。それは、美味しいニュアンスを与えようとする場合、「辛い・かつ・美味い」と「美味い・かつ・辛い」の生起確率が異なることを意味する。これは、量子力学で観測装置が観測対象に影響を与えてしまうように、先行する言葉が意味の空間に影響を与え、生起確率に影響を与えると説明される。だから、順序効果は、最も量子力学にフィットした現象だと考えられるわけだ。

ここにあげた論理的誤謬は、通常考える確率論の帰結に矛盾する。その多くは「かつ」によって得られる結合確率が、単独の事象の確率より高くなることに起因している。量子論的認知科学の研究者は、これを説明するのは量子力学だと主張する。或る生起確率をベイズの公式を用いて相補的な条件で複数の条件付き確率に分解したとする。通常の確率論では、分解された確率が足し合わされるだけだが、量子力学では足し合わされる項が干渉して得られる干渉項がこれに付加される。基本的にこの干渉項が、場合によって、結合確率における値の上昇をもたらすというわけだ[26]。

しかし、前述したように、量子力学を用いて計算するならうまく解釈できるが、それを用いる物理学的根拠はなく、量子論的認知科学の中ですら、その理由については今後の課題であると述べられている[18]。これに対して私は、マクロな認知過程だけを考えることで、量子論的構造が得られると考えている[20]。それを次節で述べよう。

3　認知的非局所性とブール代数の準直和構造

私が目の前にある具体的な個物 x を一般的な物体Xと認識する場合について考えてみる。ここで私は、その物体Xについて十分知っており、通常使われるXの定義も存在すると考えよう。つまり私は x に見出される様々な属性をXの定義と照合し、x がXであるか否か決定することになる。

個物 x のある属性について注目すると、それはXの定義を満たしている。別の属性について考えてもそれはXの定義を満たす。しかしさらに別の属性に注目すると、それはXの定義を満たしてい

ない。属性の数を増やしていくとき、xに関する様々な属性の系列に対し、

Xである、Xである、Xでない、……

と判断されることになる。属性の枚挙は原理的に無限に続くことなる。それをどこで切断するかは、恣意的だ。「Xである」ことを指定する属性の集まりだけで属性の系列に関する判断を完了するなら、xがXであると決定することは妥当に思える。しかしそのような場合ですら、Xでない可能性が排除できるわけではない。次に見出された属性についてはXでないことを示す属性かもしれないからだ。

この「Xでない」は可能性ではなく潜在性であり、原理的に存在する。個物の属性は無限に枚挙でき、それに対して一般化された物体Xの定義が指示する属性は、有限個だからだ。このとき、xで見つかったある属性がXの定義にないとき、こんな顕著な属性が定義から漏れるはずがないと思うだろう。つまりその属性の「不在」によってxは「Xではない」と判定される。日常的な現実における定義は、数学の定義とこのように異なる。つまり任意の個物xにおいて、「Xである」ことと「Xでない」ことは両義的となる。Xに関する肯定と否定とが、共に存在するため、もし両者が同じ水準に存在するなら、矛盾し、決定不能に陥る。決定不能となる場合が存在するのではなく、我々の認知は、常にこの決定不能な状態、両義的状態に晒されている。にもかかわらず、我々は決定するのである。(27)

「Xである」ことと「Xでない」ことが両義的であるにもかかわらず、「Xである」と決定するこ

とがいかにして可能か。考えるべきはそのような問題となる。私はここに、文脈というものを考えたい。文脈の導入は、実は、恣意的に「Xでない」を隠蔽することに他ならない。今、個物xの候補として、物体X、Y、Zの三つだけが候補に上がっているとしよう。この状況でもxは「Xである」ことと「Xでない」ことを両義的に有しているが、この文脈に限定する限り、「Xでない」ことは、「Yである」ことか「Zである」ことのいずれかを意味する。そして、「Yでない」ことや「Zでない」ことになる「Xでない」は全て、この文脈外部に位置付けられることになる（それらは文脈の外で「Tである」や「Uである」を意味することになる）。つまり、この文脈の中で考えられるxは、「Yでない」ことや「Zでない」ことが明らかであり、X、Y、Zは互いに区別されるのである。それが導入される文脈の定義となる。

だから文脈外部の全ての物体と、この個物xは関係付けられると言える。全ての物体とは、様々なXでない物体である。かくして個物xは全ての物体と関係があるという意味で、論理的空間の中で非局所性を有しているといえる。非局所性という言い方に抵抗のある読者もいるだろう。しかし、「わたし」の認知過程は、この世界の物質過程であり、脳内過程である。脳内過程において、「個物xは全ての物体と関係がある」とは、情報xを処理する特定の局所が、他の全ての局所と結びつくことを意味するだろう。これは脳内過程として提唱されているグローバル・ワークスペース[28]に整合的である。この意味で、「Xでない」が外部に潜在するとは、他の全ての局所と接続すること、非局所的接続を意味するのである。私はこれを認知的非局所性と呼ぶ。

この状況は**図4－1**左図のように表されるだろう。注目される文脈においてX、Y、Zは互いに区別される。XであることがYでもZでもなく、しかし他でもあり得る可能性は、全てこの文脈外

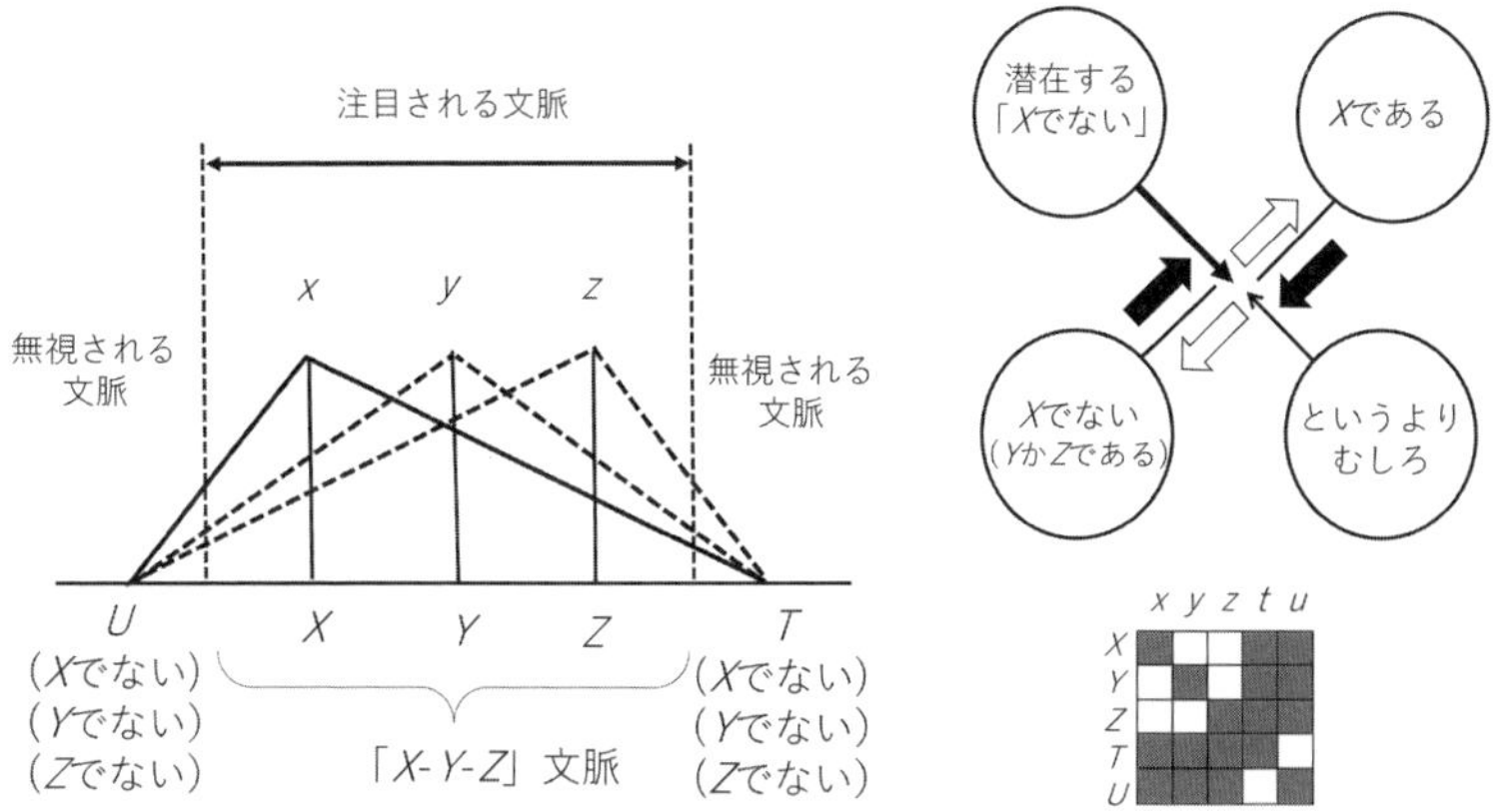

図4—1　文脈の内と外の関係とそれを示す天然知能図式

部に配置されることになるので、それら物体を*U*や*T*と措定する場合、各々はXであり*Y*でもなく*Z*でもないことがわかる。図4—1左図では個物*x*、*y*、*z*と一般的物体X、Y、Zの関係を線で結んでいる。文脈の中でだけX、*Y*、*Z*は互いに区別されるから、文脈の中で「Xである」ことと「Xでない」ことは排他的である。この排他性が仮初めのものに過ぎないことを示すものが図4—1右上図だ。この図で右上、左下の円は排他的な二項対立を示している。右下の円は固定される限り、この二項対立を成立させる文脈を指定する。私は以前、データ・サイエンスに根ざす人工知能は、コミュニケーションを問題と解答の二項対立として捉える知性だと位置付けた。他者の発話は解答すべき問題であり、解答されていない限り問題であり続け、解答された刹那、問題は消える。だから、問題・解答は二項対立を成すのである[2]。

　図4—1右上図に示された二項対立は「Xである」ことと「Xでない」ことが文脈の中でだけ成立し、一歩その外部に出ると成り立たないことを意味している。厳然とした二項対立を脅かす「Xでない」可能性が、その外

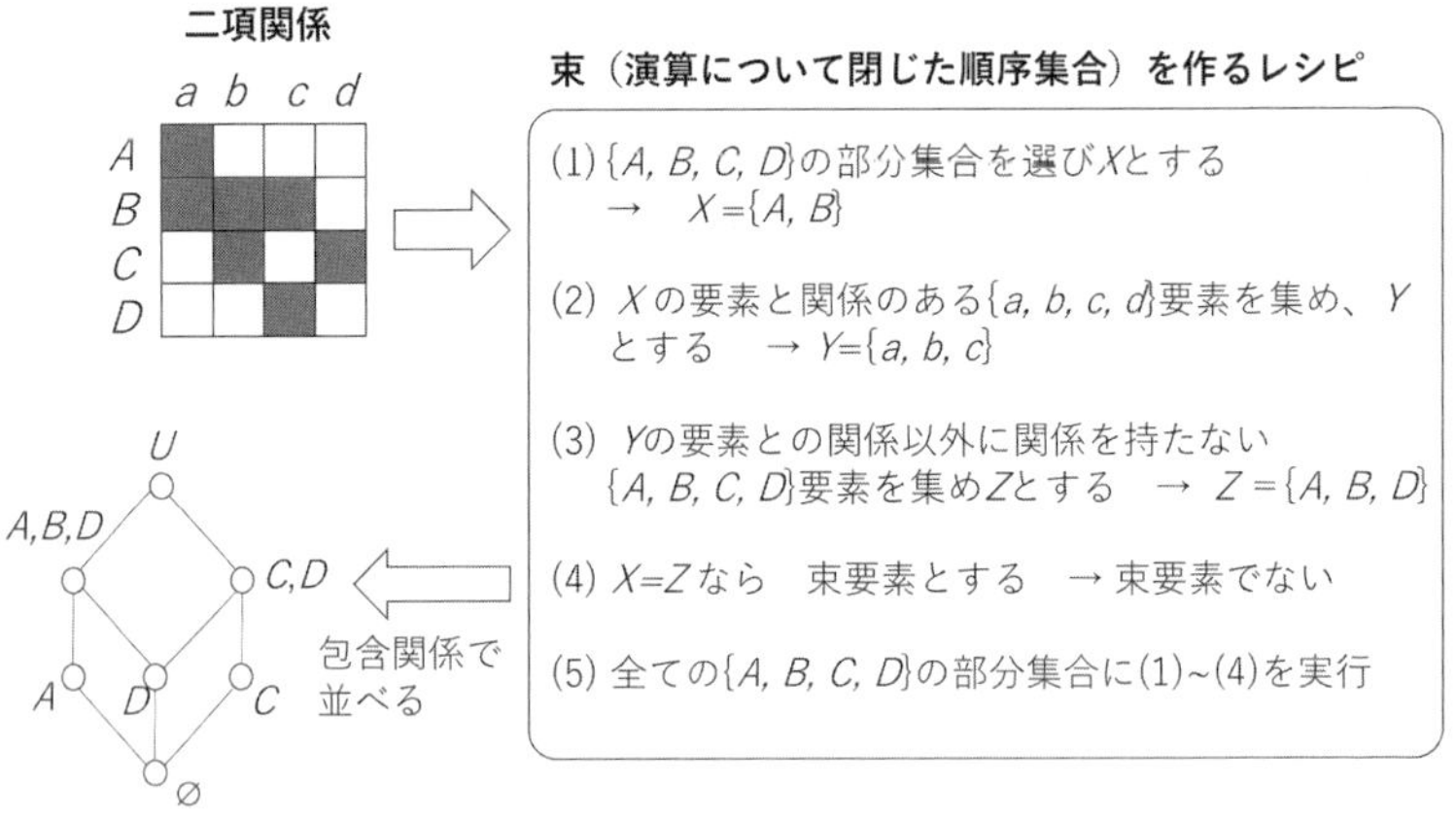

二項関係
a b c d
A
B
C
D
束（演算について閉じた順序集合）を作るレシピ
(1) {A, B, C, D}の部分集合を選びXとする
→　X={A, B}
(2) Xの要素と関係のある{a, b, c, d}要素を集め、Y
とする　→ Y={a, b, c}
(3) Yの要素との関係以外に関係を持たない
{A, B, C, D}要素を集めZとする　→　Z={A, B, D}
(4) X=Zなら　束要素とする　→ 束要素でない
(5) 全ての{A, B, C, D}の部分集合に(1)~(4)を実行
U
A,B,D
C,D
A
D
C
∅
包含関係で
並べる

図4—2　二項関係からラフ集合誘導束を構成するレシピ

部に控えているからだ。左上に配された円、外部は、人工知能では決して現れない。二項対立の切れ目と不可分に、外部は現れるのである。

図4—1左図の状況は、関係がある・関係がないを灰色格子、白色格子で表すとき、図4—1右下図のような行列表現として描かれる。図4—1のxはXとT、Uと関係があるため、行xを縦に追っていくとX、T、Uと交差する格子が灰色になっている。ここではX-Y-Z文脈外部でTとUも文脈を作っている。文脈の中で物体（同じく個物）は互いに区別されるため、物体と個物の関係は対角行列となる。文脈の外部は非局所性によって全てと関係付けられ灰色の格子で満たされている。

図4—1右上図は、特に第3章で詳述した天然知能図式である。これを用いることで、外部の召喚を捉えることができ、文脈形成を根拠づけられる。本書の第10章では、これとは違った天然知能図式の適用で、文脈形成を根拠づけ、より天然知能図式の意味が明確化される。

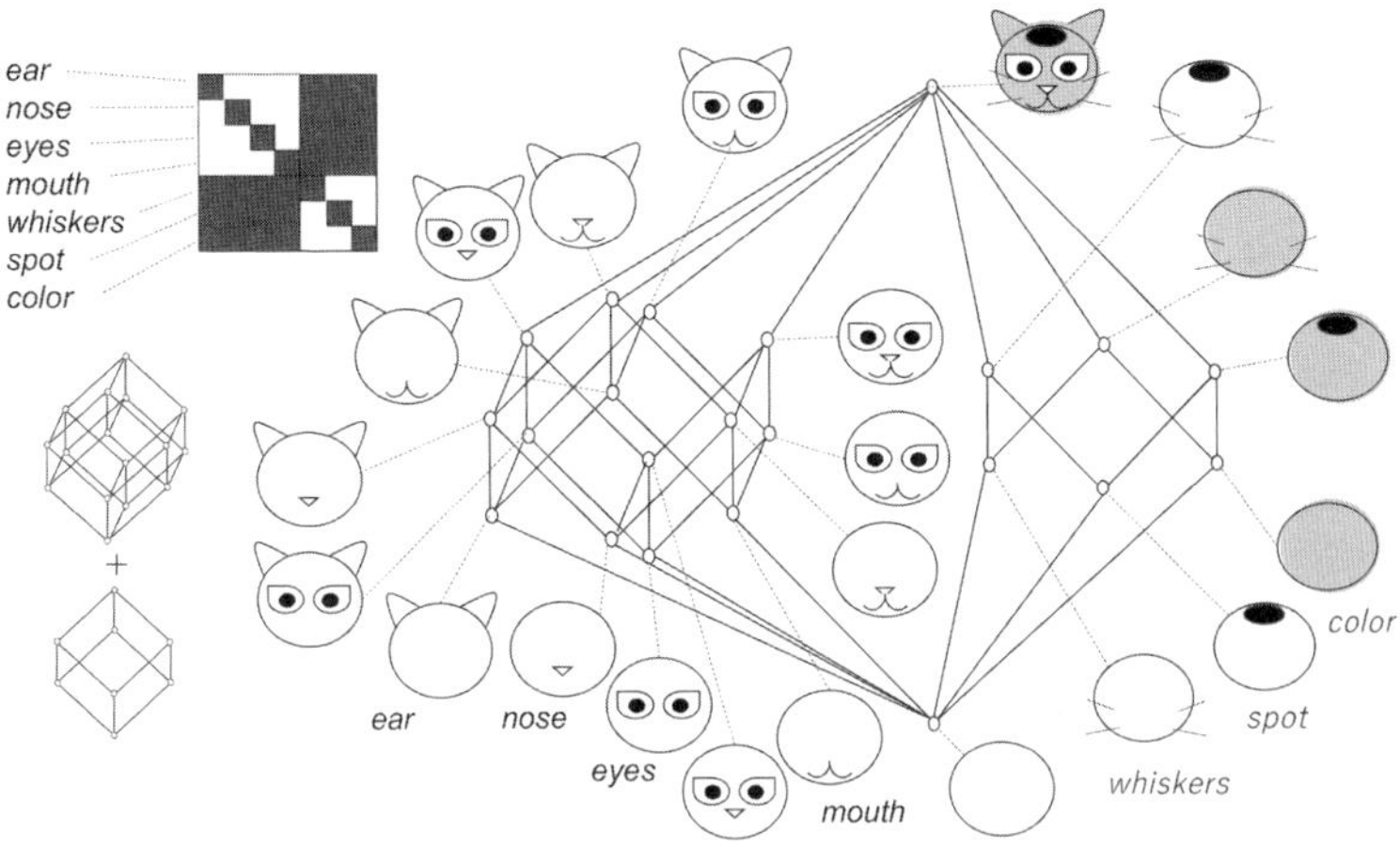

図4―3　準直和ブール代数系の二項関係と束を示すハッセ図

非局所性がもたらす行列から何がもたらされるか。
この行列は、論理的な空間の中で、使用可能な概念の集合を表している。行列は、一般的な物体と具体的個物との関係であるから、具体的個物を通して必要十分に使われる一般的物体の集合を規定している。与えられた任意の行列に対して、「一般的物体の集合」を得るレシピが**図4―2**である。[29] なおこのレシピの認知言語学的意味は、本書第10章に詳述している。一般的物体は、単独の物体の組み合わせで表現される。組み合わせ自体が集合であるから、一般的物体は単独の物体の集合となる。「一般的物体の集合」の要素（つまり単独の物体の集合）間には包含関係の意味で順序が入り、「一般的物体の集合」は特定の演算について閉じているため、それは、束と呼ばれる代数構造を表している。図4―2左下に描かれた束は、包含関係で上位にあるものを上に、下位にあるものを下に描き、間に他の束要素がなければ直線で結ばれている。このような図をハッセ図という。[30]
では図4―1で得られた行列はどのような代数構造

を表すだろうか。これを示すのが**図4―3**である。「Xである」ことと「Xでない」こととが両義的でありながら、Xであることを確定する状況こそ、認知的非局所性である。互いに排他的で一般物体を区別できる領域「文脈」は、行列では$n\times n$の対角行列で表されるが、それは束ではn個の物体を還元要素とし、その全ての組み合わせを含む集合で表される。図4―3左上の行列では、4×4および3×3という二つの対角行列がその一部に認められる。例えば3×3行列は、一般的物体として、ヒゲ、斑紋、色を表している。これに対応する部分は、全体のハッセ図の中で右側に描かれている。ヒゲ、斑紋、色の全ての組み合わせ（ただし三つを合わせたものは含まれない）がこの部分構造の中に認められる。事情は4×4行列の部分についても同じである。還元要素の全ての組み合わせを持つ束をブール代数というが、各々の文脈は、最大要素を除く限りブール代数になっているのである。ブール代数は、束上の演算が集合の共通集合と和集合に対応し、我々に集合論的判断論理を与えてくれる。

　つまり認知的非局所性が存在する場合、各々の文脈はブール代数となり、全体は、それらの貼り合わせとなるのである。二つの集合の要素を各々区別したまま和を取ることを、直和というが、ここでは各々の文脈に対応するブール代数から最小要素と最大要素を取り除き、それら全ての直和をとった後、最小要素と最大要素は、全ての要素の対する最小要素と最大要素をとって加えるのである。これはブール代数の完全な直和ではないため、準直和構造と呼ばれる。図4―3に描かれたハッセ図は、典型的なブール代数の準直和構造[31][32]である。

　ブール代数の準直和構造は、要素数が大きくなると量子論理に対応するオーソモジュラー束を意味する[31][32]。実は、ここに出現するブール代数の準直和構造も、オーソモジュラー束になっている。その詳しい証明は、第10章で述べられる。それは量子力学の構造を直接取り込んだものになっている。量子コンピューティングで最も重要なエンタングルメントは、準直和構造を成すブール代数の間で、直積が成り立たないことによって表される。図4―3のハッセ図は、猫の顔に関して認識される特徴を表すものと考えることができるだろう。耳、鼻、目、口は各々重要なものと認識され、その全てが認識される。ヒゲ、斑紋、色についても同じだ。しかし、耳とヒゲの組み合わせや、色のついた頭に煩悶がついた様子と耳とを同時に認識することは、ここでは認められない。各々の文脈ごとに精査するように認識することはあっても、異なる文脈間で全ての組み合わせを考えることはない(それが、直積が取れないということだ)。それらは、計算として除外されるのである。つまり、こちら側の文脈で認識する(計算する)とき、あちら側は見えないにもかかわらず、その関係性が何らかの形で相関している。ただし直接的な一対一の対応などという相関を意味するものではない。この意味でここに現れたブール代数の準直和構造は、エンタングルメントを実装している。

4 認知的非局所性からもたらされる認知的誤謬

量子力学を根拠とすることなく、認知的非局所性を導入するだけで、量子論理に対応するオーソモジュラー束や、その、より一般的構造であるブール代数の準直和構造が得られた。ここから、認知的誤謬を説明することができる。そのためには各々の束において確率を定義してやる必要がある。まず、還元要素の全ての組み合わせを網羅したブール代数上で確率を定義する。例えば五個の還元要素から構成されるブール代数の要素は、○－五個の還元要素を有する集合である。三個の還元要素を持つものは、還元要素の和集合であるから、還元要素の「または」によって表される。つまり還元要素のいずれかが得られる確率は、五分の三となる。ブール代数では還元要素の全ての組み合わせが、ブール代数の要素となるので、各々の要素における確率はそこに現れる還元要素の数を全ての還元要素の数で割ったもので与えられる。ブール代数の要素間の確率について、要素の「または」は確率の加算、「かつ」は乗算で置き換えるとき、通常の確率論で成立する法則が得られることになる。

一般の束で、$n \times n$ の行列で表されるものは、還元要素を n 個とするブール代数の部分集合となる。つまりブール代数で認められたいくつかの要素が失われる。要素の喪失によって、確率は上がることが期待できる。サイコロに細工がしてあって、一－四は絶対に出ないのなら、五の目の出る確率は五か六のいずれかであるから、二分の一まで上がることになる。出る可能性が失われた一、二の目の可能性は五へ、三、四の目の可能性は六へ含まれる、と考えてやれば、その意味を説明することができる。このように、失われたブール束の要素が、与えられた束の要素に確率を計算する際、配分されると考え、任意の束の確率を定義するのである。

我々が与えた配分の定義(20)は、束の要素をブール代数上に見出すとき、（順序集合における順序関係の意味で）それ以上の要素は全て配分される、とみなすものだ。ただし、その上位にある配分は取り除かれ、配分は互いに重複しない。この配分の定義は、束と確率の上で単調性を満足している。束の上で上下関係のある束の要素は、その要素の確率をとっても上下（確率の大小）関係が保存される。これが単調性である。このような単調性を満たしながら、しかし明らかに束の特定の要素では確率が極めて大きくなる。それによって、認知的誤謬が説明できるのである。ただし単独の束を持って来れば認知的誤謬が説明できるというものではない。重要な点は論理的操作に伴って論理空

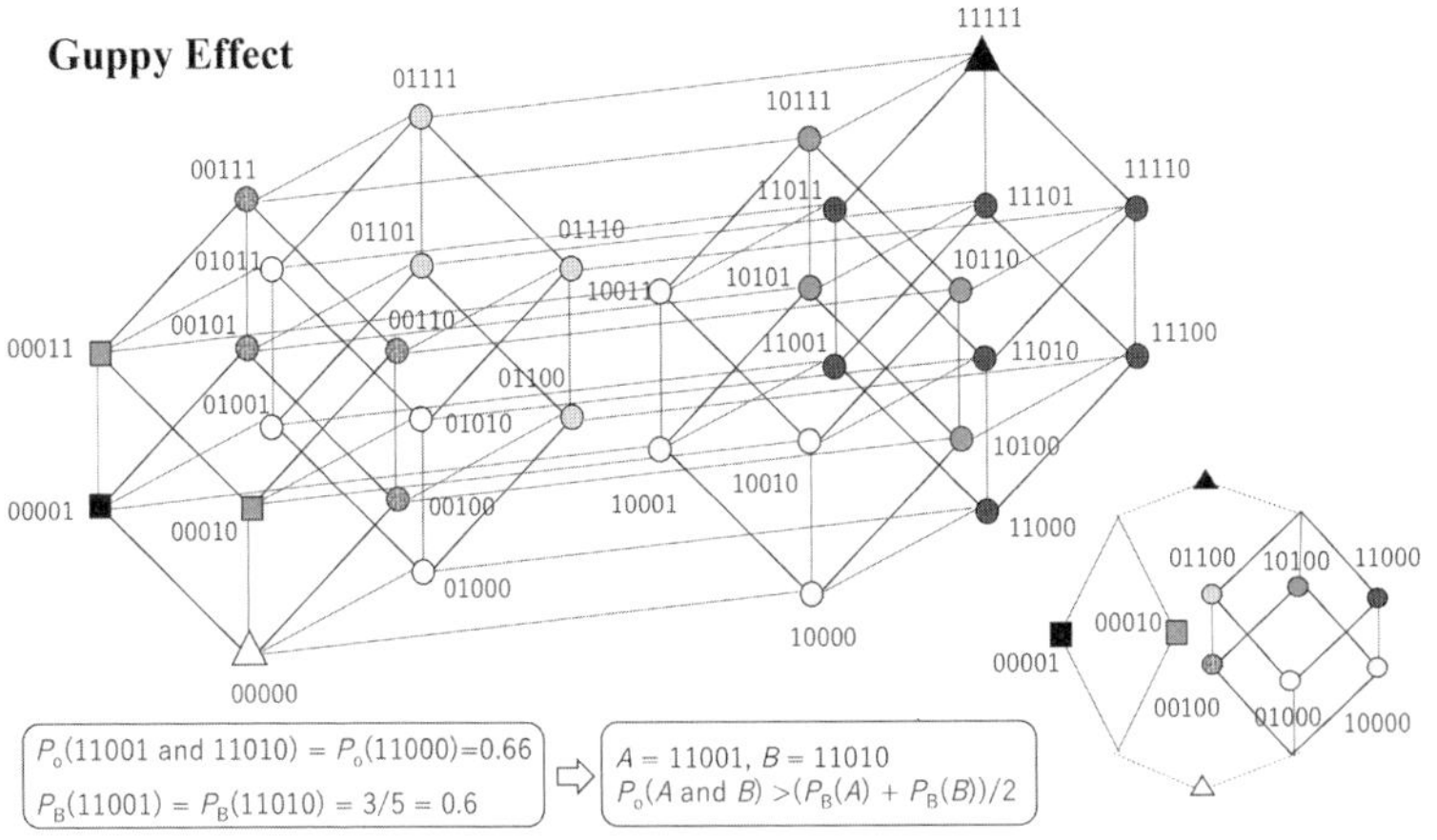

図4—4　グッピー効果を説明する知覚以前・以後の二つの論理（ハッセ図で表示）

間が変化し、それよって確率空間が変化することである。具体的に物体や現象や概念について考える（前節で物体と言ったものは、すぐさま現象や対象に置き換えられるだろう）以前、物体や現象や概念は抽象的で理念的で、全ての可能性が網羅されると信じられる。しかし、現実の個物を通して理解するとき、可能性は限定され、論理空間（ここでは束）が変化し、それに伴って確率空間が変化し、確率も変化すると考えるわけだ。

図4—4は、グッピー効果の説明を示している。ここでは五個の還元要素について考えられ、具体的な論理操作を考えるまで、論理空間は五個の還元要素を持つブール代数で表される。ただし還元要素は左から順に存在すれば1、不在ならば0で表し、還元要素の集合はビット列（0と1の列）で表されている。この上で、五個の還元要素を持つブール代数は図4—4左上図のハッセ図で表されている。論理操作を考えた途端に、非局所性によって論理構造は二つのブール代数の準直和構造で表される。そのハッセ図が図4—4右下

図である。ただし二つのブール代数がよくわかるように、共通する最大要素、最小要素は三角形で描き、共通することを点線で示している（つまり点線は上下関係ではない）。こうして、論理操作以前のブール代数（図4—4左上図）と論理操作以後のブール代数準直和構造（図4—4右下図）が描かれたが、確率を計算する場合、失われた要素で論理操作以後の要素に配分されるものは、要素を同じ明度と形で表している。例えば、論理操作以前の00011と00010（灰色の四角形で表示されている）とは、論理操作以後の00010に配分されることがわかる。これによって確率は、00010のみで考える五分の一よりも大きくなる。

グッピー効果は、図4—4において簡単に説明できる。グッピー効果とは、単独での事象（ここではビット列）の確率より、その結合確率の方が大きいという現象であるから、結合確率が単独の確率の平均より大きくなることで表される。単独の事象の確率は、論理操作以前であるから、ブール代数上で計算される。ここで二つの事象として、ビット列11001と11010とをとると、各々の単独の確率は五分の三＝〇・六となる。対して、ビット列11001と11010の結合確率は、両者の「かつ」をとって得られる事象（ビット列）11000（「かつ」をとる二つのビット列の同じ桁の値が共に1なら1、それ以外なら0とする操作が「かつ」の操作である）の確率を、論理操作以後の束上で計算することになる。そこに配分されるビット列は、図4—4の二つのハッセ図を見比べると、ブール代数上の七個のビット列であるから（それらは全て濃灰色の円で描かれている）、その確率を平均して〇・六六が得られる。かくして、結合確率は単独の確率の平均〇・六より大きくなり、グッピー効果が説明できる。

本章の第2節では、様々な認知的誤謬、エルズバーグとマッキーナのパラドックスや境界線上の矛盾、順序効果などについて述べたが、実は認知的非局所性を導入し、論理操作以前と以後とでブール代数から準直和構造へと束が変化すると考えると、これら全てが説明可能となる。個別的に認知的誤謬を説明するモデルは、様々なものがある。これに対して量子論的認知科学は、順序効果を含む様々な認知的誤謬を一般的に説明するのは、量子論的認知科学だけだと主張する。しかし、ここで示した認知的非局所性に基づく説明は、量子力学それ自体とは切り離された形で、様々な認知的誤謬を説明することが可能となる。

認知的非局所性に基礎付けられる認知モデルは、知覚できない向こう側がこちら側に接することで、こちら側の論理的認識（ブール代数的認識）を可能とする説明体系である。このとき、こちら側と知覚できない向こう側は、独立であるわけでも、現象学的な実在のように直接的に相関するわけでもなく、存在する。それはまさに、知覚できないが存在する向こう側ゆえに、すなわち外部ゆえに、論理的認識者としての「わたし」は存在し得るのである。それは素朴に外部を取り込んで内形式化する「わたし」でもないし、他者と場を共有することで存在する「わたしたち」でもない。もちろん数理的モデルであるため、全体を行列の形式で表現してはいるが、「わたし」の論理性を壊すものが外部に位置付けられることで「わたし」の論理性を開設するのである。この存在様式が、量子論的構造の一般的形式を与える点は、重要な論点だと思われる。このような「わたし」へと向かう方向性こそが、量子コンピューティングによって拓かれていく地平だと考えられ、それは計算速度の問題よりも遥かに豊穣な意味を与えてくれるのである。

註

（１） Kadowaki, T. & Nishimori H.（1998）Quantum Annealing in the Transverse Ising Model, *Phys. Rev.* E 58, 5355.

（２） Arute, F. et al.（2019）Quantum Supremacy Using a Programmable Superconducting Processor, *Nature* 574, 505-510.

（３） 例えば、リチャード・ドーキンス（2004）『盲目の時計職人』日高敏隆監修、中島康裕＋遠藤彰＋遠藤知二＋疋田努訳、早川書房。

（４） カメラにおける無限退行の問題は、話し手の意図を決定することで生じる無限後退の変奏である。その意味でこの議論の出発点は、Strawson, P.F.（1964）Intention and Convention in Speech Act, *The Philosophical Review* 73(4), 439-460にある。

（５） Sakiyama, T., Gunji, Y-P.（2013）The Müller-Lyer Illusion in Ant Foraging, *PLoS ONE* 8(12): e81714.

（６） Tani, I., Yamachiyo, M., Shirakara, T., & Gunji, Y-P.（2014）Kaniza Illusory Contours Appearing in the Plasmodium Pattern of *Physarum Polycepharum*, *Frontiers in Cellular and Infection Microbiology* 28.

（７） Sakiyama, T., Gunji, Y-P.（2016）The Kanizsa Triangle Illusion in Foraging Ants. *BioSystems* 142, 9-14.

（８） 非同期オートマトンが情報伝播速度を見かけ上速めたり、遅延させたりすることに関する議論と初出の論文などについては郡司ペギオ幸夫（2014）『いきものとなまものの哲学』（青土社）を参照のこと。

（９） 外部を受け容れる装置＝容器、でありながら、外部によってもたらされる「わたし」は、天然知能として定式化された（郡司ペギオ幸夫（2019）『天然知能』講談社選書メチエ）。

（10） Hameroff, S. R., Penrose, R.（1996）Conscious Events as Orchestrated Space-Time Selections, *J. Cons. Stud.* 3, 36-53.

（11） Gudder, S. P.（1988）*Quantum Probability*, Academic Press.

（12） Aerts, D.（2009）Quantum Structure in Cognition, *J. Math. Psychol.* 53, 314-348.

（13） Aerts, D., Gabora, L., and Sozzo, S.（2013）Concepts and Their Dynamics: A Quantum-Theoretic Modeling of Human

Thought, *Top. Cogn. Sci.* 5, 737-772.

(14) Bruza, P.D., Wang, Z., and Busemeyer, J.R. (2015) Quantum Cognition: A New Theoretical Approach to Psychology, *Trends Cogn. Sci.* 19, 383-393.

(15) Busemeyer, J. R., and Bruza, P.D. (2012) *Quantum Models of Cognition and Decision,* Cambridge University Press.

(16) Osherson, D. N., and Smith, E.E. (1981) On the Adequacy of Prototype Theory as a Theory of Concepts, *Cognition* 9, 35-58.

(17) Machina, M. J. (2009) Risk, Ambiguity, and the Dark-Dependence Axioms, *Am. Econ. Rev* 99, 385-392.

(18) Busemeyer, J. R., Franco, R., Pothos, E. M., Franco, R., & Trueblood, J. S. (2011) A Quantum Theoretical Explanation for Probability Judgment Errors, *Psychol. Rev.* 118(2), 193-218.

(19) Gunji, Y-P., Nakamura, K., Minoura, M. and Adamatzky, A. (2020) Three Types of Logical Structure Resulting from the Trilemma of Free Will, Determinism and Locality, *BioSystems* 195.

(20) Gunji, Y. P., and Haruna, T. (2022) Concept Formation and Quantum-Like Probability from Non-Locality in Cognition, *Cognitive Computation* 14, 1328-1349.

(21) Tversky, A., and Kahneman, D. (1983) Extension Versus Intuitive Reasoning: The Conjunction Fallacy in Probability Judgment, *Psychol. Rev.* 90(4), 293-315.

(22) Aerts, D., Broekaert, J., Gabora, L., and Veroz, T. (2012) The Guppy Effect as Interference, *Quantum Interaction 2012*, 36-74.

(23) Aerts, D., Sozzo, S., and Tapia, J. (2012) A Quantum Model for the Ellsberg and Machina Paradoxes, *LNCS* 7620, 48-59.

(24) Bonini, N., Osherson, D.N., Viale, R., and Williamson, T. (1999) On the Psychology of Vague Predicates, *Mind Lang* 14, 377-393.

(25) Kahneman, D., Slovic, P., and Tversky, A. (1982) *Judgment Under Uncertainty: Heuristics and Biases*, Cambridge University Press.

(26) Khrennikov, A.Y. (2010) *Ubiquitous Quantum Structure: From Psychology to Finance*, Springer.

（27）　こちら側の「わたし」と外部との関係をこの形で定式化し、非局所性を定義しようとする試みは当初、郡司ペギオ幸夫（2019）（前掲書、註（9））でなされた。

（28）　Baars, B. J. (1988). *A Cognitive Theory of Consciousness*, Cambridge University Press.

（29）　Gunji, Y-P., and Haruna, T. (2010) A Non-Boolean Lattice Derived by Double Indiscernibility, *Transactions on Rough Sets* XII, 211-225.

（30）　Davey, B. A., and Priestley, H. A. (2002) *Introduction to Lattices and Order*, Cambridge University Press.

（31）　Svozil, K. (1993) *Randomness and Undecidability in Physics*, World Scientific.

（32）　Gunji, Y-P., Sonoda, K., Basios, V. (2016) Quantum Cognition Based on an Ambiguous Representation Derived from a Rough Set Approximation, *BioSystems*, 141, 55-66.

第5章　全体という不在

1　外部を召喚するもの

二〇二一年の九月、オンラインの国際会議に招待され、パソコンのモニター画面を見ながら待機していると、私の一つ前の演者がテレンス・ディーコンだった。物理学をバックグラウンドにしながら、進化生物学者であり文化人類学者でもあるディーコンは、私の頭の中では、グレゴリー・ベイトソンのような、境界領域を縦横無尽に歩き回る研究者である。ただし、六〇〇ページを超える大判の著作『不在としての生命・意識』[1]は、本棚の奥に眠ったままになっていた。講演自体は、生体組織の大規模な変革のために、脱進化とでも呼び得るような内的過程が必要で、遺伝子重複などがそれを担っているだろうという話であり、この脱進化を言語の進化に展開するものだった。いい機会だと思い、『不在としての生命・意識』を手に取ると、これが、自分の考える「天然知能」[2][3]の方向性に一致する。そこで本章では、天然知能から眺める『不在としての生命・意識』について論じ、特にそこで、不在として構想される全体という概念を論じたいと思う。

人工知能の世界に留まらず、オートポイエーシス[4]やアフォーダンス[5]もまた、現実世界から分離された仮想世界である。そう述べるなら、多くの読者は驚くかもしれない。しかし少なくとも、ディーコンは同意している。オートポイエーシスは、矛盾を帰結する自己言及形式の肯定的転回として提案された。「私＝私ではない」という等式内の私に「真」を代入しても「偽」を代入しても矛盾する。しかし意味論を真か偽かのいずれかに留めるのではなく、「…真偽真偽…」なる無限列を代入すると、等式の左右は一致することになり、矛盾は解消される。これが矛盾の肯定的転回の一つの例だ。同様に「部分＝全体の縮小」は矛盾するが、自己相似パターンであるフラクタル(6)は、この等式を満たすようにパターン概念を拡張している。「私が受容する機能＝環境が提示する機能」を満たすように、機能を予定調和的に限定したものがアフォーダンスであり、「システムの内＝システムの外」なる矛盾を肯定的に転回し、内と外を比較可能に等質化し循環させるシステム概念が、オートポイエーシスである。このリストには当然、ユクスキュルの環世界(7)も加わることになる。これらは全て、矛盾を解消する規則を公理とし、その外部を排除する世界像である。

内側の都合で仮想世界を拡張する思考様式は、二項対立的概念、AとBから出発する。それは、私と私でないものであり、部分と全体であり、内と外（環境）であった。それらを関係付ける（媒介する）ことで出現する矛盾を種として内側から拡張するものを、私は人工知能（的世界観）と呼んできた（**図5—1**の囲み内側）。これに対抗するための天然知能は、同様のAとBから出発して、以下のように表すことができる（図5—1）。それはAとBとを共に満たす肯定的アンチノミーと、両者を共に退ける否定的アンチノミーを共存させ、これによってAとBとを措定する基盤自体に亀裂を入れ、その外部を召喚するのである。本書では第1章や第3章に詳しいが、私は、肯定的、否定的アンチノミーの共立をA／Bトラウマと呼んでいる。アンチノミーと呼んではいるが、AとB

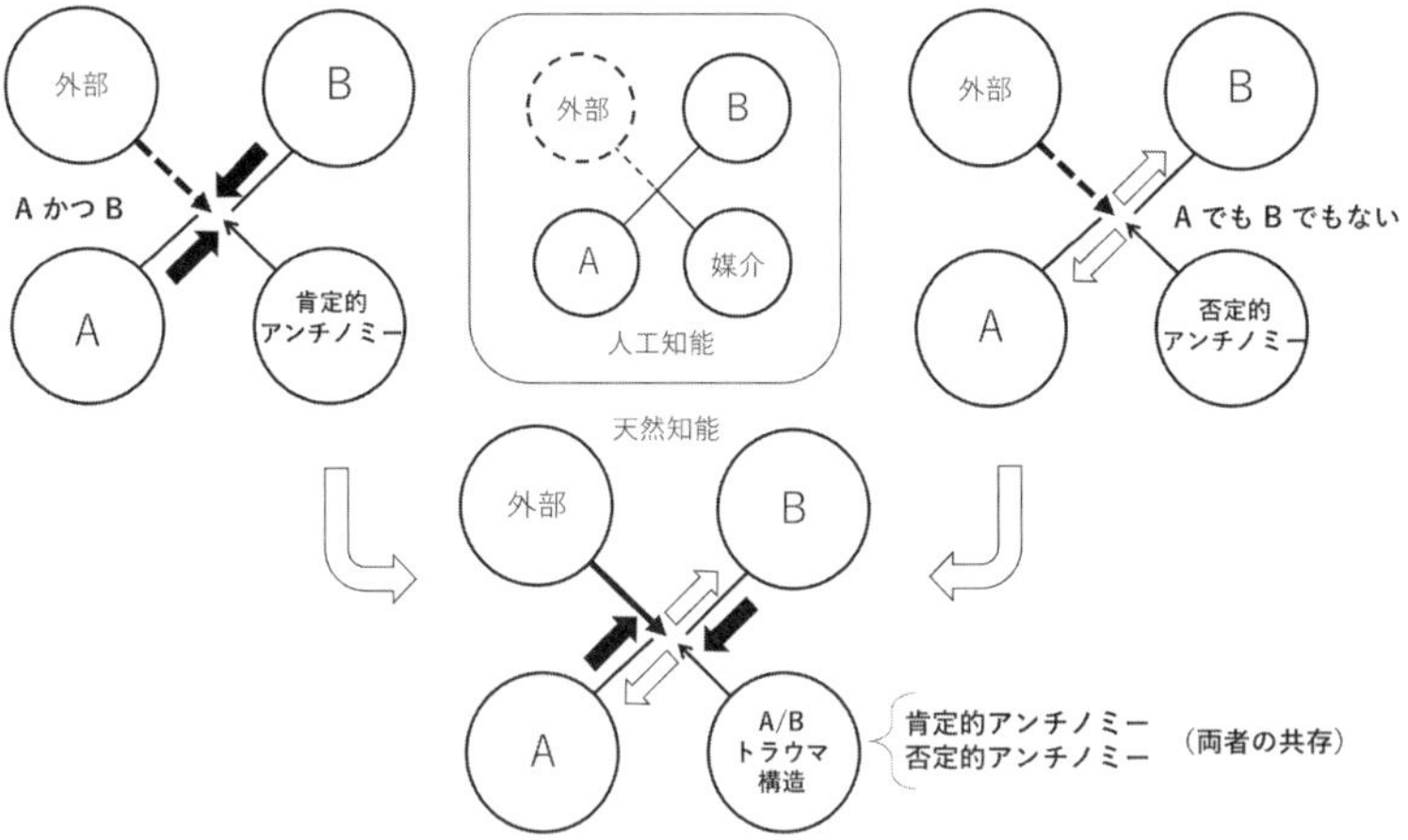

図5―1　天然知能におけるA／Bトラウマ

は純粋に論理的な対立概念ではない。ある文脈を選ぶことでそのように見做せる、というだけの話だ。だから、肯定的、否定的アンチノミーでは文脈が異なるのである。人工知能が内側からの拡張であるのに対し、天然知能は外部を召喚する。この点において天然知能はディーコンに接続する。図5―1で中心を向く黒い矢印はA、B両者を共に肯定し関係付けようとする力を、同じく中心から発せられる白い矢印はA、B両者を共に否定し、両者の関係づけを無効にする力を示している。肯定・否定のアンチノミーは、A、Bを措定する基盤を脱色し亀裂を入れる。この亀裂こそが、「不在＝外部を召喚する仕掛け」である。この図は、第1章、「ダサカッコワルイ・ダンス」の構造を一般化したものだ。第1章のイメージを思い出してもらえれば[8]、その一般化の意味は、明確になるだろう。

2　不在としての全体

ディーコンは『不在としての生命・意識』において、生命や意識は、外部からもたらされることによってのみ説明されるものであり、それはアリストテレスの目的因として解釈されるものとだと論じる。この問題意識を明確にするため、全体概念は、存在しないからこそ全体なのだと述べる。全体とは部分の総和以上のものである、というシステム論の標語を聞いてきた者、すなわち、総和以上の何かとして「全体」の実在を信じる者にとって、驚くべきことかもしれない。そこで彼は、プラトンのイデア、パースのタイプを論じる。[9] 例えば現実に存在するリンゴは、一つ一つ特殊な、具体的個物として知覚される。これらの個物の間に、実際には不在であるイデアとしてのリンゴがやってくるというわけだ。パースが想定する具体的な記号であるトークンと、一般的記号であるタイプの関係も、予め対として想定されるものではない。具体的な様々なトークンが経験され、ここから一般概念としてのタイプが不在として知覚された後、外部から「やってきて」、記号となる（図5―2左上）。この過程を経由してこその、タイプ・トークンの対なのだと強調される。不在であるところに、何かが外部からもたらされる。この問題はしかし哲学に特化した問題ではない。具体的個物だけが実在するように、実在するのは、他の部分と相互作用すると認識される部分だけだ。しかしこれを駆動し、動かすもの、相互作用することによって出現する、ここには見出せない何かが、全体というわけだ。全体は知覚されない意味で、不在でしかない。

以上の問題、とりわけ「全体が不在である」というテーゼを明確にするには、天然知能から解釈することが極めて有効だ。図5―2左下は、通常想定されるようなタイプとトークンの関係を通じて、ある概念が外部からもたらされる様相を示している。経験される個物による多様なカブトムシ（トークン）と、その一般化としてイメージされる標準的カブトムシ（タイプ）の対によってカブトムシなる概念が理解される。この普遍概念の到来を惹起する仕掛けこそ、タイプとトークンを共に

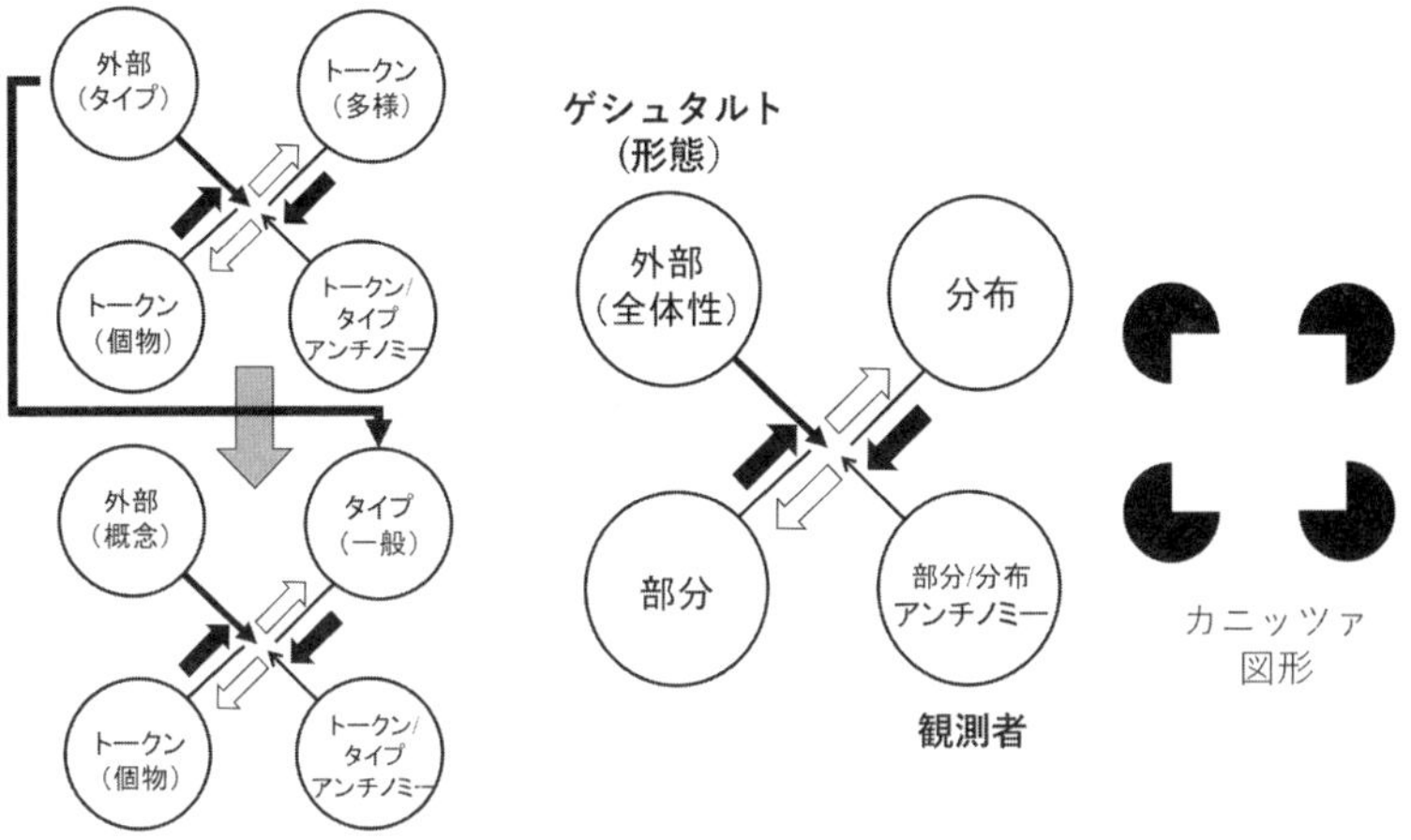

図5―2　タイプ・トークンの間にもたされる概念と、カニッツァ図形の全体

満たす意味での矛盾、肯定的アンチノミーと、共に否定し両者の地平を脱色する否定的アンチノミーの共立である。ディーコンが強調するのは、このタイプですらも、個別の様々なトークン経験からもたらされるのだ、という点だ。それは、トークン経験に担われる個物性と多様性の、肯定的・否定的齟齬を通して、外部からもたされると考えられる(図5―2左上)。つまり外部の召喚は、入れ子構造をなし、さらなる外部を召喚する仕掛けを提供する。

不在としての全体をイメージするため、ここで、第1章で用いたカニッツァ図形を、思い出してみよう。それは図5―2右図に示すような、内側を向いた複数のパックマンによって知覚される、実際には存在しない多角形であった。ここでは黒い円が四つ配置され、その上にあたかも白い四角形が重ねて置かれたように知覚される(パックマンパターンを、左右各々の眼に映じられる二種類用意し、パックマンの配置を立体視すると、白い四角形は現れない。これを通して逆に、図5―2右図で実現される、白い四角形の知覚が理解される)。

カニッツァの多角形は、部分であるパックマンが複数存在し、特殊な配置を取ることによってもたらされる。部分と配置の間の違和感（肯定的アンチノミー）を伴うパターンおよび、部分と配置がパターン化することの否定の両者によって、図でも地でもない、多角形が発見されるのだ。かくして、カニッツァの多角形こそが、部分であるパックマンと部分である別のパックマンを関係付ける、「存在しない全体性」である。また、カニッツァの多角形では、まさに、これを見ている観測者が、二つのアンチノミーの共立を受け入れ、多角形を知覚している。この内在する観測者という問題は、ディーコンの議論で核心を成していく。

3　目的論的現象とホムンクルス

イデアやタイプ、全体概念を通してディーコンが浮き彫りにするのは、不在がもたらす目的論的現象である。アリストテレスの四つの原因、作用因、質料因、形相因、目的因における目的因（英語を直訳すると最終因）は、現実に不在であるからこそ、見出されると論じられる。[10] 家の建築を考える場合、その作業を担う大工などの作用因、木材や鉄骨、釘など、建築材料である質料因、設計図である形相因は、いずれも建築の現場に直接見いだすことができる。対して、例えば「誰かが住居とする」といった建築の目的は、建築現場には見出せない。この不在こそが、不在を補完すべく、そこにはない目的を暗示し、何かを受け入れようとする。不在において、途中の過程が見えないまま想定される最終的原因が志向される。具体性を欠いたまま、しかし具体性を志向する意図が、不在によって担われる。目的論を意味するテレオロジカルの接頭辞テレは、テレグラムやテレフォン、テレスコープなど、遠く離れた、ここにはないものとの接続を求めるものに現れる（とディーコンは指摘する)。まさに志向的な、意図的な現象は、そこにないものを志向する意味で、不在から生じている。ディーコンのこの主張は、物質から生じる心的現象の解読に向けて発せられている。

目的論的現象とは、意図や志向性を担うものだ。科学や哲学は、ほとんどの場合、これに対し、閉鎖的なシステムによって説明を試みる。ディーコンは、(不在によって外部を召喚する)開かれたシステムでない限り、説明はホムンクルスを帰結するだけだ、と批判する。その通りである。なぜ精巣から人間が生まれるのか。なぜという問いは目的因を喚起する。その原因を外部に求めない限り、それは内部に隠され、封緘されなければならなくなる。その原因は、最終的な目的を内的に指示する以外に不可能となる。ここでの目的因は、「人間をもたらす理由」である。この理由を内的に指摘するとは、「人間がもたされる理由は、人間がもたらされるから」とする恒等的規定を与えることだ。したがって、目的因を封緘する操作は、目的を規定されようとした現象自体を封緘することになり、精巣の中に精巣小人(ホムンクルス)を見出すことになる。最終的な目的のみを明示し、途中の過程を全て捨象した対価は、精巣小人の精巣に再度精巣小人を見出すという無限退行で支払われる。

目的論的現象、意図を持ったかのような振る舞いは、意識や心を問題にするとき、端的に現れる。これを閉鎖的なシステムによって説明しようとするなら、意識や心を持ったホムンクルスを見出すことになる。目の前のリンゴを「美味そうなリンゴとして見る」私について考えよう。リンゴの映像は網膜に映される。この段階ではリンゴと背景の区別もなされず、「リンゴとして」見ることなど成立しない。カメラが映像をリンゴとして見ることなどないように、リンゴとして見るためには様々な価値を介して見る「わたし」が要請される。こうして頭の中にわたし=ホムンクルスが帰結される。読者は脳科学全盛の現代、そんなことはあり得ないというかもしれない。網膜から入った信号は視床下部へ伝達され、脳の背側、腹側の二系統で前頭前野へ伝達される。同時に、視覚的記憶は「リンゴとして」見ることを予め用意し、伝達される信号を制約する。こうして、空間的位置関係、対象の意味が同定され、「リンゴとして」見ることは、様々な神経細胞の共同作業として実現される。ディーコンはこのようなアプローチを、ホムンクルスの隠蔽であり、問題をよりわかりにくくするだけだ、と断じる。それは、ホムンクルスをより小さなホムンクルスの分業にし、細分化の果てにホムンクルスを愚鈍化させ、機械化できるとする信念に基づいているという。こうして、デネットによる意識のオーケストレーションや、群知能を批判する。いかに細分化していっても、内的に遡求される「意図的なもの」は蒸発するはずがなく、ホムンクルスが機械に置き換えられることはない、というわけだ。ホムンクルス問題とは元来無限退行の問題なのだから、これを有限で断ち切るアプローチへの批判は極めて妥当である。

ホムンクルス問題へのディーコンの解答は、ホワイトヘッド解釈に現れる。ホワイトヘッドの抱握[(11)]を、外部を受け入れる態度＝装置として評価し、その哲学への敬意を払いながらも、彼の哲学が汎心論とも解釈される点を突いていく。抱握の本質を、外的なものを解釈する、内部に封緘された解釈能力とする限り、それはホムンクルスであり汎心論となる。外部の召喚を無視することで、ホワイトヘッドは意識の有無を、システム内組織の複雑さに委ねてしまう。内部に封緘された能力は、意識の有無を説明できない。しかしそれこそ、外部を軽んじた結果ではないか。すなわちディーコンによるホムンクルス問題の解決とは、ホムンクルスを細分化する／しないにかかわらず、外部を絶えず受け入れることなのであり、徹底した開放系を考えることなのである。

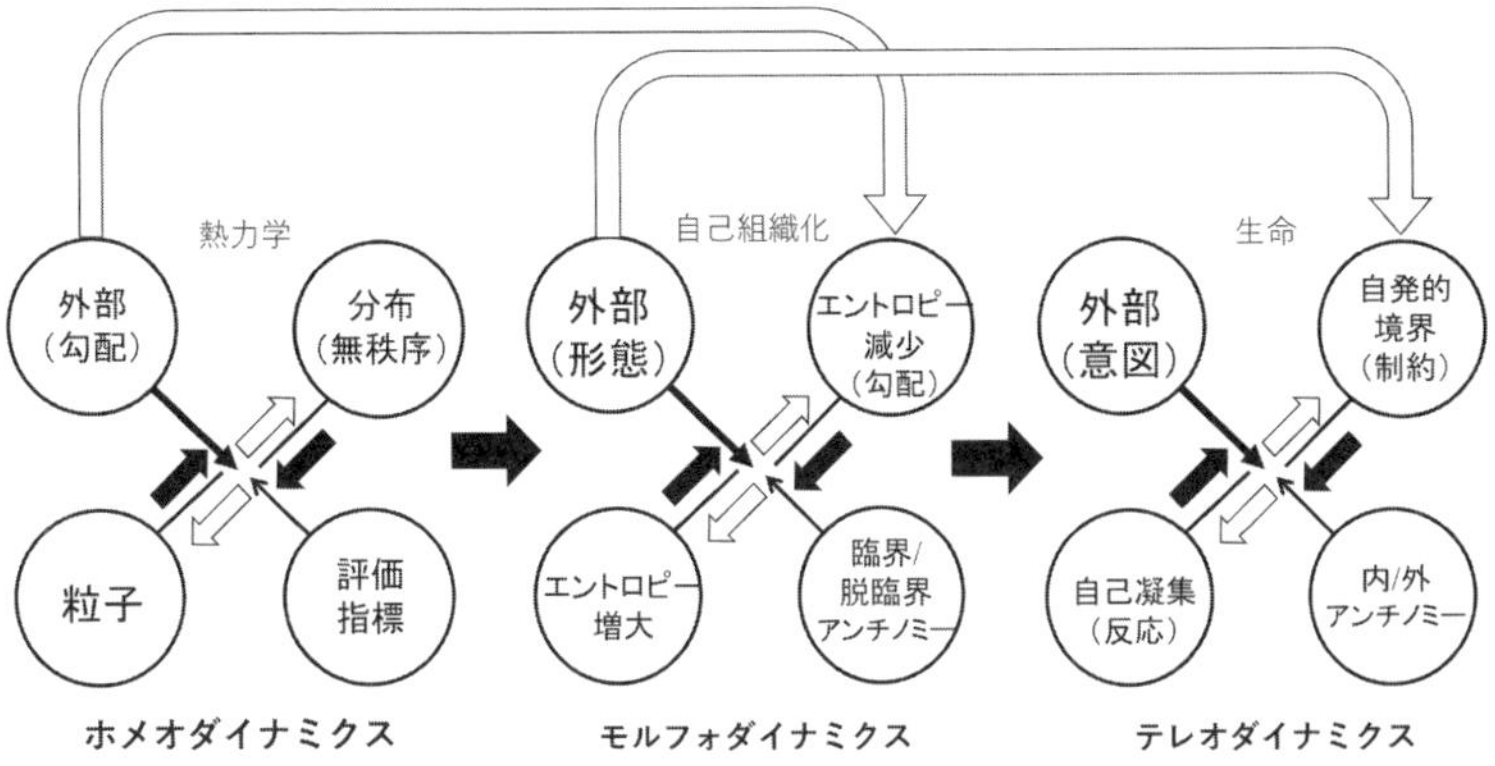

図5—3　ホメオ・モルフォ・テレオダイナミクスの入れ子構造

4　テレオダイナミクス

外部を召喚し、意識現象を含む、目的論的現象を解読すること。ディーコンはこれを、物質レベルで構想する。椀は内部が窪み、内容物が存在しないことによって、何かを受け入れる準備をする。酸素を運搬するヘモグロビンは、結果的に酸素を受け入れるべく、窪んでいる。ディーコンの唱える目的論は、内部に封緘されない。ヘモグロビンは酸素の受け入れを目的として窪んでいるわけではなく、窪みが必然的に酸素を受け入れるわけでもない。受け入れる準備は、必ず成功するものではなく、一か八かの賭けである。そこには本質的な原初的偶然が潜んでいる。不在という関係性とは、天然知能における外部を召喚する仕掛けである。ディーコンは、これを入れ子的に展開し、ホメオダイナミクス、モルフォダイナミクス、テレオダイナミクスの出現を説明し、生命、意識の解読へと踏み込んでいく。

ただし、ディーコンの議論にはもちろん、肯定的、否定的アンチノミーのような構造は認められず、そのため、入れ子的な三者のあり方もかなり異なるものだ。この**図5—**

3の段階で、私の天然知能的な拡張がかなり入っていることをお断りしておく。しかし、トラウマ構造のような二重のアンチノミーを持ち込まない限り、外部を召喚する装置は構想が難しくなるに違いない。

第一に、ディーコンは、ミクロな分布の再配置を、凝集（それは秩序形成である）と無秩序の両義性の中に位置づけ、無秩序へと向かう熱力学的システムを参照しながら、より一般的な形である、ホメオダイナミクスを提唱する。ミクロとマクロの一致を問題にするのではなく、両者の齟齬が、秩序に向けた運動へ開かれていることを示すメカニズムが、ホメオダイナミクスである。その意図を明確にするため、図5―3左図のような天然知能的解釈を示そう。分布と粒子の両義性を共に肯定しながら、両者とも異なる次元の、粒子の配置に関する評価が、粒子の運動に内在する。評価の一つの例がエントロピーである。このとき、粒子と配置の肯定的アンチノミーは、エントロピー最大化の運動として定式化される。しかしここに否定的アンチノミーが共立するなら、内在する評価は、一方で最大化を指向しながらこれを否定する方向（勾配の形成・秩序形成）さえ呼び込んでしまう。分布に関する評価という過程は、評価範囲空間に関する無秩序化が、外部空間との関係において秩序化を意味しさえするからだ。

第二に提案されるモルフォダイナミクスは、自己組織化を実現する（図5―3中央図）。ディーコンは、二つのホメオダイナミクスによって、モルフォダイナミクスが生じ、形態がもたらされると説明する。散逸構造[12]の例として有名な流体の動的構造、ベナールセル（詳細は註（13）を参照）で考えるなら、二つのホメオダイナミクスは、対流と拡散である（**図5―4**）。下方からの急速な加熱に対し、エントロピーを最大化させるためには速度の遅い拡散では追いつかない。そこで急速に流

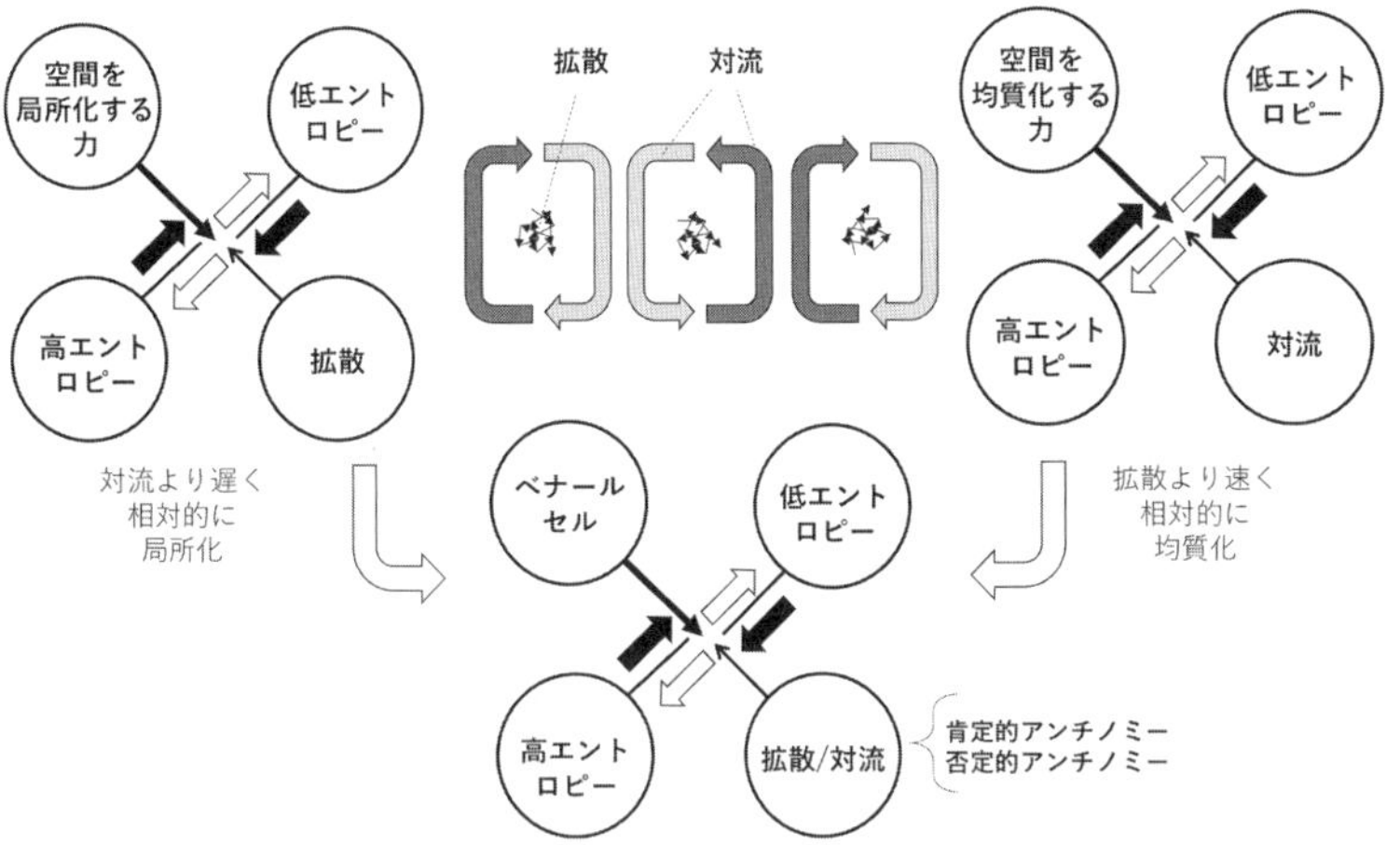

図5―4　ホメオダイナミクスとしてのベナールセル

体を動かす対流が共立する。他方、拡散は水平方向にも可能で粘性を高めるため、対流はその領域を避けて流動し、局所的な対流の循環パターン（セルと呼ばれる）を形成する。粘性の高い局所は偏在するため、結果的に多数のセルの分化という形態を作り出す（図5―4中央上図）。これを一般化すると、情報の高速伝播速度故に相対的に無秩序化に効率的な対流と、低速故に秩序化に寄与する拡散を、各々エントロピー増大化・減少化とおくことができる。特に、図5―4左右上図では、拡散も、対流も共に、エントロピーの増大と減少を共立させ、両者の均衡を否定しようとすることで、ホメオダイナミクスになっている。ただし、拡散と対流が共に成立するような条件下では、相対的に、拡散は肯定的アンチノミーを、対流は否定的アンチノミーを実現する。拡散は、局所的な領域で均質化を実現することで、秩序化と無秩序化を共立させ、対流は、流動を発生させることで、秩序化と無秩序化を無効にするからである。かくして、拡散と対流の共立は、秩序化・無秩序化に関する肯定的・否定的アンチノミーの共立を意味し、ベナールセルをもたらす（図5―4下段図）。それは、エントロピー増大・減少に関する肯定・否定アンチノミーの共立（トラウマ構造）が、形態をもたらすというように、一般化できる（図5―3中図）。

ベナールセルの場合、トラウマ構造の仕掛けは、流体底部にある熱源である。流体底部のみが温められることで、流体下部から上部に向けた温度勾配が形成される。温度勾配と、粘性の不均質性によって、拡散と対流の空間における差異化が実現する。この熱源は、人間が外から設定しているわけだ。そうではなく、トラウマ構造の仕掛けが、自発的に形成され、その仕掛けとともに形態が外部からやってくるよう一般化できるなら、形態は恒常的に維持されるだろう。ベナールセルでは熱源が内なる仕掛けになっておらず、外部から強制的に与えるものであるため、一般化が困難だ。しかし、ホメオダイナミクスを実現するトラウマ構造、すなわち、分布に関する評価が粒子の運動に内在する仕組みを持ち込めるなら、事情は変わってくる。それによって実現されるエントロピー減少、増大の創り出す形態は、定常的に維持される形態ではなく、よりダイナミックに変質し進化する形態となるからだ。すなわち、定常的であるように見えながら、絶えず「外部がやってくる」のである。ディーコンは、ホメオダイナミクスに関して、秩序化と無秩序化の均衡を、現象として論じるだけで、「均衡化」の力の内在を構想してはいない。この点を突破しない限り、トラウマ構造自体を、熱源を外から与えるように、常に外から用意してやらなければならなくなる。外から用意するものには限界がある。構造を解体する可能性が、新たな創造につながらないのである。ベナールセルの場合、やがてセル構造は消え、全ては均質化してしまう。自発的なトラウマ構造によって持ち込まれる「賭け」は、壊れる可能性を担うことで進化を内在させると考えられる。

第三のテレオダイナミクスは、二つのモルフォダイナミクスによって実現される、とディーコンは述べる。一方の振る舞いが、他方に対する制約を与え、その制約の中で自身は粒子の再配置、自己凝集、反応を進める。両者が相補的に進行するだけなら、境界を創り出す系と、境界内で散逸されることなくエネルギーを生み出す系の共立、オートポイエーシスで十分だ。図5―3右図に見るように、それは反応と制約の肯定的アンチノミーで実現される。重要な点は両者の脱色、否定的アンチノミーである。定常的な境界を退け、定常的な内部構造を退ける意味で、アメーバのような運動を自発的に開始するだろう。そして内部の不足を補い、それを求めるように動き続けることになる。いや境界と内部の否定は、必ずしも運動を意味しない。それは植物のように、領土の絶えざる拡大と内部組織の変質をもたらすことも可能だ。否定的アンチノミーが創り出す亀裂、不在が、目的論的振る舞いを帰結する。

ディーコンにおいて、意識を解読する困難さと生命を理解する困難さの間に質的差異はない。私の思うところ、本質は、ホメオダイナミクスにおける否定的アンチノミー、すなわち不在を作り出す、評価を担う運動にある。この点さえ理論的に明確になれば、図5―3のような入れ子構造で、外部からもたらされる意識は解読可能となるだろう。はたして、脳のどこにもない全体性＝意識が、外部の徹底したゆらぎによってもたらされることになる。それは、不在を作り出す仕掛けによって、開設されるのである。

5　内で仕掛け外を待つ

最初にあげた矛盾の肯定的転回は、自己言及を起源とする。こうして拡大される仮想世界は、

「わたし」の都合で規定される仮想的内側、仮想的外側を共立させる、人工知能的世界だ（ここでは、内側・外側の二項対立の外に立つものを外部と呼んでいる）。それは、現象学的知覚世界であり、わたしと相関する世界だ。これを打破すべく、思弁的実在論や新しい実在論が旗揚げされたはずだが、グレアム・ハーマン[14]は、知覚能の内在する物自体の世界を再構想し、振り出しに戻そうとしている。ハーマンだけではない。心や意識の解読を試みるものは、多くの者が創発の矛盾の扱いを棚上げにし、全ての「もの」に心を求め、汎心論へと向かってしまう。しかし、外部を受け入れることでしか、生命や意識を解読できない。ディーコンのこの明確なメッセージで、まずはスタートラインについた方がいい。

ディーコンはいかにして、我々が一般に、意図的なものを内在させ、汎心論に回収されるかを明らかにする。それはいわゆる汎心論に止まらず、ホムンクルスを分解し、分解のレベルを有限で断ち切り、意識を理解できたことにする、様々な哲学や人工知能のアプローチに及ぶ。冒頭に述べた天然知能の文脈で言うなら、肯定的アンチノミーのみに留まる議論が多過ぎるのだ。外部とわたしを共に満たす身体に留まり、他者とわたしを共に満たす「私たち」や共通感覚に留まる。そこにアンチノミーを見出し、矛盾を担保しながらも、これを脱色し、亀裂を開き不在を創ることで初めて、時間とともに生きることの実相が現れ、目的論的現象の解読へ踏み込むこととなる。

意図的なもの、意識的なもの、これを内に求めるか外に求めるか、それは同じことではないか。読者はそう思うかもしれない。内部のわたしのクオリアは、踏み込むことができるほどわからないし、外部にあるコウモリの感覚[15]も決してわからない。それは同じことというわけだ。ディーコンや私は、内か外かの対立図式に則り、「外からやってくる」と言っているのではない。内に外部を召喚する仕掛けを用意し、外部を受け入れると言っているのだ。秘密めいたものは、内にも外にもある。そして、このときのみ、受け入れることに関する賭け、原初的偶然性が問題になるのである。

註

（1） Deacon, T.W.（2012）*Incomplete Nature: How Mind Emerged from Matter*, W. W. Norton & Comp., Inc.

（2） 郡司ペギオ幸夫（2019）『天然知能』講談社選書メチエ。

（3） 郡司ペギオ幸夫（2020）『やってくる』医学書院。

（4） オートポイエーシスはマトゥラーナとヴァレラというチリの師弟関係にある生物学者によって構築された。それは、自己（オート）制作（ポイエーシス）を意味し、以下のような原始的細胞モデルとして例示される。すなわち、原始的細胞の代謝を維持する化学反応系を境界内に封じ込め、かつその境界物質自体も、内部の化学反応系によって生成される。境界物質は、自己凝集によって内と外を隔てるわけだ。内部の化学反応に必要なエネルギーや物質は外部から取り込まれ、かくして原始的細胞は定常的に維持される。生命の起源で重要な問題は、それを実現する化学反応に必要な物質を散逸させない仕組みである。オートポイエーシスは、そのような仕組みを予め与えている。つまりオートポイエーシスは、失敗の可能性を含み、同時に進化を潜在させる「賭け」ではなく、内と外の循環という成功を規約化した公理系なのである。マトゥラーナ、H・R＋ヴァレラ、F・J（1991）『オートポイエーシス——生命システムとはなにか』（河本英夫訳、国文社）および、マトゥラーナ、ウンベルト＋ヴァレラ、フランシスコ（1997）『知恵の樹——生きている世界はどのように生まれるのか』（管啓次郎訳、ちくま学芸文庫）を参照。

（5）ギブソン、J・J（1986）『生態学的視覚論――ヒトの知覚世界を探る』（古崎敬訳、サイエンス社）では、環境が差し出す兆候（アフォーダンス）をシステムがうまく選択できるということと、この選択の困難さを意味する接触という概念を扱っているが、一般的には前者のみがアフォーダンスとして言及される。例えば、カップに持ち手があれば、人は持ち手を持つものだ、という傾向が、人はアフォーダンスがわかるから、というように使われる。ここにあるのは、環境とそこに置かれたものとの予定調和的関係性である。

（6）統計的な分布としてのスケール・フリー性もフラクタルと言われている。問題は、そのような構造がどのようにしてもたされるか、であり、個別的な問題としては各々モデルが提案され、その一般化も試みられている。高安秀樹（2020）『フラクタル科学（新装版）』朝倉書店。

（7）ユクスキュル＋クリサート（2005）『生物から見た世界』日高敏隆＋羽田節子訳、岩波文庫。ダニは、木の上で下を通る哺乳類をじっと待ち、温度を検知して落下し寄生する。ダニにとっての世界は、検知可能な下を通る動物によって構成される。生物ごとにそのような固有の世界がある、とする主張は、全ての生物は、自分にとって有用な世界を「世界」として構築していると主張することになる。それは、人工知能が見る世界である。

（8）英語文献としては Gunji, Y-P., and Nakamura, K. (2022) Kakiwari: The Device Summoning Creativity in Art and Cognition. In: *Unconventional Computing, Philosophies and Art* (Adamatzky, A. ed.) 135-168, World Scientific や Gunji, Y-P., and Nakamura, K. (2022) Psychological Origin of Quantum Logic: An Orthomodular Lattice Derived from Natural-Born Intelligence without Hilbert Space, *BioSystems* 215-216, 104649 に詳しい。日本語のものでは他に、浦上大輔＋郡司ペギオ幸夫（2021）『セルオートマトンによる知能シミュレーション――天然知能を実装する』（オーム社）があり、ここから非同期調整オートマトンをどのように構築するかという議論がある。

（9）チャールズ・パース（1985）『パース著作集1　現象学』米盛裕二編訳、勁草書房、同（1986）『パース著作集2　記号学』内田種臣編訳、勁草書房および、同（1986）『パース著作集3　形而上学』遠藤弘編訳、勁草書房。

（10）形相因、質料因、作用因、目的因を、全三者から構成される機械論と、目的因のみから構成される目的論に分離するとき、両者は排他的となる。これを解体し、目的因が外部として「やってくる」描像を構想する議論が郡司（2019）（前掲書・註（2））にある。

（11）抱握はホワイトヘッドの造語、prehension の訳語であるが、広義の知覚から認知を、外部を受け入れることが外部を包み込むことでもあるという形で構想するものだ。ホワイトヘッド、アルフレッド・ノース（1981-83）『過程と実在――コスモロジーへの試論』1・2、平林康之訳、みすず書房。

（12）ニコリス、G＋プリゴジーヌ、I（1980）『散逸構造』小畠陽之助訳、岩波書店。

（13）ベナールセルは、粘性の高い流体（例えばシリコンオイル）に金属粉を混ぜ、シャーレなどの薄い容器に入れシャーレの底のみ加熱することで形成される。流体底部のみ熱が加えられ、流体上部である流体表面では熱が逃げる。ここに、温度勾配が形成される仕掛けがある。これによって、拡散と対流がうまく分化し、セルが形成される。

（14）ハーマン、グレアム（2017）『四方対象――オブジェクト指向存在論入門』岡本隆佑＋山下智弘＋鈴木優花＋石井雅巳訳、人文書院。

（15）ネーゲル、トマス（1989）『コウモリであるとはどのようなことか』永井均訳、勁草書房。コウモリのあり方のように、他者の心は、無限の彼方にあり、決してわからない。

第6章　圏論の展開から、あるいは脱圏論への転回

1　理論家は外部を許せるか

何かを説明するという目的は、科学に限らず哲学ですら、学問の基本的前提になっている。一般にはそう理解されているだろう。説明に際して、説明できないもの、すなわち説明の外部が出現することは、説明を志向するとりわけ理論家にとって、許しがたいものだ。このとき理論家は、未知の外部を包摂する形で、説明の全体を体系づけようとすることになる。未定義の外部を記号的に「外」と措定し、「外」と既知の概念装置との関係を構成し、「外」も含めた世界全体を理論化する。内実のない「外」は、既知との様々な関係性の総体によって、その意味を獲得するように理解される。意味のない点は、点に向かい、やってくる様々な矢印の全体を、不可知な内実の意味とする。平面に描かれた単なる点は、見知っている家や風景との関係性を、放射状に展開した線で結ばれた途端、無限遠という意味を持つ消失点となる。意味の外在化こそ、圏論の基盤をなすものである(1)。

そのように理解される全体は、予め説明されているという意味で、生きている者にとって超越者の存在する閉塞的世界となる。第2章でも述べた絵画における消失点は、無限遠まで見渡された世

界全体の中で、未知の世界という希望を持ち得ない閉塞的世界の、わかりやすいメタファーとなるだろう。しかし消失点が画家によって描かれるように、そのような閉塞的世界は、ある意味、理論家の構成した虚像であり、特定の制度に過ぎない。ならばそのような虚像を無視し、現実のみに定位し、淡々と生きていけば良さそうだ。ところが、関係性の束である制度は、そこに閉塞感を感じる「わたし」をも担保するものであるとも考えられる。内実のないわたしは、外部との関係性によって初めて内実を構成され、抽象的な他我の境界を持ち得る。したがって「わたし」は、制度に隷属することで「わたし」を担保しながらも、制度が単なる特定の制度に過ぎず、現実の世界で宙吊りになっていることを理解する必要がある。それこそが現実に生きるということになる。

ドゥルーズ[2]やデリダ[3]の出現以来叫ばれてきた脱構築という概念は、制度を宙づりにして生きることに定位しようとする者の道標となってきた。しかし、脱構築を、いかに意味のあるものとして構想するかという試みは、そういった者に大きな困難を強いる。脱構築を既存の制度の否定や解体と想定した途端、生成＝存在は、解体の継起としての運動と理解されることになる。解体の継起とは何だろうか。一過性の否定や解体なら簡単なことだ。若い頃なら多くの者が経験する、反抗であり、パンクである。ところがこの手の端的な否定は、否定する制度あってのものとなる。見境のない反抗やパンクは、一面を焦土化し、何も残さない。そうなると反抗を継続することなど原理的にできない。だからこそ、反抗であり、パンクとして理解される脱構築は、単なる通過儀礼と思われ、一度経験した（理解された）後は、一顧だにされない。もしくは反抗する制度を維持するため、全否定しない程度に適度に否定し、制度との共犯関係を生きることと理解されることになる。もちろん、通過儀礼も、共犯関係も、脱構築をうまく掬い上げてくれるものではない。ではそのような理解は、ドゥルーズやデリダに対する誤読なのだろうか。

　日本でも脱構築を標榜するポストモダンの思想は、「逃走」であり逸脱であった[4]が、徹底した逃走は、内実を持たない「外」へ辿り着き、「外」と結びつくことで、外部を持たない閉塞的世界へ陥る可能性がある。そこで逃走は、一過性の大規模な「逃走」への防止策として、逸脱であり郵便的誤配であるとして構想され[5]、制度から逸脱しながら「外」へと飛ばないように、「動きすぎてはいけない[6]」と言われることになる。それは、ともすれば制度との共犯関係を想起させることとなり、「わたし」という制度自体を情動的転回によって宙づりにしつつ、その都度の現実を生きる構えとして、問い直されることになる[7]。このような系譜を見る限り、脱構築は絶えずブームとなりながらも沈静化し、何年か後に再燃する運動のようにも思える。脱構築が単なるパンクであっても、若い世代は絶えず出現するのであるから、脱構築を求める声は決して消えることがない。

　しかし、脱構築とは、外部に対峙して生きるための装置であり、構えであって、使う道具である。脱構築の言説は、外部に対する感受性を磨く装置であって、外部を説明するものではない。にもかかわらず、説明することを伝統としてきた哲学の中で、脱構築は、単なる否定であり、パンクであるとみなされ、改定され再燃しては、その都度説明としての弱さを指摘され、沈静化してしまうように思える。それは、脱構築と無関係な批判に過ぎない。脱構築に関する言説は皆、各々その都度の装置として実装されたもので、説明の弱さを指摘する批判は成り立たない。新たな装置は絶えず提案される。外部に対する徹底した受動性を構想する装置として、サディストでもマゾヒストでもない館の女主人[8]や、遠くでも近くでもない書き割りが有効である[9]という指摘は、新たな転回として注目するに値するだろう。

外部を説明するか、外部と向き合い生きるかという二者を対立させるなら、それは理論と実践の対立というわかり易い図式に陥るだろう。しかし、前述のように、外部と向き合うわたし自体が制度に担保され、制度を宙づりにしながら、制度の外部と向き合うことを余儀なくされるなら、制度の中にわたしを位置付けるという理論的「展開」を施すと同時に、その理論自体が閉じていない装置となる理論的「転回」としての実践を実現せねばならない。この意味で理論と実践は両義的となる。

一方で圏論は、説明を志向する学問的構えの極北と考えられる。徹底した外部を「外」と記号化し、他の概念装置と「外」との関係によって内実を構成する方法を、「外」に限らず全てに敷衍する圏論は、決して外部を参照項として持たない、抽象的説明それ自体である。しかし、だからこそ、それは外部を持たない制度のあり方を明確にすることができ、脱構築された圏論によって、強力な外部を受け取る装置になり得ると考えられる。本稿はその意味で、圏論から展開して脱構築へと転回するという方法を示そうと思う。

2　圏論——異質な二者を比較可能な対に持ち込むアプローチ

オートポイエーシスを提唱したヴァレラは、外部の物質を捉え、変質させて内・外の境界を形成しつつこれを維持する、オートポイエーシスの形式的モデルを与えた[10]。その困難をより明確に意識していたのが、オートポイエーシスに先立って、システムの修復・維持を、代謝・修復システムとしてモデル化したロバート・ローゼン[11]である。自らの代謝系を絶えず修復するには、代謝系の様々なヴァリエーションを認めながら、特定のものを選択する操作が必要になる。それは、特定の代謝系と代謝系の全体というレベルの違いの無効化を必要とするが、かかる無効化は、無条件に成立するわけではない。それが成り立つ条件を整備し、条件を見極めることが理論家には要請される。ローゼンは、代謝・修復システムについて書いた論文中で、代謝系（それは自己から自己への矢印で示される）と代謝系の集合という異質なものを関係付ける数学こそ圏論であり、その始祖は、関係生物学を提唱したラシェフスキーに求められると明言している。[12] ヴァレラの弟子であるレテリエは、「オートポイエーシスは謎めいた不完全な概念だった。それはローゼンの唱える代謝・修復システムによって初めて、科学的理論として整備された」と唱え、代謝反応の状態と、状態変化を駆動する代謝反応自体との接続・同一化、および代謝反応と代謝反応の集合との接続・同一化を実現する特異な系として、オートポイエーシスを定式化したのであった。[13]

ここに、見落とされがちな、重要な論点がある。代謝・修復系やそれに基礎付けられたオートポイエーシスは、成立要件の規定できない外部を、特定の条件の下で内側と接続可能とし、内・外の質的変化を超えた循環を構想している。つまり、内と外という異質な二者を接続するために、外を内と対比可能なものに限定してしまっている。果たしてその限定は、そもそも未規定であるという、外部の性格を奪っているのでなかろうか。つまり、外部に向き合い自己を維持するシステム、という主張の根幹が失われるのではないか。それは、代謝の状態と代謝の状態を規定する代謝反応という異質な二者を、突き合わせ対比可能なものに限定する（同型対応させる）という状況に明確に現れる。同型対応させるという条件によって、状態を部分とする代謝反応系の無際限な全体は、極めて限定的なものに矮小化される。この限定は、結局、無際限な全体を都合よく限定し、外部性を解消してしまうことに他ならないのではないか。そういった論点である。

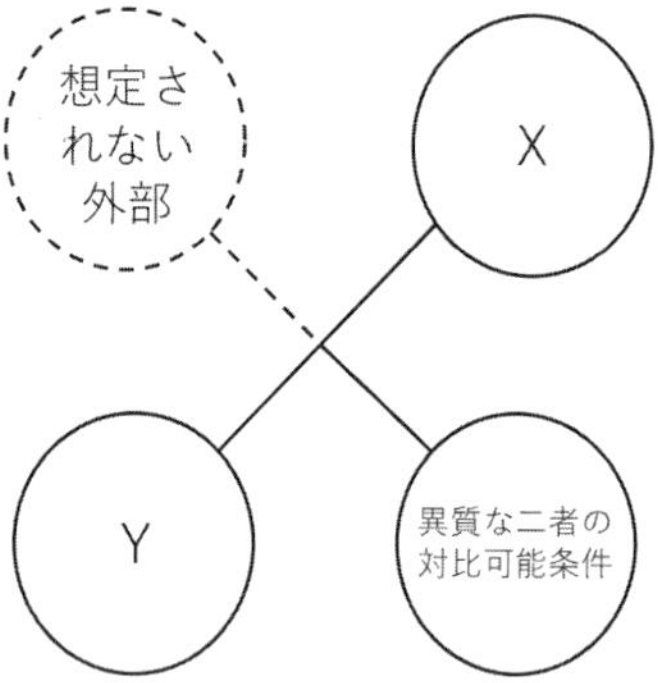

X	Y	X・Y対比可能条件
データの併置	プログラムの指定・適用	同期時間
Nat(**C**(C,-),F)	F(C)	関手における構造保存
「または」的近似	「かつ」的近似	近似の唯一性

図6―1　異質な二者を対比可能な対に持ち込む限定化の意味

圏論にあって、この論点は意味を持つだろうか。代謝・修復系やオートポイエーシスにおいて、状態と代謝系（状態から状態への変化）を付き合わせ、対比可能とするための道具がいわば圏論である。一つの圏は、対象と、対象同士を結ぶ矢印である射、から構成され、反応や認識のような振る舞いを射として表現する。圏は、一つの言語体系だと思っていいだろう。異なる圏の言葉を別な圏の言葉に翻訳する装置が関手と呼ばれる。関手は、言葉のもつ推移性（「ならば」の合成：AならばB、かつ、BならばC、であるとき、AならばC）を保存する条件のもとで翻訳を実現する。異質な二つの圏を結びつける準備に不可欠な装置が関手ということになる。関手を通して、異質な二者（XとY）を付き合わせ、対比可能なものに持ち込む数学的体系が圏論である、と言っていいだろう。[14] ここではXとYを何に取るかによって、三つの例を挙げておく（**図6―1**）。

　第一の例は、「データを併置してデータ対から状態変化を計算すること」と、「データからプログラムを選択し、これを適用してデータを変えること」の同型性（付き合わせ対比可能とすることを意味している。この同型対応は、べきの関手（プログラム化すること）とプロダクトの関手（対を作ること）が随伴関係（ねじれた双対関係）を成すことからもたらされる。異質なXとYには、セル間の相互作用の二つのタイプを見いだせるだろう。隣接者と自らのデータ対からもたらされる受動的な状態変化と、自らをプログラムで律する能動的な状態変化である。圏論における両者の同型性は、計算に時間がかかるという現実を無視している。つまり二つの異質な計算は、計算時間を無視し、計算に同期時間を与えタイミングを図るという限定によって初めて実現される。[15] その意味で同期時間こそ、現実において二つの計算のタイプを対比可能とする条件と考えられる（図6―1中の表の上段）。

　第二の例は米田のレンマと呼ばれるもので、Fや**C**（C, -）は関手である（図6―1中の表の中段）。関手とは特定の言語系から別の言語系への変換装置であったが、**C**（C, -）はその特殊な形で、「-」に何かを代入することで翻訳を実現する。ある言語系は名詞と、名詞間の関係で定義され、別な言語系は、自動詞と、自動詞間の関係で定義されるとしよう。**C**（C, -）は名詞を自動詞に翻訳するものと考えられる。「C」や「-」に代入されるものは名詞で、Dを代入した**C**（C, D）は、CからDへの射つまり、変化や関係を意味している。特にCを「私」だとし、「-」に「感覚」を代入すれば、**C**（私, 感覚）は、私が感覚に対して行う変化、すなわち「感じる」という自動詞を意味することがわかる。同様に**C**（私, 楽しみ）は、「楽しむ」を意味する。FはF（-）を省略したもので、やはり「-」に代入して翻訳を行うものだ。

　米田のレンマにおける異質なXとYは、脳科学・意識科学において使い勝手が良さそうだ。[16] 例えば、**C**（C, -）におけるCを「手」とし、「-」に何かを代入することで、手との関係性を実現する操作となる。すなわち**C**（C, -）は、手の操作を実現する、運動系への翻訳装置だと考えることができるだろう。対してFは感覚系への翻訳装置で、F（-）の「-」に何かを代入することで、代入されたものを「感じる」ことができ、感覚一般と考えることができる。Nat（-, -）は二つの「-」に何かを代入することで両者を結びつけるものだ。つまり Nat（C（C, -）, F）は手の操作の実現を、感覚に関係付けるものと解釈できる。それは手で様々なものに触れたり、動かしたりすること自体を、感じることである。すなわちそれは、手の操作を感じること、「操作感」だと解釈できる。対して、F（C）は「手」自体を感じることと解釈できる。各々の圏は、対象と射から構成されると述べたが、圏の間の関係である関手の、さらに上位である関手と関手の間の関係である Nat（-, -）は、翻って射になっている。つまり、Nat（C（C, -）, F）を手の操作感と考えるとき、対象であるF（C）は、感覚自体をより実体化した手の感覚と考えることができるだろう。それは、手の感覚自体を個物化し、私との関係を明確にできる感覚であり、手の「所有感」に対応づけることができるだろう。(17)

つまり、Cを「手」とし、Fを感じることと解釈された米田のレンマは、手の操作感と手の所有感に関する同型性を主張する、と捉えられる。圏論を用いる限り、その制約のもとで実現するのは当然といえば当然だが、しかし米田のレンマによって表された手の操作感と所有感の同型性は、飽くまでも、関手が各々の圏の推移性を保存する、という制約のもとで主張されていることが重要だ。それこそ、「現実に起こる」我々の感覚、所有感と操作感との対比可能性を実現する限定なのである。

第三の例は、XとYの各々を、「かつ」における近似と、「または」における近似においたものだ（図6—1中の表の下段）。例えば、世界を何らかの方法で認識し、その認識に関して同じと思われる世界の要素をまとめたとしよう。まとめられた各々は、世界の分割単位であり、認識単位となる。認識する者は、この単位によって物事を近似することになる。ある物事が、認識単位に含まれる要素の「すべて」を含んでいるとき、その認識単位を、物事の「かつ」に関する近似成分とみなし、「かつ」に関する近似成分の集まりを「かつ」における近似と呼ぶことにする。同様に、認識単位に含まれる要素に、物事に含まれるものが「存在する」とき、これを「または」に関する近似成分とみなし、「または」に関する近似成分の集まりを「または」における近似と呼ぶことにする。二つの「近似する」操作は関手であり、やはり随伴関係を成している。[18] だから、第一の例同様、「かつ」における近似と「または」における近似は、異質ながら対比可能な二者へと持ち込める。

「かつ」に関する近似と「または」に関する近似は、これもまた数学的に曖昧さなく定義されたもので、数学として、この対比可能性は無謬に思える。しかし現実においてこの条件を使おうとすると、限定的条件のもとで対比可能性が成立していることを理解せねばならない。それは「世界を何らかの方法で認識し」という認識の方法に関する曖昧さのなさという限定条件だ。世界を認識する方法が写像として唯一に決定されるからこそ、近似の単位が決まり、「かつ」に関する近似と「または」に関する近似は、区別された上で対比可能となる。ところが、もし世界を何らかの方法で認識しようとしてもその認識自体が揺らぎ、認識が多義的なら、「かつ」に関する近似と「または」に関する近似は、区別することが不可能となり、対比の前提から成り立たなくなる。何しろ近似単位自体が揺らぐので、「かつ」に関して近似単位を集めているのか、「または」に関して集めているのか、判定できなくなるのだから。

図6―1の左側に示した四項図式は、本書で何度か登場した、天然知能図式に対比される人工知能の図式である。図式中のXとYを対比可能とする条件が限定されることで、想定されるXとY以外のものは考える必要がなくなっている。世界は見渡され、その外部は原理的に実在しない。近景

と無限遠とが区別され線で結ばれ関係づけられる限り、消失点の先は無くなるように、まさにそれと同じ意味で、我々は説明されるべき世界に閉じ込められるのである。

3 脱構築される圏

3―1 対比条件の脱構築

本章、第1節の最後に述べたように、内実のない記号の意味を外在化する圏論は、「外」を説明体系内部に取り込むことで、外部の存在を否定する。つまりそれは、何もかも説明し尽くすことを意味し、世界の中に、我々を閉じ込めるものである。このように主張するなら、多くの読者は、「それは理論一般を否定するものではないか」と思われるかもしれない。理論と実践を区別するという意味での理論に対しては、その通りである。説明し尽くした、もしくは原理的にし尽くせる、という理論のあり方は、もはや疑われて然るべきだ。想定外のことが起こったときだけ慌てふためくことを繰り返すことが、想定の外部は存在しないとする理論のあり方の、無力さを示している。我々は常に、外部、他者に接しているのだから。

だが、同時に我々は、自分たちが説明体系内部に留まっているのか、そうでないかに関して、あまりに自覚がない。自分自身がどのような枠組みの中で、何を前提とした「世界」で説明を実現しようとしているのか、それすらわからず、隠された前提に組み込まれた事象であるにもかかわらず、事実と称して特権化する。だからこそ、逆に、説明の前提を明確にしながら、その前提の逸脱を実装する必要がある。このときこそ、理論=実践という脱構築のアプローチは、圏論を展開すること

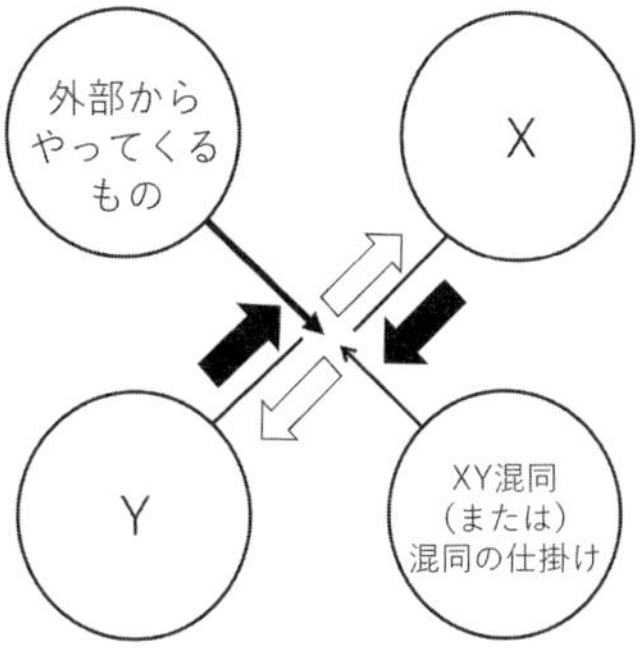

X	Y	XY混同	外部
Dの併置	Pの指定適用	非同期同調	普遍的臨界性
Nat(**C**(C,-),F)	F(C)	感覚運動の齟齬	全能感？
「または」的近似	「かつ」的近似	あるある	笑い
		不完全限定	擬量子情報

図6―2　限定化を解かれることで実装される脱構築される圏論の例

から転回へと転じることになり、その形を明瞭に現すのである。

前節で示した三つの事例、XとYを対比可能とする事例において、その条件を逸脱させる実装方法とその意義を、ここで示していくことにしよう。

第一の事例、べきと直積の随伴関手からもたらされる対比可能性（同型性）は、同期時間を前提とすることで実現されていた（図6―1の表上段）。この場合、実現条件の逸脱は、時間の非同期性と同調によって実装される（**図6―2**の表上段）。これについては既に書籍でも発表している[19]ので詳細は述べないが、概略を示そう。セルオートマトンと呼ばれるセルの相互作用系は、隣接セルの状態によってセル状態を変化させる決定論的規則で定義される。規則の適用は全てのセルにおいて、同期的である（同時に実行される。これを同期時間と呼ぶ）から、データ（D）の併置で実現される受動的相互作用と、プログラム（P）の選択で実現される能動的相互作用とは、完全に一致する。いやむしろ、完全に一致することが前提とされる理論にあって、能動と受動を区別することなどあり得ない。規則の適用が非同期であることを認めて初めて、能動か受動かの区別が生まれる。ここでは、非同期時間によって能動・受動の区別を生じさせると共に、能動・受動の区別を無効にするべく、各セルは決定論的規則を絶えず調整するのである。それは、XとYの間を単に切るのではなく（そうするなら、脱構築は単なる否定に陥る）、一致しようとしながら一致し得ない動勢として、条件を逸脱させるのである。では非同期・調整によって、何が「やってくる」のか。同期時間でセルオートマトンを計算した場合、ほとんどの規則は、カオスか秩序だった周期振動かのいずれかを、時間発展として示す。その中間状態で、高い計算能力を示す臨界現象は極めて稀な現象と理解される。ところが、非同期時間と調停を施すとき、ほとんどのセルオートマトンは、この臨界現象を簡単に示すのである。私はこれを普遍的臨界性と呼んでいるが、第一の事例の脱構築ではまさにそれがもたらされるのである。

第二の事例、米田のレンマがもたらす手の「操作感」と「所有感」の同型性は、現実の認知科学においてまさに問題にされつつある。自分の手とは異なる位置に置かれた手の模型を被験者に見せながら、手元から隠された被験者の手と模型の手を同時に筆でこする。このとき、視覚と触覚の同期から、被験者は模型の手を自分の手と感じ、そこに「所有感」を得ることができる。[20]現在ではVRを用いて自分の手ではない動く手を見せることも可能であるから、「所有感」と手の「操作感」の関係を調べることもできる。私の研究室でも小島圭以と箕浦舞と私で、「こっくりさん」のように勝手に動く手や、金縛りのように、逆に動かない手を体験できる実験系を作ってみた。[21]両者が矛盾していても一方だけ感じる場合や、自分が無意識に動かしていると感じる場合など、様々な結果が得られ、所有感と操作感の関係は、端的な同型関係にないことがわかる。

重要な点は、米田のレンマが同型性を示すという仮説を、実験的に証明しようとするアプローチの原理的な困難さだ。仮説を構成するには、所有感と操作感の各々を射や関手を用いて独立に定義し、その上で同型性を示すことになる。独立性を担保した上で、同型性を示すには、脳科学なら、感覚が脳に局在化され、複数の局所的脳活動の相関によって同型性を示すことになる。認知科学的実験でも、各々の感覚を分離できる指標を見つけ、その上で両者の感覚の相関を示すことになるだろう。しかし、各々が分離できるのではなく、分離できるように見える実験環境の設定と、分離できない場合の実験環境があり、さらに両者は実験環境として重なっているとしたらどうだろう。所有感が存在し、操作感がないと感じる際の操作感（分離できる場合）と、両者を共に感じる（分離できない場合）という場合の操作感とでは、全く別のものであると考えられる。所有感と操作感の同型性は、必ずある程度実験的に示せることではあっても、示せる条件における所有感と示せない場合の所有感では、全く異質なものということになる。所有感と操作感の対比可能性を脱構築するとは、この逆の転回を考えることである。関手による運動系と感覚系の翻訳可能性（推移性の保存）という条件を放棄するなら、運動制御と整合的でない形で、運動させているという感覚を作れる可能性があるだろう。空を飛んでいる鳩を見ながら、「私が動かしている」という操作感（全能感）を感じる可能性が、実験的に構成できるだろう。これについては、いずれ論じることにする。

第三の脱構築、「かつ」と「または」については、簡単な、日常的事例から始めよう。それは「お笑い」にある「あるあるネタ」というものだ。「ラーメン屋のオヤジさんはカメラを向けると必ず腕を組む」といったあるあるネタは、全てのラーメン店主がそうするわけではないにもかかわらず、全てのラーメン店主がそうするだろうと思いたくなる聴衆の心理を掴んで笑わせるわけだ。それは「全ての」という「かつ」と「存在する」という「または」の区別を誰もが知っていながら、両者をあえて混同する形式で、笑いという想定外だったものを呼び込んでいる。図6―2にあるように、あるあるネタはXとYを区別しながら接続せんとし、逆に、論理的な「かつ」と「または」の間にあるギャップを日常的な「かつ」と「または」の使用に鑑みる限り感じる違和感として再認させている。そのギャップをめがけて、笑いがやってくる、というわけだ。次項で述べるように、「かつ」と「または」の「あるあるネタ」の延長上に、脱構築された圏論の可能性を見ることができる。

3—2　量子論的認知科学の圏論・脱圏論的アプローチ

図6—2の最後に掲げた「かつ」と「または」の近似の脱構築は、認知科学において量子力学をどう根拠づけるのか、というアプローチに関係する。正確にいうと、既存の量子力学をどう根拠づけるかは圏論的アプローチとなるが、心理学や認知科学で要請される情報数理は、量子力学自体ではなく、それを弱め拡張するものではないか、とする我々のアプローチが、脱圏論的アプローチとなる。

量子論的認知科学とは、様々な認知的誤謬と呼ばれる現象を説明するために、その数学的道具として量子力学を使おうというアプローチである。[22] 認知的誤謬と呼ばれるものについては、第4章でも既に述べているので、簡単に触れるだけにする。未知のX氏が男である確率は二分の一であり、五月生まれである確率は一二分の一になる。ならば男であり「かつ」五月生まれである確率は両者の積となって二四分の一になる。もちろん二つの事象の「かつ」をとったほうが、とる以前より、その確率は小さくなる。ところが人間は、「かつ」をとって事象を限定した方が、もっともらしく感じる場合がある。それは「かつ」を取ることで確率が大きくなることを意味している。経歴を具体的に並べるほど、信頼が増すという詐欺の手口は、まさに様々な経歴の「かつ」を取ることでもっともらしいと感じる人間の認知的傾向を、うまく利用したものと言えるだろう。

認知的誤謬を説明するために量子力学は極めて有効だ。事象の「かつ」を取ることで確率の干渉が起こり、確率の上昇が説明できるからだ。量子力学が説明可能とする認知現象は多岐にわたるため、量子力学を確率計算の理論としてだけ使おうとする分野は、今や量子論的認知科学と呼ばれ、大発展している。問題は、量子力学を、マクロな認知現象への説明原理として、認めていいのか、ということになる。量子力学は、ミクロな現象における観測事実を集め、その全体を説明するための体系として出現したものだ。このような観測事実と無関係に、認知的誤謬を説明可能な数学的道具立てが、構築できなければならない。それが量子論的認知科学の根拠を正当化することになる。

その一つとして用いられる「限定合理性」という考え方を説明しよう。[23] 何か特定の認知様式を指定すると、その形式に応じて現実の対象は粗視化され、認識される。その粗視化された単位の組み合わせによって、全ての現象が説明されることになる。ここで重要な点は、認識された限定的世界は、その無視された外部と分離され、排除された外部は、決して限定的世界に影響を与えないという隠された仮定である。だからこそ、認識単位の可能な組み合わせを全て自由に取ることができるわけで、ここからその自由な組み合わせは古典命題論理に対応するブール束を構成することになる。

限定合理性を基礎に置く、蛍観測モデルを図6―3に示そう。蛍は箱1―4を自由に動きまわり、光を明滅させる。これを観測する方法は、Aから観測する方法とBから観測する方法の2種類しかない。蛍が1や3の箱にいて光るとき、Aでは区別できず、aにいると認識する。同じく2や4にいるとき、bにいると認識することになる。観測の方法はBから観測する場合も同様である。蛍の

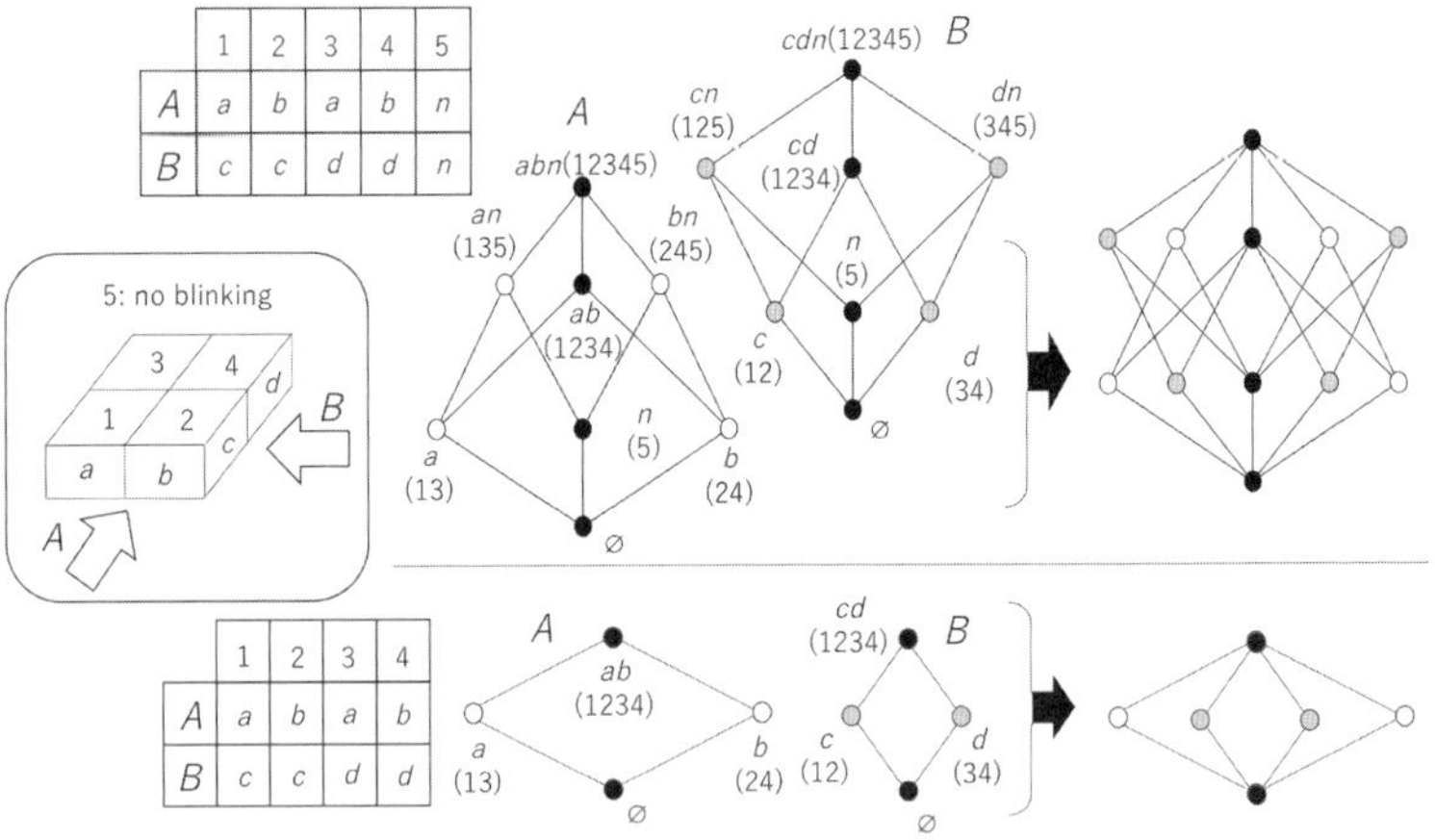

図6—3　限定合理性に基づく蛍認識モデル。光らない場合があることで得られるオーソモジュラー束（上段）。光らないことがないことで得られる中国提灯型オーソモジュラー束（下段）

箱における位置関係と観測A、Bにおける観測位置をまとめたものが上段の表になる。ただし、ここでは蛍が光らないという状態5も用意され、それは観測Aにおいても Bにおいてもnと認識されることになる。観測Aの認識単位はa, b, nの三種類であり、その可能な組み合わせの全てをまとめた図（ハッセ図と呼ばれる）が、Aを付した図式である。この図は、認識をしていない状態を∅で表し、認識単位を組み合わせた結果を上に、組みわされる要素を下に描き、両者を線で結んでいる。例えばaとnを組み合わせた結果がanで、これにさらにbnを組み合わせたものがabnとなっている。同様に、Bの認識単位を組み合わせた結果は、Bを付したハッセ図で描かれている。

　図6—3のハッセ図では、二つの観測AとBの観測結果に対する蛍の真の位置が、観測結果に併置されたかっこ内に書かれている。これを見ると、観測Aにとってのabと観測Bにとってのcdは同じもの（1234）となり、見かけ上の結果が

違っていても、同じだということがわかる。他にも観測結果nなど二つの観測に共通するものがあり、各々のハッセ図で共通する観測結果は黒円で示されていることがわかる。二つのハッセ図の共通要素を重ね、二つの観測結果を貼り合わせたものが、図6―3上段右端のハッセ図ということになる。

ところで蛍が光らない場合がある、というのはどうして導入されたのだろうか。「蛍が光らない」という状態を除き、同じ観測系を考えると、観測Aの観測単位はa, bの二種類、Bの観測単位はc, dの二種類となる（図6―3下段）。ここから蛍が光らない場合を導入した図6―3上段と同様に、各々の観測をハッセ図とし貼り合わせてやると、図6―3下段右端にあるようなハッセ図が得られることがわかるだろう（ただし両者ともにオーソモジュラー束ではあり、量子論になっている。これらの詳細については、本書第10章で議論する）。

両者を比較すると、「蛍が光らない」が導入された理由が理解できる。光らない状態を導入した場合もしない場合も、観測単位の数は異なるものの、各々には観測単位の可能な組み合わせを全て網羅した観測の全体が用意されている。この意味で各々はブール代数となっている。異なる観測系が直交し、各々独立に扱えるなら、観測ごとの観測結果は、観測しないことと観測の全体（図6―3のハッセ図における最上位と最下位の黒円）を除き、重複することはない。それはまさに図6―3下段のハッセ図で成立している。このような単純な性格は、観測量を決めたとき、観測の独立性が保証され、事象の確率をその足し合わせで計算できるという良い性格、正規直交性に対応する。ただし図6―3上段の場合、それだけではない。二つの観測系が部分的に重なり合い分離できない部分を有している。実はこの部分が、量子もつれを実現する量子力学の性格に対応し、確率を計算する場合に通常の確率論では得られない結果をもたらすと考えられた。だから、認知的誤謬を説明するうまい道具立てとして量子力学を使おうとするのなら、「蛍が光らない」は、必ず必要となると考えられた。それは極めて作為的に用意されたと言っていいだろう。

物理学としての量子力学を忘れ、数学として量子力学を構成すると、どのような仮定が、どのような量子力学の構造をもたらすか、調べることができる。ただし、これを量子論的認知科学の根拠付けと考えるなら、それは蛍のモデル同様、結果を意図した構成とならざるを得ない。互いに直交するベクトル空間の直和によってヒルベルト空間の圏を構成する段階が、「光らない状態」のない蛍モデルに対応する。これだけでは、量子もつれのような構造を説明できない。そこでこの上に、テンソル積が定義された圏へと新たな定義を加え、これが双線型的に振る舞うように、さらに仮定を加えることになる[24]。蛍のモデルよりはるかに複雑な作業となるが、そこでは常に観測における限定合理性を前提としながら、必要な仮定を増やしていくことになる。その異なる仮定の数の段階の各々において、外部は常に排除され、観測に関して用意された概念だけが、世界を構成する素材となる。

量子論的認知科学の問題を、観測の脱構築としてアプローチするとき、観測の外部は完全に排除され、観測量に影響を与えない、とする限定合理性を弱めることになる。これを私は、不完全な限定合理性と呼んでいる。考えるべきは、世界を表象化する認識だけである。ここにベクトル空間を用意する仮定や、それが正規直交基底を成すといった仮定は、量子力学と無関係に考えるため、一切考えない。ただ導入されるのは、不完全な限定合理性だけである。

完全な限定合理性とは、観測量を決めたように認識の観点を決め、限定された世界を表象へ写し、

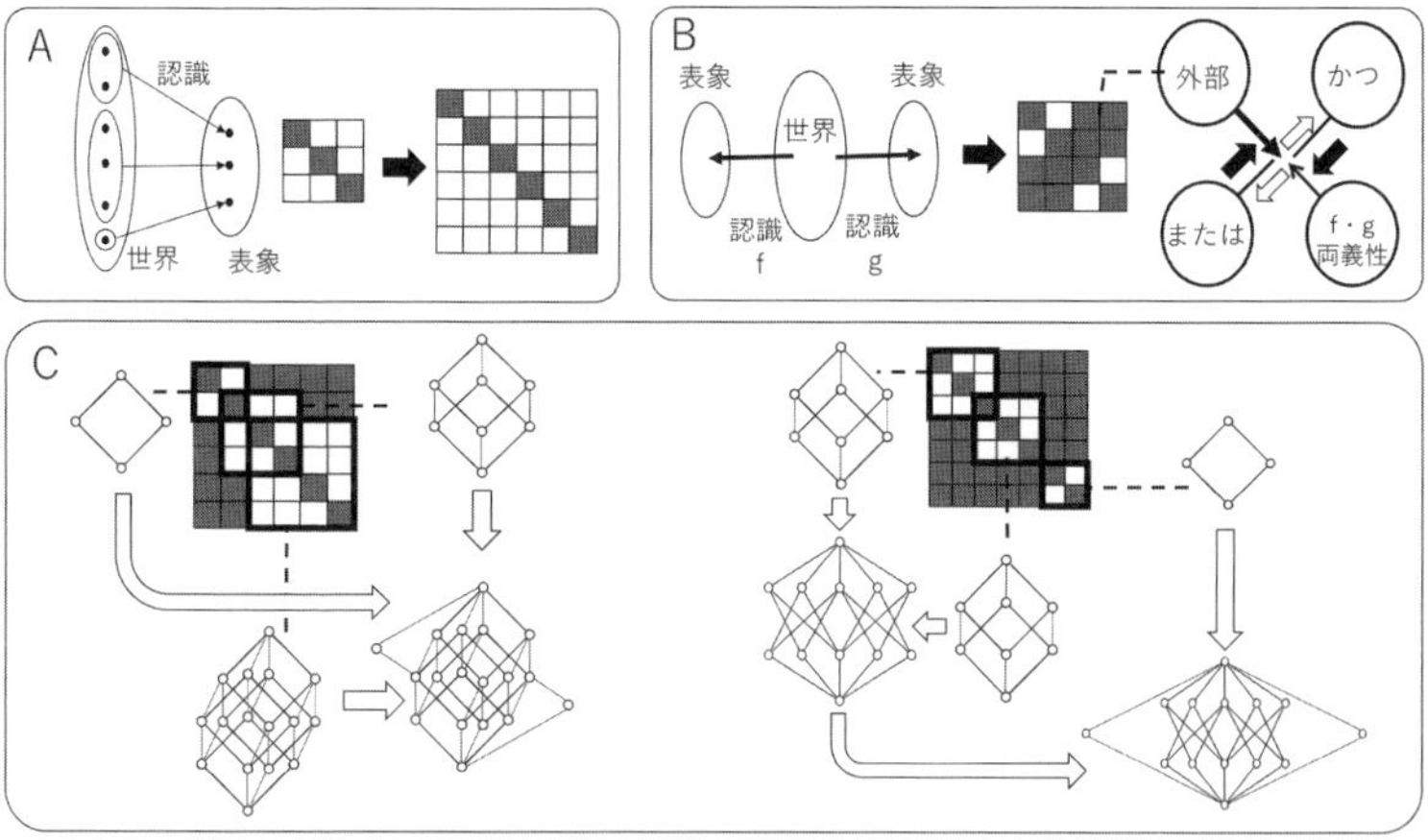

図6―4　不完全な限定合理性によってもたらされる「かつ」と「または」の混同がブール代数の重ね合わせを実現する。A：完全な限定合理性。B：不完全な限定合理性。C：不完全な限定合理性が作り出す様々なオーソモジュラー束

粗視化することだった。したがって排除された外部が限定領域へ影響を与えることはなく、認識はただ一つの写像に決定される。その結果、認識単位は曖昧さなく決まり、認識単位を用いた「かつ」的近似と「または」的近似は随伴関係を持つ。認識単位の組み合わせのみで近似を行うとき、「かつ」的近似と「または」的近似は一対一に対応するから、両者の関係は**図6―4**Aに示すように対角行列となる。ここから得られる論理構造はブール代数だけである[25]。

不完全な限定合理性は、世界から認識への写像がただ一つに決まらないことで表される。それは「かつ」的近似をもたらす認識（f）と「または」的近似をもたらすに認識（g）が異なり、両者の区別が曖昧になって混同を余儀なくする[26]。「かつ」の認識単位と「または」の認識単位を行と列で表し、両者の認識単位に世界の要素が属すとき、両者の認識単位には関係がある（行列要素のマス目は影がつく）ことになる。こうして、「かつ」と

「または」の混同によって、笑いにおける「あるあるネタ」と同様に、「かつ」と「または」の間に、外部からの影響がやってくる。それは対角行列の背景部分に関係（情報）が流れ込んでくることを意味する（図6―4B）。流れ込む情報は、部分対角行列をある場合は重複させ、その背景に情報をもたらすことになる。そこから、「かつ」と「または」の認識単位の両者を用いて、認識単位の作る全体の構造を考えてみる。「かつ」的近似は、十分条件、「または」的近似は必要条件を意味するので両者の近似を使って、必要十分となる近似を集めると、それはもはや認識単位の全ての組み合わせを網羅したブール代数にはなり得ない。それは、ブール代数成分に重複を持つ様々なオーソモジュラー束をもたらすことになる（図6―4C）。

もはや正規直交性のような良い性格を用いて確率を計算できるとは限らない。我々はこのような束上で確率を新たに定義し、意思決定をするたびに論理空間が変化し、束が変化し、確率空間が変化するというモデルを構成している。それによって、量子力学によって定義される確率とは異なる方法で、様々な認知的誤謬が説明可能となるのである。[26] それは、外部を排除することで保証される完全な限定合理性を採用せず、両者の混同によって「かつ」と「または」の対比可能条件を逸脱させる方法である。かくして脱構築される圏論は、理論を単純に否定するのではなく、展開しながら転回することで、量子力学そのものとは異なる、擬量子情報とでもいうべきアプローチへの道を開くのである。

4 記述の果て

圏論の意義とは何であろうか。様々な数学理論の抽象化であるその体系は、具体的な圏を定義するとき、特定の数学的構造となる。具体的な数学において、解けない問題があり、これを圏として定義した後、随伴関係を用いて別な圏で問題を考え、そこで解いた後、元の圏に戻るという使い方は、有効な使い方であろう。しかし、圏論が徹底した抽象化を目論む理論の極北であり、説明の極北であることを思うとき、圏論の本質的意義は、理論や説明の成立基底を見出すと同時にこれを逸脱する、理論一般の脱構築ではないか、と思われる。

脱構築の意義を肯定的に展開することは極めて困難だ。閉じていないことの肯定的意義は、外部によって初めてシステムが生成・維持されることを示すことで明らかとなるだろう。オートポイエーシスはまさにそれを意図して提案された。しかしそのようなシステムは、特定の条件のもとで内と外を循環させるだけの、限定されたシステムとなる。それはシステムの定義がうまくいかなかったというものではなく、理論というものの原理的な性格による。外部を理論の中に組み込み、全てを説明しようとする理論の宿命なのである。脱構築とは、外部を取り込んで説明し尽くすことではなく、外部に対峙し、向き合う者の装置、構えとしてしか構成できないのである。

ウィトゲンシュタインが言語の根拠を言語の内部に求められず、言語ゲームとして外部に求めたのは[27]、無論、外部そのものを理論の中に取り込めと言ったのではない。主観的な質感であるクオリアも、内的な質感に求められようとしながら、決して内部に見出せないのは同じ事情である[28]。しかし、近年の心の哲学、意識の哲学は、クオリアの無際限さをうまく取り込み、外在する使われ方の全体を記述することで、理論として完成しようと目論んでいる[29]。それは無際限さ（外部）を限定し、心や感覚の基盤を実体化された世界に求めることに、他ならない。これを超えて脱構築の意義を転回できるか、むしろクオリアの説明に与するか、それは今後の圏論研究にかかっているのかもしれない。

註

(1) Awodey, S. (2008) *Category Theory*, Oxford University Press.

(2) ドゥルーズ、ジル(1992)『差異と反復』財津理訳、河出書房新社、同(2018)『ザッヘル＝マゾッホ紹介——冷淡なものと残酷なもの』堀千晶訳、河出文庫、ドゥルーズ、ジル＋ガタリ、フェリックス(1997)『哲学とは何か』財津理訳、河出書房新社。

(3) デリダ、ジャック他(2019)『デリダのエクリチュール』仲正昌樹訳、明月堂書店。

(4) 浅田彰(1986)『逃走論——スキゾ・キッズの冒険』ちくま文庫。

(5) 東浩紀(1998)『存在論的、郵便的——ジャック・デリダについて』新潮社。

(6) 千葉雅也(2013)『動きすぎてはいけない——ジル・ドゥルーズと生成変化の哲学』河出書房新社。

(7) 西島祐(2020)『友と敵の脱構築——感情と偶然性の哲学試論』晃洋書房。

(8) 黒木萬代(2020)「少女の目に映るわたしたちが彼女のこの世界を信じる理由となるために——ドゥルーズのマゾッホ論からみるフェティシズムについて」『現代思想』二〇二〇年三月臨時増刊号。

(9) 中村恭子＋郡司ペギオ幸夫(2020)「書き割り少女——脱創造への装置」『共創学』2(1)。

(10) Varela, F. J. (1979) *The Principles of Biological Autonomy,* North-Holland.

(11) Rosen, R. 1958, The Representation of Biological Systems from the Standpoint of the Theory of Categories, *Bulletin of Mathematical Biophysics* 20, 317-341; Rosen, R. (1971) Some Realizations of (M,R) -Systems and Their Interpretation, *Bulletin of*

Mathematical Biophysics 33, 303-319; Rosen, R. 1973, On the Dynamical Realization of（M,R）-Systems, *Bulletin of Mathematical Biology* 35, 1-9.

（12） Rosen 自身による言及は Rosen, R.（1958）A Relational Theory of Biological Systems, *Bulletin of Mathematical Biophysics* 20, 245-260. ラシェフスキー本人の論考は Rashevsky, N.（1954）Topology and Life, *Bulletin of Mathematical Biophysics* 16, 317-348.

（13） Letelier, J. C., Marin G., and Mpodozis, J.（2003）Autopoitic and（*M, R*）Systems, *Journal of Tehoretical Biology* 222, 261-272.

（14） 郡司ペギオ幸夫（2019）『天然知能』講談社選書メチエ。

（15） Gunji, Y-P.（2014）Self-Organized Criticality in Asynchronously Tuned Elementary Cellular Automata, *Complex Systems* 23: 55-69.

（16） 土谷尚嗣＋西郷甲矢人（2019）「圏論による意識の理解」『認知科学』26（4）、462-477。西郷は脱構築にも理解があり今後の展開が注目される。

（17） Gallagher, S.（2000）Philosophical Conceptions of the Self: Implications for Cognitive Science, *Trends in Cognitive Science* 4, 14-21.

（18） Pawlak, Z.（1981）Information Systems-Theoretical Foundations, *Inf. Syst.* 6, 205-218; Polkowski, L.（2002）*Rough Sets, Mathematical Foundations*. Springer.

（19） 郡司ペギオ幸夫（2014）『いきものとなまものの哲学』青土社。これをさらに詳細に論じ、レザバー計算に応用した議論が、浦上大輔＋郡司ペギオ幸夫（2021）『セルオートマトンによる知能シミュレーション——天然知能を実装する』（オーム社）である。

（20） Botvinick, M., and Cohen, J.（1998）Rubber Hands 'Feel' Touch That Eyes See, *Nature* 391（6669）, 756; Kalckert, A. and Ehrsson, H. H.（2012）Moving a Rubber Hand That Feels Like Your Qwn: A Dissociation of Ownership and Agency, *Frontiers in Human Neuroscience* 14; Nishiyama, Y., Tatsumi, S., Nomura, S., and Gunji, Y-P.,（2015）My Hand Is Not My Own! Experimental

Elicitation of Body Disownership, *Psychology & Neuroscience* 8, 425-434.

（21） 小島圭以（2017）「身体所有感と操作感の動的関係に関するVR実験」（二〇一六年早稲田大学基幹理工学部表現工学科卒業論文）および、Minoura, M., Kojima, K., Nomura, S., Nishiyama, Y., Kawai, T., and Gunji, Y-P.（2020）Virtual Hand with Ambiguous Movement Between the Self and Other Origin: Sense of Ownership and 'Other-Produced' Agency, *JoVE Journal* 164, 1-17.

（22） Aerts, D.（2009）Quantum Structure in Cognition, *J. Math. Psychol.* 53, 314-348; Aerts, D., Gabora, L., and Sozzo, S.（2013）Concepts and Their Dynamics: A Quantum-Theoretic Modeling of Human Thought. *Top. Cogn. Sci.* 5, 737-772; Busemeyer, J. R., and Bruza, P.D.（2012）*Quantum Models of Cognition and Decision,* Cambridge University Press; Khrennikov, A.（2001）Linear Representations of Probabilistic Transformations Induced by Context Transitions, *J. Phys. A* 34, 9965-9981.

（23） Blutner, R., and Beim Graben, R.（2016）Quantum Cognition and Bounded Rationality, *Synthese* 193, 3239-329; Atmanspacher, H., Romer, H., and Walach, H.（2002）Weak Quantum Theory: Complementarity and Entanglement in Physics and Beyond, *Found Phys* 32, 379-406.

（24） Heunen, C.（2009）An Embedding Theorem for Hilbert Categories, *Theory and Applications of Cagtegories* 22(13), 321-344.

（25） Gunji, Y-P., and Haruna, T.,（2010）A Non-Boolean Lattice Derived by Double Indiscernibility, *Transactions on Rough Sets XII*, 211-225.

（26） Gunji, Y-P., Nakamura, K., Minoura, M., and Adamatzky, A.（2020）Three Types of Logical Structure Resulting from the Trilemma of Free Will, Determinism and Locality, *BioSystems* 195; Gunji, Y-P., and Haruna, T.（2022）Concept Formation and Quantum-Like Probability from Nonlocality in Cognition, *Cognitive Computation* 14, 1328-1349.

（27） ウィトゲンシュタイン、ルードヴィッヒ（1976）『哲学探究』藤本隆志訳、大修館書店。

（28） Chalmers, D. J.（1996）*The Conscious Mind: In Seach of a Fundamental Theory*, Oxford University Press.

（29）鈴木貴之（2015）『ぼくらが原子の集まりなら、なぜ痛みや悲しみを感じるのだろう――意識のハード・プロブレムに挑む』勁草書房。

第3部

第7章 『リング』という希望

1 はじめに

Jホラーとは何かと問われ、『リング』(1)を観た。貞子の、長い髪に隠され見えない顔や、同じく『呪怨』(2)の伽椰子や俊雄の白塗りの顔、それらは、実体がないものの象徴であり、Jホラーが想定する恐怖のリアリティを、鑑賞者が創り出す仕掛けであると思われた。その仕掛けは、予めアイコンとして機能するものではなく、寧ろ、知覚や認知の根源に触れるものではないのか。それは、日本に固有の土着的、文化人類学的起源を持つものでもなく、知覚し、認知する者において、本来実現されているはずのものなのだが、おそらく日本の文化表象においては、それに対する感度が、程度において優れている。(3) Jホラーの海外でのブームは、まだ無自覚ながら、鑑賞者たちがそのことに気付いたからではないのか。それは、創造性の核に関わるものである。だから、それは創造を喚起する、この世界の希望なのだ。

もちろんJホラーとは何かという問いに対して、すでに多くの識者の論考があり、例えば、ジュネヴィーヴ・ユは、越境する媒体としての貞子を論じ、その髪の意義について述べている。(4)『リング』に関して、前川修の、都市伝説が下敷きにあるという議論は説得力がある。[5] 心霊写真のビデオ投稿が盛んになったという時代背景のもと、呪いのビデオのような都市伝説が出現した。そこで、オリジナルかコピーかの区別を無効にしながら、ひたすらダビングされ、参照され、逆照射される複数の全体が成す力学こそ、『リング』の根底にある恐怖だという議論は、正鵠を射ている。

本稿では、前川の論じるそのような構造を下敷きにしながら、それが、その構造自体に亀裂を与え、外部へ接続する仕掛けになっているという議論へと進んでいく。これこそ、冒頭述べた、創造性の核に関わる構造である。この議論を進めるにあたり、読者には一つだけ注意を促したい。それは本稿で用いる、「外側」と「外部」という概念の本質的な区別である。[6] オリジナルとコピーという二項対立が用意され、それが無効にされて現れる動勢の場、という概念は、様々な二項対立を用意して置き換え可能である。その最も端的な例が、内・外という対立であるが、本稿ではそれに「内側」、「外側」という言葉を用いる。これに対して、この内側・外側を無効にしながら進行する場の、その外に位置するものに、本稿では「外部」という言葉を用いる。創造性とは外側と同化することではなく、外部に接続することである。読者には、「外側」と「外部」を混同することなく、読み進めていただきたいと思う。

2　全体という入れ物

Jホラーと欧米ホラーの対比で、すぐに頭に浮かんだのは、『木を見る西洋人　森を見る東洋人』[7] だった。それは、要素に注目し分析的理解を志向する西洋人と、全体を概観し包括的理解を志向する東洋人の思考法を、対比的に述べたものだ。その各々を、まずはホラーに見出そう。

ただし私は、「森を見る」、すなわち「全体を見る」という言い方が、ミスリーディングだと思っている。構成要素の一つ一つに注目することはなくても、何らかの構造に着目するのなら、それは或る構造という、特性を表す概念空間の部分に着目することであり、「全体」という名の部分に着目することに他ならない。そうではなく全体というのなら、全体とは何らかの実体として規定されるものではなく、意味のない無色の「入れ物」のようなものである、と思われるからだ。そこに、何でも入れようとするだけのこと、全体とはそういうものではないか、ということだ。

第5章で取り上げた、進化生物学者のテレンス・ディーコンは、全体とは穴に象徴される不在だと述べる[8]。英語なら、全体（WHOLE）は穴（HOLE）と音も同じで、一文字増えるだけだ。例えば、車のホイールは、タイヤを噛ませるリムから、車軸を入れる「穴」に向かって放射状の構造体がある。この構造体やリムなどの部分をまとめ上げる全体とは、実はこの「穴」である、というわけだ。「穴」というメタファーは、それが、外部のものを受け入れて初めて意味を持つ、ということを示している。実際、ホイールの場合、そこにはない車軸を差し込み、回転させて初めて、ホイールが意味を持つ。同じ意味で、全体とは、不在として規定され、外部のものによって初めて「全体」が成立するというわけだ。つまり外部との接続によって、全体は現れる。

私は、ディーコンのいう「全体＝穴」は、かなり上手いメタファーだと思っている。しかしそれだけでは、外部を受け入れるためのうまい仕掛けになっているとは言えないだろう。それでも彼は、窺い知れない外部を構想している点で、いかなる超越的視点にも与しない、徹底した内部観測者であるという点において極めて貴重な研究者である。

すなわち、本稿において、森を見る東洋人とは、「形（入れ物）から入る日本人」のことである。

そして入れ物であることが示唆するのは、外部にあるものを受動的に受け入れる「穴」である。もちろん、入れ物に、場合によっては何らかの装飾や形を見出すこともできる。しかしそれは、何かを入れ始めるきっかけを与えるものに過ぎず、穴に参入するものは無際限に、とめどもないものとなる。その動勢こそが、穴のもたらす穴の本質的意味である。いかにしてそれが可能となるか、いかにして穴は概念的に拡張され展開されるのか、それはJホラーを通じて次第に明らかになるだろう。

＊＊＊

欧米のホラーに、どうして私は、「木を見る西洋人」をみたのか。私の観てきたホラーといえば、『ドラキュラ』[9]や『フランケンシュタイン』[10]、『エクソシスト』[11]や『キャリー』[12]に『オーメン』[13]、そして、ゾンビという言葉を初めて聞いて、初日に映画館へ向かったジョージ・A・ロメロの『ゾンビ』[14]。シリーズ化された『13日の金曜日』[15]もいくつか観たし、『死霊のはらわた』[16]はビデオで観た。キューブリックの『シャイニング』[17]は劇場でも何度も観て、『シックス・センス』[18]が示した幽霊の悲哀には意表を突かれた。

それらは、すべて具体的な実体であった。吸血鬼や怪物と言われる実体であり、悪魔に取り憑かれたと想定される人間であり、動き回る死体であり、異形の殺人鬼だった。『シャイニング』では幽霊よりも、幽霊に導かれ、殺人鬼に変貌していく主人公が怖い。その意味で主題はやはり人間という実体だ。『シックス・センス』では、幽霊が人格を背負って性格を規定され、もはや人間と区別できないまでに実体化されている。我々が日常的に実在すると信じている、知覚し認識できる、自分自身の肉体や、生活の中でコミュニケートする他人。この体や他人には、もちろん知覚・認識できない部分が潜んでおり、だから我々自身、制御できない得体のしれなさを含んでいる。このイキイキとした体は、機能停止した途端に、細菌によって分解され、腐敗し、生きている人間が忌むべきものとなる。しかしそれら厄介な見たくない部分は、私のこの肉体や、私が知る他人という実体の延長線上にある。その意味で、欧米のホラーに現れるものは、世界の中の明確な実体であり、すなわち分析可能な「木」なのである。[19]

Jホラーの代表作でもある『リング』や『呪怨』はどうだろうか。そこに現れるのは、怨念に駆られた怨霊であり、実体がない。その意味で、モンスターやゾンビや殺人鬼とは明らかに違う。そして、物語が進むにつれ、その出自が朧げにわかってくるものの、『シックス・センス』で見られるような、人間と同様の明確な性格付けは与えられない。その意味で、それは実体のないものである。たとえ姿を現した場合でも、髪に覆われた顔や、白塗りの顔は、規定されることを拒否した、実体のないことを宣言する徴である。私はこの存在しない顔、白塗りの顔は、まさに日本画の「書き割り」[20]なのだと感じている。

日本画家の中村恭子が、山本探川の《宇津の山図屏風》[21]を示し、次のように問うてきた。自分は、このようなフラットな山並みの日本画、西洋の、同時代の写実的風景画から見たら子供の絵のような、山並みの表現に強く惹かれる、それをどのように思うか、と言うのである。私は、俵屋宗達から始まる、日本画の琳派[22]に特徴的な山並みの表現を、そのとき、「書き割り」と呼んだ。書き割りとは、舞台の奥に掲げられる、街並みや風景の背景画のことだ。多くの場合、それは薄っぺらな偽物を想起させ否定的イメージを伴って使われるが、私が述べた「書き割り」は全く逆の意味だ。

「書き割り」は人間の知覚や認識の限界を、視界の壁として象徴的に表したもので、逆に、その向こう側に、知覚できないが存在する外部があることを示す装置である。つまり「書き割り」は、全てを超越的に見渡せると信じることで、閉じてしまうのではなく、壁を見出すことで、逆に外部を示唆し、外部を感得する装置という積極性をもつと考えられるのだ（なお中村は「書き割り」をさらに深化させ、透視図的遠近法と比較した論考をまとめている[23]）。

実体のない単なる壁だからこそ、向こう側を感じられる。それは、穴を擁した入れ物であるからこそ、外部を受け入れるということに同じだ。そして琳派の「書き割り」も日本画に由来するもので、Ｊホラーも日本のものであるということは、偶然ではないだろう。もちろん、顔の不在だけが、外部を召喚する仕掛けなのではない。『リング』の物語の核であるビデオの存在様式が、外部を召喚する大きな仕掛けになっている。繰り返されたダビングの果てに、画像はテクスチャーを失い、そこにも粗くフラットな映像が得られることになる[24]。その画像自体も、「書き割り」化し、実体の不在を主張している。

不在であり、穴であるからこそ、そこには何でも当てはめてしまうことができる。無色のＴシャツは使い勝手がいいように、そこには記号の自由がある[25]。しかし、それだけでは、外部を召喚する力にはなり得ない。「書き割り」にはもっと複雑な構造があるが、穴、不在というだけでは、その積極的受動性の構造が見出せない。恣意的に、勝手な解釈が可能なだけなら、そこにあるのは創造ではなく、どこかで見たもの、聞いたものの拡大再生産に過ぎないだろう。そのような素朴な反復を乗り越え、創造の核には何があるのか、『リング』の内容に踏み込んで、論じていこう。

3 不幸の手紙と笑い

千里眼によって未来を透視する山村志津子は、大学の公開実験でインチキ呼ばわりされ、その後、三原山の火口に身を投げる。公開実験のさなか、志津子の娘、貞子は、念じるだけで、母をインチキ呼ばわりする記者を殺してしまう。貞子は後に、公開実験を主導した博士に、井戸に突き落とされ殺される。この親子の姿と件の井戸を撮影したビデオが、観れば一週間後に観たものを殺す、呪いのビデオである。『リング』は、不用意にこのビデオを観てしまった主人公・浅川玲子が、呪いを解こうと奔走する謎解きを軸に展開される。

なぜか呪いのビデオは激しく劣化しており、画像は不鮮明で、場面によっては人物の同定もおぼつかない。しかしその理由も、作品の最後になると一気に判明する。呪いを解く方法は、このビデオをダビングして他人に観せることだった。つまり、オリジナルと思われたビデオさえ、どのぐらいダビングを繰り返したかわからないもので、だからこそ画像は摩耗し、逆に恐怖を、そしておそらくは呪いを、増強していると思われるのである。

確かに、ここにはビデオ文化独特の効果が認められるが、呪いを伝播させるという方法は、昔から何度も繰り返されたものである。今もあるか否かは知らないが、私が子供の頃には、不幸の手紙というものがあった。ハガキの裏面には、ざっと次のようなことが記されている。

この手紙は不幸の手紙であり、受け取った人間は不幸になる。ただし三日以内に、七人に同じ文面で不幸の手紙を送れば、不幸から免れることができる。

まさにビデオをダビングして人に観せることで、呪いから免れるという図式は、これを踏襲するものだ。それは、被害者を加害者に転じていく。外側に位置付けられ、恐怖に打ち震えていた者を、加害者集団という内側に引き込み、恐怖を与える側に加担させる仕組みである。私は、実際、子供の頃、この手紙が友達から来たことがあって、初めてきた手紙がこれかよと、随分がっかりしたものだった。あまりに頭にきたので私のところで打ち止めにしてやったが、こんな文面を七回も書き写して投函したのかと思うと、子供ながらに失笑を禁じ得なかった。

呪いのビデオも、不幸の手紙も、原理的には、これを観てしまい、受け取ってしまった者で完結することはない。多くの者に伝播させることで、呪いや不幸は薄まるようにも思える。しかし、そうなのだろうか。少なくとも不幸の手紙は、加害者集団が大きくなることで、不幸の手紙の発生源が指数関数的に増えていく。被害者が加害者に転じていくことで、不幸の手紙の猛威は大きくなっていくわけだ。一見、薄まるように見えながら、その実、不幸は大きくなる。

この、被害と加害の表裏一体感を、最も強く感じるのは、笑いの場だ。未知の地域に入り込み、何が面白いのか全くわからず、笑いの輪の中に加われない者は、自分がコミュニティーの外側に追いやられていることを感じるものだ。それは恐怖の渦中にいるということだ。では笑いのツボがわかり、笑いの文脈を理解できるようになったから、笑えるようになるのか。しかしそこには、笑いの中に入らなくてはならないという強制力がある。この意味での笑いとは、寧ろ、自分は恐怖していないことの表明であり、外側から内側へ転じた者だという宣言である。動物であるなら、それはより明確だ。動物にとって、外側に置かれた恐怖は、内側にいるものへの攻撃となって現れる。オオカミは、外側にいる敵ではなく、内側にいることを示すため、攻撃の否定として、甘噛みをする。それは、「噛みつき・ません」という表明として、内側への参与を示している。甘噛みの進化形態として、笑いがあると言われている。チンパンジーは歯を剥き出し、攻撃するかに見えて、口を閉じ、攻撃が否定されることを表明する。それは、群れの中での序列に関して劣位の個体が、優位の個体に対し服従を示すディスプレイと評価されている。[26] それが、笑いの原初的形態であると考えられている。

被害と加害が転倒可能で、両者の表裏一体となる場が進行する。オリジナルとコピーが表裏一体となり、参照、逆照射を進めながら、呪いと呪い回避の手続きが進行する。被害者が加害者となり、オリジナルがコピーであったという、二項対立と思われていたものの共立によって、矛盾でありながら、矛盾を先送りする運動の場が進行する。『リング』は、そのような実体化できない様相を物語ることで、「木」を見るホラーとの違いを明確に示す。

しかし、まだ徹底したフラットさ、容器としての穴、という様相は見いだせない。さらに、その先にある単なる記号の自由ではない、創造性の問題が、未解決だ。この点を、『リング』の詳細を見ることで明らかにしよう。

4　智子における解読

前節でも述べたように、『リング』は、観る者に時間の遡行を強いながら、物語を進めていく。初めて登場するビデオの劣化の原因が、呪い回避のためのダビングの果てにある、という件はその一例に過ぎない。物語の冒頭、主人公の姪にあたる智子は、呪いのビデオの最初の犠牲者となる。

玲子と息子の陽一は、その葬儀に出向くが、ここで陽一は、眉間を指で擦るという印象的な仕草をする。その後、智子の霊と思しき足に導かれ、智子の部屋に入ってしまい、玲子に嗜められる。幼い子供であるから、何か霊感があるという設定なのか、とぼんやり観ていると、その後、玲子の離婚した元夫、陽一の父親である竜司が登場する。この竜司が、少なからず超能力を持っているという説明を聞いて、息子の陽一にも能力が遺伝していることが、わかるわけだ。しかも、[27]最初の登場で能力を発揮するとき、竜司は、やはり眉間を、指で擦るのである。それは何か第三の目を開く儀式のようなものだ、と観るものは知ることになる。同様の時間の遡行が、単なる、フラグの回収というものでないことは、次第に明らかになる。

玲子は、葬儀で智子の同級生から、智子が伊豆の宿で呪いのビデオを観たらしい、と聞き、その場所へ出かけ、そのビデオを観てしまう。玲子がビデオを観る最初の場面、映像は極めて劣化しており、特に冒頭の映像はわからない。何か円状に画面が切り取られ、雲らしきものが流れているように見えるものの、停止している白い部分がわからない。しかしこれが、玲子と竜司が一緒に見る場面になると明瞭になっている。それは井戸を覗き込む男の姿で、白い部分は男のシャツの襟元だった。その後、さらにこの映像は、博士によって井戸に突き落とされた貞子の見た映像であることが明らかとなる。この劣化の違いは何なのか。これも、最後まで『リング』を観ないとわからない謎だ。

呪いのビデオには、三角の大きな頭巾のようなもので顔を隠した男も映っている。最初に玲子がビデオを観るとき、画像の粗さもあって、何もわからない。ただし男は腕を伸ばし、指で何かを指している。その後、この男は幻覚のように二度現れる。一度目は、夜、布団にいない陽一を探そうとする玲子に対し、布団の上に現れ、隣の部屋を指す場面である。果たして陽一は、隣室でビデオを観てしまっている。二度目は、井戸から貞子の死体を見つけ、呪いを回避できたと思っていた玲子と竜司だったが、一日遅れでビデオを観た竜司だけが死に、玲子が、呪い回避の真の方法を探している場面だ。頭巾の男が突如テレビ画面に現れ、ダビングしたビデオを指し、これで玲子は、「ダビングして人に見せる」ことが、呪い回避の真の方法だと知るのである。

そしてこの段階になって、観ている者は、この頭巾の男が、死んだ竜司ではないか、と気づくのである。最後の登場では、明らかに竜司の服を着た同じ背格好だが、最初のビデオの映像では、服の明度がやや違う。しかし画像の粗さを考慮する限り、竜司に違いない。だとすると、未来において死ぬ竜司が、すでにビデオに映っていたことになる。ならば、玲子が最初に観たビデオは、玲子が未来において自らダビングしたビデオかもしれない。玲子は少なくとも二度ダビングしている。竜司が観た段階のビデオをさらにダビングし、さらに劣化したビデオを、玲子が過去において見たのかもしれない。こうして、玲子がビデオを最初に観るとき、冒頭の映像が、竜司の観たビデオ画像よりずっと劣化していた理由に、説明がつく。

加害者と被害者の両義性、オリジナルとコピーの転倒など、このように眺めると、二項対立的概念の共立（共に成り立つ）では済まされない様相が見えてくる。そしてこのとき、初めて、最初の犠牲者だった智子が、なぜ陽一にビデオを観ろと言ったのか、という謎が解読できる。

私にとって一番の謎は、生前、陽一とよく遊んだといい、おそらく陽一に特殊な能力があることも知っていたと思われる智子が、なぜ、わざわざ陽一に、呪いのビデオを見ろと言ったのか、であった。前述した、陽一が布団からいなくなる場面、玲子は智子の「おばさん」という呼びかけで、目が覚める。この後、玲子はビデオを観ている陽一を発見する。問いただす玲子に陽一は、「智ちゃんが見ろって」と答えるわけだ。この智子の謎に対する答えを、竜司は吐き捨てるように言っている。最初にこの家に来たときから、何かいると思った、という竜司に、「おばさん」という声を聞いた玲子は、智ちゃんがいる、と答える。それに対する竜司の答えこそ、「もう、智子じゃない」なのである。

呪い殺された者は、もう向こう側の人間、つまり呪われた被害者ではなく、呪う側の加害者なのだ、という意味だろう。であるなら、智子がしたこと、つまり「ビデオを観ろ」という陽一への指示、は納得できる。しかし「もう、智子じゃない」が全面的に正しいなら、呪い殺された竜司もまた、向こう側の人間であるはずだ。とすると、玲子に向かってダビングされたビデオを指差し、ダビングして他人に観せれば呪いを回避できる、という方法のヒントを教えてくれたのは、どういうわけだろう。呪い殺された人間は、例外なく呪う側の人間になるというなら、竜司が、それを教えるはずもない。

ならば、逆にそれは出鱈目である可能性もある。元々、玲子がビデオを観てしまって以降、玲子と竜司は、兎に角、「できることをやる」というだけで、ビデオを調べ、ビデオに映る女性が志津子であり、志津子が三原山の噴火をその一月前に予知し、伊豆大島の差木地出身だと知るとそこへ出向く。そしてその娘、貞子こそが呪いの源泉であると考え、貞子の突き落とされた井戸を見つければ、呪いが解けると考えるのである。もちろん、それは全て二人の臆見であり、根拠も何もない。だからこそ、最終的に貞子の白骨死体を見つけても、意味がなかった。それと同じことが、「ビデオをダビングして人に観せる」に関しても、繰り返される可能性は、決して否定できない。

逆に智子が、向こう側の人間ではなく、呪われた側に留まり、玲子や陽一の側に立っていたのならどうだろう。何のために、仲の良かった陽一に、ビデオを観ろ、と言ったのか。一つの可能性は、呪いの連鎖を止める方法を、玲子に発見させるためだ。もし陽一がビデオを観ていなかったら、おそらく竜司が死んだところで話は終わりだ。なぜ貞子の白骨を見つけ、おそらくは弔ってやったにもかかわらず、自分は生き残り、竜司だけが死んだのか。謎は謎のままに、玲子はそれ以上追求しなかっただろう。

陽一がビデオを観てしまい、陽一のために呪い回避の方法を見つける必要がどうしてもあった。だから、自分がして竜司のしていなかったことを見つけることに、玲子は切羽詰まっていた。だから、顔を隠した霊となって、ダビングしたビデオを指差す竜司の指し示しに、気づくことができた。陽一のためでなかったら、何も気づかなかっただろう。こうして、陽一のためとはいえ、玲子は、ビデオを観てしまった呪い回避の方法を発見できた、というわけだ。そのため、今後、また呪いのビデオを観てしまった者がいたとしても、この方法で回避できる。つまり死んだ智子は、玲子や陽一のためのみならず、生きている者のために、陽一にビデオを観ろと言ったのだ(28)。

しかし翻って、智子や竜司が呪う側に立っているのか、こちら側に立っているかは一切わからず、全ては宙吊りのままだ。智子が向こう側に立っている場合、竜司は出鱈目な呪い回避の方法を教えた、ことになるが、智子がこちら側に立つという場合ですら、実は「ダビングして他人に観せる」ことが、呪い回避の方法になっていない可能性は、決して消えることがない。観ている者は、「臆見でのみ解決の道を探していた」、ということに気付かされることで、推論に本質的な意味での根拠がなく、いかなる推論も、根底から覆される可能性に開かれていることに、気づくからだ。呪いの回避には一週間という期限がついている。そのとき、どうなるのか、それは映画の内部に留まり、観ているだけの我々には、決してわからない。我々は、外部へ接続せざるを得なくなる。

いや、むしろ、時間軸が解体され、オリジナルとコピーが両義性を満たしながら、無効にされると気付いた時点で、『リング』を観る者は、外部に接続してしまっている。だからこそ、呪い回避の方法に関する臆見が、智子の謎が、呪われた者の立ち位置が、次々とやってきては、外部からの奔流を溢れさせる。『リング』を観る者は、外部を受け入れ続けることになる。それは解釈のように恣意的に制御できるものではなく、際限のない流動なのである。(29)

こうして、何度も繰り返される、画面の砂嵐（ノイズ）が、外側ではなく、外部を暗示するものだと、気付かされるのである。『リング』は、外部へつながるための装置を見せつけることで、我々に、外部を知らしめるのである。もちろん、映画にとどまらない。現実世界にあっても、我々は外部の存在に、こうして気づく事になる。智子の謎は文字通り解決されるわけではない。しかし、この転回こそが、智子の謎の解読たり得ると思われる。

5　外部へ

髪に覆われ見えない顔、不在としての顔はまさに『リング』全体の構造を象徴するものだった。そこに見出されるのは、第一に、加害者と被害者の両義性であり、オリジナルとコピーの交換可能性だった。つまり、そこには、二項対立的で共立不可能な加害、被害が共に成り立ち、被害者が加害者であり、オリジナルが何度もダビングされたコピーであったという、オリジナルとコピーの共立があった。しかし、観ているビデオが、過去においてダビングされたものどころか、未来においいて自分がダビングしたかもしれない可能性において、オリジナルとコピーという概念自体が無効になる。ここに、第二の局面が見出される。オリジナル、コピーという概念は、時間軸の中の先後関係によって規定される。しかし、未来のコピーを今鑑賞している可能性にあって、先後関係は成立せず、オリジナルやコピーは、意味を失うことになる。さらに、智子から始まる、呪う、呪われるの決定不能性は、加害、被害の各々さえ決定不能とする。呪い回避の方法が宙吊りになることによって、自分が既に呪われていないのか否かさえ、わからない。玲子がそうだったように、既に回避されている可能性を決して排除できない。だから、オリジナルとコピー、加害と被害、二項対立的項目の各々が、共に成り立たなくなっている。

すなわち、二項対立的二項の共立が成り立ちながら、同時に共に無効にされているという局面すら成立する。共立による肯定的緊張感を持ちながら、無効にされることでフラットになる。共立と無効化が同時に成り立つことで、二項対立の中心化が実現されながら、その中心に穴が開く(30)。かくして、『リング』は、外部へと接続されていく。ここにきて読者は、共立と無効化が、本書全体で論じられてきた、二項の肯定的アンチノミーと否定的アンチノミーの共立であることに気づかれるだろう。『リング』は周到に、そのような、外部を召喚する装置を張り巡らしていたのである。現代の笑いは、外側へ追いやられる恐怖と、共同体への内属化の両義性の上に成り立ち、同時に恐怖と内属化を無効にするからこそ、外部へと突き抜けることができるのだろう。しかし、この恐怖と笑いの表裏一体性は、『リング』でも無縁ではない。貞子がその後、パロディ化され、お笑いの現場でいじられるようになったことは、決して偶然ではない。

「木を見る」とは、既に起こったこと、過去を分析することだ。「森＝不在を見る」とは、二項対立の文脈を見出し、その共立を見出しながら、同時にその無効化を見出すことで、緊張感のある穴を穿ち、外部を受け入れることだ。それは受動的であるが故に制御できない。しかし、映画の内部に留まるように、認識される世界の内部のみに留まるとき、そこに新たなものへ開かれる創造はない。だからこそ、世界は、外部へ接続する『リング』の意味に、気付いたのだと思われる。

註

（1）『リング』は一九九八年に公開された日本のホラー映画。原作は鈴木光司、監督は中田秀夫。

（2）『呪怨』は二〇〇〇年に発売された清水崇監督・脚本のホラービデオ作品。その後シリーズ化されているが、本章で参照しているのは二〇〇三年公開の劇場版。

（3）本章で述べるような、実体のないもの、「入れ物」から入る日本的なものとして、「かわいい」ものや「ゆるキャラ」を挙げておこう。実体のないもの、「入れ物」と言っても、本稿で述べるように、そこには対立軸の端成分を共立させながら脱色した仕掛けがある。四方田犬彦『「かわいい」論』（ちくま新書、二〇〇六年）では、かわいいとは基本的にグロカワである、と述べられているが、まさにグロテスクなものと無垢なものとを共立させ、脱色した果てに得られるものが「かわいい」であろう。同じ意味でダサさとポップさを共立させ脱色して得られたものが、みうらじゅんの「ゆるキャラ」であろう（例えは、みうらじゅん『ゆるキャラ大図鑑』扶桑社、二〇〇四年）。これはゆるキャラに限定されるものでもない。マンガやアニメのキャラは、形だけ捉えて脱色され、二次創作に供される。ここでもキャラは、形から入り、オリジナルと非オリジナル（二次創作者が読み込みたい性格）とを共立させながら脱色されることで決定されていく。

（４）ジュネヴィーヴ・ユ（2012）「髪、ホラー、ジャンルのイメージ――中田秀夫の『リング』」岩崎覚久訳、『Ecce ＝エチェ：映像と批評』３、23-56。

（５）前川修（2015）「リングのふたつの意味――『リング』のイコロジーとイコノミー」『美学芸術学論集』11、6-12。

（６）郡司ペギオ幸夫（2019）『天然知能』（講談社選書メチエ）および、郡司ペギオ幸夫（2020）『やってくる』（医学書院）では、外部を召喚し、外部が「やってくる」ことを感じる知性を天然知能と定義づけている。

（７）ニスベット、リチャード・E（2004）『木を見る西洋人　森を見る東洋人――思考の違いはいかにして生まれるか』村本由紀子訳、ダイヤモンド社。

（８）Deacon, T. W.（2012）*Incomplete Nature: How Mind Emerged from Matter*, W. W. Norton & Comp., Inc.

（９）ストーカー、ブラム（1971）『吸血鬼ドラキュラ』（平井呈一訳、創元推理文庫）やレ・ファニュ、Ｊ・Ｓ（1970）『吸血鬼カーミラ』（平井呈一訳、創元推理文庫）は、シリーズ化されて原型をとどめない場合もある映画を楽しむために必要なものだ。因みに本稿で参照しているのは、ドラキュラ俳優として有名なクリストファー・リー主演のアメリカ映画『吸血鬼ドラキュラ』（一九五八年公開、テレンス・フィッシャー監督）や、吸血鬼ものとしては異色のアメリカ映画、ロマン・ポランスキー監督、シャロン・テート主演の『吸血鬼』（一九六七年公開）もあげておこう。

（10）フランケンシュタインもシリーズ化の他、多くの監督によって映画化されているため原作は読みたくなるものだ（シェリー、メアリ（1984）『フランケンシュタイン』森下弓子訳、創元推理文庫）。本稿で参照している映画は、ピーター・カッシング主演の『フランケンシュタインの逆襲』（一九五八年公開、テレンス・フィッシャー監督）などである。

（11）『エクソシスト』は一九七三年公開のアメリカのホラー映画。監督はウィリアム・フリードキン。少女にとりついて暴れる悪魔と悪魔祓いの神父、エクソシストの戦いを描く。
(12)『キャリー』は一九七六年公開のアメリカ映画。監督はブライアン・デ・パルマ。いじめられてきた少女キャリーが、爆発して能力を解放する。主演はシシー・スペイセク。
(13)『オーメン』は一九七六年公開のアメリカのホラー映画。監督はリチャード・ドナー。六月六日六時に生まれた悪魔の子、ダミアンの物語。友人が六月六日の朝生まれたと言って自慢していた。監督は後にリーサル・ウェポンをヒットさせるリチャード・ドナー。
(14)『ゾンビ』は日本では一九七九年に公開されたホラー映画。監督はジョージ・A・ロメロ。死体が蘇って動き回るゾンビ映画のパイオニアで、噛まれるとゾンビが伝染するところは、吸血鬼のパターンを踏襲している。ゾンビの頭をライフルで撃ち、スイカのように破裂させるシーンは、逆に物質の爽やかさを感じたものだ。
(15)『13日の金曜日』は一九八〇年公開のアメリカホラー映画。監督はショーン・S・カニンガム。アイスホッケーのマスクを被ったジェイソンが、キャンプ場に来た人間を追い回し、ひたすら殺戮する。
(16)『死霊のはらわた』は一九八一年公開のアメリカホラー映画。監督はサム・ライミで、後にスパイダーマンのシリーズをヒットさせる。
(17)『シャイニング』は一九八〇年公開のホラー映画。監督はスタンリー・キューブリック、主演はジャック・ニコルソン。冬季閉鎖される山の中の巨大リゾートホテルを、作家一家が管理する仕事を受ける。冬の間に篭って、傑作を書くと言う夫は、次第にホテルの狂気に取り憑かれていく。何度見ても飽きることがない。
(18)『シックス・センス』は一九九九年公開のアメリカのホラー映画。監督は、ナイト・シャマラン。主演のブルース・ウィリスと子役のハーレイ・オスメントが素晴らしい。
(19) 東洋と西洋を対置するような議論にはもちろん例外がある。例えば、ブレア・ウィッチ・プロジェクトは、山の中の魔女の真相を探る擬似ドキュメンタリー(モキュメンタリー)といった手法をとり、まさに実体のないものを探るという手法をとっている。

（20）中村恭子＋郡司ペギオ幸夫（2018）『TANKURI——創造性を撃つ』水声社。「書き割り」に関する本稿で参照した議論は、往復書簡の章「花喰鳥」にある。

（21）山本探川の《宇津の山図屏風》は静岡県立美術館のデジタルアーカイブで見ることができる。https://jmapps.ne.jp/spmoa/det.html?data_id=1745

（22）琳派とは、金箔などを多用するデザイン化された表現を、一〇〇年のときを跨ぎながら、俵屋宗達、尾形光琳、酒井抱一、鈴木其一と継承してきた日本画の系統である。

（23）Nakamura, K. (2021) De-creation in Japanese Painting: Materialization of ThoroughlyPassive Attitude, *Philosophies* 6(2), 35.

（24）前川修（2015）（前掲論考・註（5）参照）。ハリウッド版『リング』のオファーを受けたゴア・ヴァービンスキーが、送られてきたコピーのコピーのコピーであるような質の悪いビデオの魅力を語るエピソードが述べられている。

（25）石井淳蔵（1999）『ブランド——価値の創造』岩波新書。ここではコカコーラブランドの変化について論じ、薬剤、強壮剤から清涼飲料水、最終的にただそこにあるだけ、と言う意味のない記号になったことで、ブランドが完成したと述べる。こうして、自由な記号になったことで、その後、クリスマスになればクリスマスの飲み物、オリンピックになればオリンピックの飲み物となった。石井は、指示対象の不在を作り出し、消費者にそのイメージを委ねることでブランドが作られると述べている。ここでは、単に記号の自由というのではなく、薬剤から出発した歴史の裏付けが、記号の自由以上のものをブランドに実現していると論じられる。

（26）松坂崇久（2008）「笑いの起源と進化」『心理学評論』51（3）、431-446。

（27）第三の目と書くだけで、昔、古書として買ったランパ、ロブサン（1957）『第三の眼——秘境チベットに生まれて』（今井幸彦訳、光文社）を思い出すので、ここに引用する。この書物は、チベット人僧、ロブサン・ランパなる人物が書いた、不可思議に満ちた、チベットの内側を描いた書物という事になっていて、ランパは霊感に開かれる第三の眼を額の中央に持っていたと主張している。その人生もヨーロッパ、アジアから第二次対戦中は日本軍の捕虜となって日本に送られ、脱走するといった波瀾万丈なものだが、カバー写真の著者像が、どう見てもアングロ・サクソンの顔で、とてもチベット人には見えない。今、ネットで調べてみると、ウィキペディアに生粋のイギリス人との記述がある。内容に疑問をもたれて、身元を調べられ、露見したそうだ。

（28）『リング』は註（1）参照。それは映画の中盤、竜司は、ビデオを作ったやつは、これを解く手掛かりを示している、と呟く。それは、呪いの伝播を止めようとする智子の試みと整合的だ。

（29）本稿で述べたことは解釈ではないし、謎解きをしたわけでもない。それは玲子と竜司の謎解きが「できることをやる」ことに改めて気づくことで出現する、私自身のイメージの奔流に関する分析だ。

（30）外部を召喚する天然知能の構造は、以下の論文で、二項対立的概念の二つの肯定的アンチノミー（両者の共立）と否定的アンチノミー（両者の脱色）が共に成り立つことと定義している。本書第3章および、Gunji, Y-P., and Nakamura, K. (2022) Psychological Origin of Quantum Logic: An Orthomodular Lattice Derived from Natural-Born Intelligence without Hilbert Space, *BioSystems* 215-216, 104649 を参照。

第8章　メタバース＝宙吊りにされた意識モデル

1　はじめに

仮想世界に「わたし」のアバターを設定し、その中で様々な事物を知覚し、認識し、場合によっては仮想通貨で、土地の売買までする。セカンドライフという、仮想空間上でもう一つの人生を楽しむというアイデアなど、同様のブームもかつてあったが、いつの間にか沈静化した。今や、仮想世界を宇宙（ユニバース）と想定できるほどの技術が進歩し、機は熟した、ということだろうか（ただし、メタバースという言葉自体は三〇年ほど前に提案されている）。とりわけ、今回のメタバースで強調されるのは、物理世界と仮想世界の双対性である。両者を媒介するために、仮想世界に固有の仮想現実だけではなく、現実世界にデジタルイメージを重ねる拡張現実や、仮想世界から現実世界に相互作用可能な複合現実さえ援用される(1)。

メタバースは、現実世界に接続した仮想世界である。仮想世界には、いわば、知覚・認識される事物と、認識主体である「わたし」がアバターとして存在し、その両者をつなぐインターフェースもまた、仮想世界の中と外（プレイヤー）とで実装されていることになる。そう、これは、意識のモデルと言われる、グラッツィアーノの「注意スキーマ」そのものだ。(2) 神経科学者であるグラッツィアーノは、これをデジタル計算機に実装すれば、そのまま意識は人工的に構築可能と唱え、この「わたし」の意識を計算機に移植する、いわゆる、マインドアップロードが、現実のものになると主張する。それは、様々な意識モデルの典型的な例と考えることができる。私は、グラッツィアーノの意識モデル（および意識をシステムの属性として定義するモデル一般）には、本質的な欠陥があり、それは、いずれ付加されることが可能な、いまは足りない性格、では済まないものと考えている。では、メタバースに注意スキーマを見出すというのなら、メタバース自体も同様に批判の対象となるだろうか。そうではない。むしろ、メタバースを意識モデルとみることで（それは極めて自然なことだ）、逆にグラッツィアーノの意識スキーマ批判が明確になるのである。本稿では、それについて論じていこう。

アバター化されたわたしと世界との関係を実装した仮想世界は、現実に接続しているが故に、それほどの技術を取り込まなくても、現実の「わたし」に影響を与えることが可能になるだろう。実際、私は、かつて流行したゲームにはまり込み、今でも、そのゲーム世界に、かつて自分が存在していたかのような記憶を感じ、唖然とすることがある。このような、仮想的な記憶は、いったいどこから来るのだろうか。その鍵は、意識スキーマ・モデルと「メタバース＝意識モデル」の違いにある。ここでは、私の個人的なゲーム世界の記憶から出発して、意識スキーマとこれに類する、マインドアップロードを唱える意識モデルの問題を、「メタバース＝意識モデル」を通して明らかにしよう。このとき、マインドアップロード自体が意味を失うことになる。

2　ゲーム世界に住んでいたという記憶

二〇〇一年、ニンテンドーゲームキューブでプレイするゲーム、『ピクミン』(3)が、任天堂から発売された。それは、「未知の惑星に不時着した主人公が、惑星の住人、ピクミンの助けを借りて、壊れたロケットの部品を回収し、再生したロケットで故郷の星へ帰る」ことを目的とした、ゲームである。ピクミンは、手足の生えた葉のようなキャラクターであるが、集団で行動し、アリのような社会性を持つものと設定されている。なぜか主人公を無償で助け、主人公は笛を使ってピクミンに様々な仕事をさせることができる。惑星には、主人公やピクミンの活動を妨害する様々な敵キャラ、チャッピーやイモガエル、ボケナメコなども出現する。これらと戦いながら、主人公は目的に向かってゲームを進めるわけだ。

このゲームに一時期、恐ろしいほどハマってしまった。コンプリートした後、点数を稼ぐゲームが用意されていたが、これを毎晩、夜中の二時、三時まで一人やり続けた。点数の書かれた大きなビーズのようなもの（ペレットと呼ばれる）が、世界の至る所に偏在し、これをピクミンに運ばせるのだが、どれをどの順番で集めるかで所要時間が変わる。制限時間内にどれだけ効率的に集めるか、何度も試行錯誤を繰り返しては、細かく点数を上げていった。そのぐらい没頭して熱心にやっていた『ピクミン』も、どのような経緯で、それをやらなくなったのか、まるで覚えていない。

もう一つ、これも狂ったようにハマったゲームが、『塊魂』(4)だった。こちらは二〇〇四年、ナムコから発売された、PlayStation2 上でプレイするゲームだ。王様が壊した星空を復元するため、地球（？）へ派遣された王子が、地上の様々な事物を、塊に巻き込んで大きな塊にし、規定の大きさに達すると、それを星にして、星空を復元していく。塊が大きくなるにつれ、それまでむしろ塊の進行を妨害していた物が、巻き込めるようになる。初期のステージでは、王子の一人称的視点で塊が押され転がされていく。ステージが進み、塊の直径が数十メートルにも達すると、視界は俯瞰した、三人称的視点になる。このいつの間にか変化する視点も、『塊魂』に没頭するポイントだった気がする。全ての事物は、粗いポリゴンで表現され、そのイメージのポップさと、演歌歌手・新沼謙治の歌うラップなどの音楽も、『塊魂』にハマる大きな要因だった。

様々なゲームをしてきたわけではない私にとって、ゲーム世界に出現する事物は、未知の、わけのわからないものだった。突然現れる『ピクミン』のキャラクター、チャッピーは、その姿形（イメージ）によってのみコードされ、その何たるかは、ゲームの進行と共に次第に明らかになっていく。イメージは当初、空っぽの容器のようなもので、そこに様々な性格が、徐々に入れられることになる。それがある程度、十分な分量に収まったとき、プレイヤーである私は、チャッピーの定義を獲得し、チャッピーを知り得たと思うのだろうか。その程度の話だったら、そこまでゲームにハマるなんてことはなかっただろう。チャッピーは主人公のタスクを邪魔し、ピクミンを食べる敵キャラなのであるから、ゲームを進める上では敵キャラとしての能力を知るだけで、その定義は十分だ。ところがゲームをする私は、そのキャラクターに毒キノコや鳥やチョコボールの「キョロちゃん」のイメージを重ね合わせながら、むしろ愛すべきキャラとして、ゲームと無関係な設定を、頭の中で暴走させてしまう。その暴走の無際限さは、常に停止することなく、動き続けている。その動勢こそが、出現するキャラの、私における意味であった。(5) つまり定義を有限の確定記述として与えることは、キャラの意味を成さないのである。

私は、ここで、キャラの姿形（イメージ）が容器のようだと言ったが、そう言ってしまうと、容器のように、入ってくる物を確実に受け止めるかのように、聞こえてしまうだろう。それは正確ではない。初めて見るイメージには本来、明確な意味などなく、そこには多様な性格を受け止めるだけの確実性を見出せない。与えられた性格をイメージに結びつけようとしても、もしかすると、余りに整合性を欠き、何かの勘違いではないかとの疑いで、その性格は定着できないかもしれない。つまり、容器としてのイメージに、性格をいくらでも押し込めるのではなく、共に不安定な、イメージと性格とを、何とか結びつけようとする運動が、ゲームの中で進行していくだけなのである。

より正確に述べるなら、こういうことになるだろう。私は、ゲームの進行と共に、イメージとゲーム内に見出されるキャラの性格を一致させようと努力し続ける。しかしどこかで一致してキャラの意味が確定され、キャラに関する性格づけが終わる、ということはない。むしろ私は、イメージとキャラの間に隙間を作り出し、そこに敵役には収まらないゲーム外部のイメージを受け入れ続けていたのである。いかにして隙間が見出されたのか。それは、与えられた敵役という性格を勝手に無効にし、悪役に相応しいイメージを、筆致を変えて描き直すようにして無効にし、ゲーム内で規定されたはずのイメージと性格を脱色して、作り出されたのである。(6) この、無際限の、外部から呼び込まれる運動こそが、ゲームにハマってしまった原動力と言ってもいいだろう。因みに、この無際限さそれ自体を形式化して初めて、このような認知的過程から量子論理を導くことが可能となる。(7) それは本書第10章で論じられる。

そのような経験のもと、私は誤った記憶を、ふとしたはずみで感じたのだ。すでに『ピクミン』を夢中でやっていた頃から、二〇年近く経過していた。東京のある地下街、まだ朝早く、人通りの少ない地下街を歩いているときのこと。地下街の緩やかに湾曲した床面と、林立する白い柱に、『ピクミン』のあるステージ——ボケナメコが出現する地下の空間——を強く感じたのだった。それは、その風景がゲームの中のステージに似ている、といった感覚ではなく、私が昔生きていた場所の記憶のような感覚だったのである。そのような誤った記憶は、『ピクミン』だけではなかった。同じようにハマり、同じように登場するキャラや風景に、際限のない過剰な意味を見出した『塊魂』でも、かつてそこにいた、という奇妙な記憶が現れることがあった。トイレの個室に入っていると、突然、大きな塊がやってきて、扉を突き破りながら私を巻き込んでいくのではないか、かつてそうだったように、という記憶のような感覚が、突然、襲ってきたのである。それも決して一度や二度ではなく、しかもいつも個室のトイレでそれを感じる＝思い出す、のである。

この誤った記憶という不思議な感覚は、かなり強い感覚なのだが、一体、どこから来るのだろうか。それは記憶の想起という現象のあり方に由来するものだろう。先ほど、イメージという入れ物に、有限の確定記述としての性格が詰まっているわけではない(8)、と述べたが、記憶も、ラベルのついた引き出しに、有限の記憶内容が詰め込まれているわけではないだろう。さて、とりあえず議論をここまでにして、グラツィアーノの「注意スキーマ」を眺めることにする。ハマったゲームにおける、キャラのイメージと性格の無際限さは、注意スキーマを議論することで、その重要さを再発見されることになる。

3　注意スキーマが見逃している無際限さ

注意こそが生物にとって最も重要な生命活動である。グラツィアーノは、カエルの視覚系を例にとりながら、まずはそれを明らかにする。網膜に飛び込んできた飛んでいるハエの視覚情報は、現実の空間の中のどの位置にあるかがマッピングされ、どこを見ているか、が明確に決定される。この情報が視蓋に送られ、何に注意を向けているか、という注意そのものがモニターされる。これが、注意スキーマだ。[9] 注意スキーマは、様々な入力情報から注意の向けられた情報を選択し、それに相応しい出力、例えばハエに向けて舌を伸ばす行動、を実現する、内的モデルということができる。[10]

進化を経て人間になると、視蓋は上丘となり、より複雑な情報のモニタリングを可能とする。カエルがハエにのみ注意を向けるような、顕在的注意だけではなく、あからさまな見えは成立しない潜在的注意も可能となる。また、モニタリングされ、選択・制御される対象モデルも様々に構築可能となり、自己モデルや、他者モデルも構築されることになる。脳では、前頭葉や頭頂葉から構成される幾つかの神経細胞ネットワークが、これらの任に当たることになる。グラツィアーノの著作には、付録として意識のミニマルモデルが与えられている。[11] 世界内の現象の例として、目の前のリンゴが問題とされる。このリンゴを認識する意識のミニマルモデルは、リンゴのモデル、自己のモデル、この両者を結ぶ注意スキーマから構成される。これら意識内部の状態を外部と接続し、外部刺激を入力し、言語として出力する認知・言語インターフェースが、これに加えられている。

ここでは、リンゴのモデル、自己のモデル、注意スキーマの各々の状態を、言語的に記述し、出力することができる。リンゴのモデルの状態を出力するなら、「リンゴは、赤く、瑞々しく、香りたつ」などが出力されるだろうし、リンゴを前にした自己のモデルの状態は、「匂いを感じている、お腹が空いてきた」などになるだろう。このとき、注意スキーマの状態は、「わたしはリンゴのイメージにアクセスし、リンゴを意識している」となるだろう。こうして、注意スキーマの存在によって、多様な入出力の中で、何に注意が向けられているかがモニターされ、入出力関係が取捨選択され、制御される。ところがそれだけではなく、モニタリングの状態を記述・出力することで、「わたしはリンゴを意識している」という心的状態が出現する。ここにこそ、注意スキーマを意識のモデルとみなす核心があるわけだ。

全ては、制御システムの構成要素と位置付けられ、名前を付けられ、システム内に配置される。この意味で、事物と、事物間の関係という、論理的レベルの異なるものも同じくその状態を記述・出力されることになる。リンゴのモデル、自己のモデル、注意スキーマで考えるなら、リンゴや自己は、システム外部に存在する、林檎や私の肉体に直接結びつけられる「もの」である。しかし、注意スキーマは、システム内で表象化されたリンゴモデル、自己モデル間の関係であり、外部の実在物との関係性を持ち得ない。つまり、「わたしがリンゴのイメージを所有している」は、実体を持たないことで、超越的な、形而上学的対象とみなされることになる。だからこそ、意識は、現代の科学の言葉には還元不可能な、ハード・プロブレムと見做されることになる。グラツィアーノは[12]このように、意識は難しい問題ではなく、しかし、不可能な問題と見做される理由があることを、説明するのである。[13]

以上をまとめて注意スキーマ理論というわけだが、基本的にこのモデルは、計算可能なものを前提としたモデルになっている。制御システムの構成要素は、逐次変化していくにせよ、単位時間あたりは有限個のデータセットであり、それを見渡し、全体を参照して計算し、一回あたりの計算をその都度停止させることができる。ここには、前節で述べたような、イメージと性格を突き合わせる際の無際限さは問題にされない。そういうものはない、という暗黙の前提で、理論が構想されているのだ。しかし、私の内部モデルとして、リンゴのモデルでさえ、データセットとして可能なのだろうか。リンゴのモデルというまとまりは、『ピクミン』におけるチャッピーと同じだ。リンゴイメージとリンゴの性格は、突き合わされながらそのマッチングの計算を完了させることができず、いつまでも無際限に継続される。その終わりのない運動こそが、むしろ、運動体としてのリンゴモデルを、システム内に単離するのではないだろうか。小川の中にできた渦が、回り続けることで、小川の中に自己同一性を確保するように。そこには、有限のデータセットを入れておく確固たる入れ物のようなリンゴモデルは、存在しない。リンゴという私の内部の表象は、表象として実体を持たない(14)。

リンゴイメージとリンゴの性格に関するマッチングの無際限さ、とめどなさこそが、リンゴに関する私の主観的質感、クオリアに対応するものだろう。この意味で、クオリアは捉えようとすると逃げ水のように遠ざかる、動勢それ自体なのだ。クオリアのこの、無際限さという性格には目を瞑りながらも、しかし注意スキーマは、「わたしの意識するリンゴ」といった感覚に関する所有感、私に関する私秘性を、現実との関係性を持たない、形而上学的対象ということで、説明するわけだ。全ては計算可能でありながらも、「リンゴ」や「わたし」が対象であるのに対し、「わたしの意識するリンゴ」は対象間の関係であるというだけで、原理的に解けない問題＝ハードプロブレムとしてでっち上げられる。それがグラツィアーノの戦略だ。ところが、リンゴモデルが静的でなく確実な表象ではないように、自己のモデルもまた、静的でなく確実ではない。だから、リンゴに関する感覚に、「わたしの」というタグをつけることが、そもそも意味をなさない。無際限な計算を前に、データを確定し計算を確定する、という計算の前提が意味を失うからだ。

ではどのようにして、「わたしの意識するリンゴ」という感覚の所有感は形成されるのだろうか。グラッツィアーノも指摘する、[15] 身体スキーマ[16]との比較を使って考えてみよう。ただしここでも、グラツィアーノの無視している問題こそ、本質的である。身体スキーマとは、身体の各部位を部分として同定、モニタリングする内部モデルである。注意を向ける感覚を、身体各部位に置き換えただけのもので、同じ構造を持つものだ。身体スキーマと独立に提案されている似た概念に身体操作感、身体所有感という感覚がある。[17] 操作感は、身体を自分が動かしているという感覚であり、所有感は、この身体が確かに自分のものだという感覚と言われている。しかし前者は、どちらかというと因果関係に関する気づきであり、「わたし」は背後に退いて顕在化しない。この限りで、身体の各部位をモニターしながら動かす、身体スキーマは、身体操作感に直接関与するものだろう。では身体所有感はどこからもたらされるのか。身体所有感は、操作感のように積極的、肯定的意味を持たないことが重要だろう。麻痺した身体、思うように動かせない身体に対する、否定的、受動的意味が、むしろ身体所有感の本質だ。[18] つまりそれは、身体スキーマの全体を把握する運動と関係する。もし身体スキーマの全体がタグづけられ、タグを指定することで、身体スキーマの全体にアクセスできるなら、所有感はそれで説明できる。しかし身体スキーマもまた、脳内の計算過程として無際限に開かれ、全体概念を不在とするだろう。つまり、「全体」は、無際限それ自体がもたらす、「リンゴ」同様の運動体と考えられる（ここで言う全体は、もちろん第5章で論じた全体と同じ概念だ）。無際限を考慮しないグラツィアーノは、当然、所有感をそのように捉えないが、無際限の運動体こそが、身体所有感だろう。同様に、感覚に関する所有感は、リンゴモデルに伴うリンゴのクオリアが、計算の無際限さによって現れるのと同様、注意スキーマに関する計算の無際限さによって現れると考えられる。

小川の中の渦、動勢、無際限さ、と聞いて読者は、計算論的な注意スキーマとは無縁な、単なるメタファーを想像するかもしれない。しかし、有限のデータセットを前提に、計算論的なモデルとして意識モデルを構想すること自体、大きな仮定のもとに立論している。人工知能の構築を前提とする神経細胞は、状態を1か0の二状態と仮定される。その上で、結合した神経細胞の状態を入力として計算し、その結果を他の神経細胞へと伝える。神経細胞は、そのような単純な計算素子と仮定されているわけだ[19]。現実の神経細胞の計算は、物理化学的物質過程だ。神経軸索を通じて送られてきた電気信号は、神経細胞のシナプスと呼ばれる場所に辿り着くと、化学物質を細胞内に放出する。これによって神経細胞の膜電位が変化し、その電気信号が次の神経細胞へと伝達される。つまり神経細胞から発せられる信号は、細胞内の液体に化学物質が放出され、拡散と化学反応を伴いながら膜電位を変化させることで実現される、極めてアナログな物質過程なのである。だから、細胞を取り巻く微細な境界条件の変化で影響を受け、他の神経細胞からの信号だけではなく、膜電位の変化を可能とする[20]。

微細な境界条件の違いによって振る舞いが変わるのだから、神経細胞のネットワークとして成立しているはずのリンゴのモデルは、不安定に移ろい行きそうだ。外部の揺らぎの影響を受動的に受け入れる限り、リンゴのモデルはすぐにでも破壊されそうだ。そのような状況であるにもかかわらず、リンゴのモデルは頑健に存続し得る。それは破壊され、破壊の進行が破壊され、モデル解体の失敗が継起することで、ダイナミックに維持される。微細な境界条件をコントロールできないが故に、それはまるで、リンゴのモデルが揺らぎをうまく選択し、能動的に取り込んでいるようにも思える。コントロールできない境界条件のもとで進行するが故に、それは受動的でありながら能動的なのである。それが、ダイナミックに維持されるリンゴのモデルや、自己のモデル、注意スキーマの実体的様相である。だから、これら内部モデルは、無際限さと共にある。[21]

現在の計算機に実装可能で、マインドアップロード可能という意味での意識は、これら無際限さを完全に切り捨て、勝手に定義した意識に過ぎない。

4　意識モデルとしてのメタバース

『ピクミン』のようなゲームをほんの少し拡張すれば、メタバースのエッセンスを、考えることができるだろう。ヘッドマウントディスプレイで仮想世界に没入し、ピクミンの世界でアイテムを集めながら、複合現実によって、映画館の予約をし、現実に戻れば、拡張現実によって視界に現れたピクミンが、映画館への道案内をしてくれる。ゲームの主人公も、オリジナルのアバターを創れるなら、個人の趣味に走って盛り上がるだろう。かくして、仮想世界と現実世界の双対性を強化しながら、仮想世界を楽しむことができるだろう。

メタバースにおけるプレイヤーとしての「わたし」は、まさに身体スキーマの役割を果たしている。身体スキーマは、多数の監視カメラをモニターし、絶えず指示を送っている監視員のようなものだ。身体スキーマ理論では、この監視員が特定の計算処理系になっていて、前述の意味での無際限さを考慮していないわけだ。ではメタバースを意識のモデルと見る場合、どうなるだろう。仮想世界には、リンゴモデル同様、さまざまな事物のモデルが存在し、アバターとして自己モデルも用意されている。さまざまな事物と自己モデルを関係づける身体スキーマは、部分的には仮想世界内部に実装されている。注意を向けたい事物にアバターを向ける、実際に行為することの反作用が何らかの形でかえってくる、など、事物とプレイヤーのアバターは、関連づけられている。しかし、全体をモニターし、注意を切り替え、制御する本質的役割は、ゲーム全体を見渡しながらアバターを操作するプレイヤーが担うことになる。

メタバースのプレイヤーは、現実世界をも生きていて、その記憶を持って仮想世界に参入している、という意味で、グラッツィアーノの無視した無際限さを生きている。ゲームの中の設定外部がキャラに押し寄せるように、現実のリンゴを想起するとき、常識的なリンゴの定義外部が押し寄せるように、仮想世界では設定されていない、プレイヤーの現実世界における感覚、すなわち仮想世界の外部が、絶えず押し寄せてくるからだ。つまり、メタバースを意識のモデルと考えるなら、むしろ身体スキーマに、現実世界へ向けた穴が空いているという意味で、身体スキーマには無際限さが実装されている、というわけだ。それは、完全に閉じた自律的なモデルではない、という意味で、宙吊りにされた意識モデルと呼べるものだ。

プレイヤーによって現実に開かれた仮想世界であるからこそ、可能的に、誤った記憶が形成される。とりわけ、強度のある過剰なものが押し寄せるとき、記憶に関する誤認識が起こるのではないだろうか。第2節で私は、イメージと性格のマッチングに関する脱色が、キャラに過剰な意味を与えると述べ、記憶の想起とは、まさに記憶表象と記憶内容の（成功しない）マッチングの運動であることを仄めかした。記憶とは、想起して初めて記憶としての意味を持ち、想起とは、マッチングの過剰さに開かれる。だから、記憶の想起は、そもそも記憶の誤認識の可能性を常に帯びたものである。ただ、記憶は一般の表象、現にあるリンゴと異なり、過去のものと見做される。そのためには、自己モデルに、現在から過去に至る自己の階層があり、過去の自己モデルと関係づけられた事物が、記憶と見做されると仮定すれば、現にある事物一般と記憶との区別を定義できる。

その上で、「ゲーム世界にかつて住んでいたという記憶」を考えてみる。もしゲーム世界内部と外部（現実世界）とが厳格に区別されていたなら、記憶の内容に曖昧なことがあっても、内部にいる自己モデル（アバター）と外部に存在する現実の「わたし」が混同されることは決してないだろう。そうではなく、内部のキャラに強烈な外部が浸潤し、それと同時に、内部の自己モデルにさえ、外部の現実のわたしが押し寄せる。現実のわたしが仮想世界のわたしと混同されることで、仮想世界のわたしの体験は、外部にいる現実のわたしの体験となる。こうして、ゲーム世界のわたしの体験は、現実のわたしの体験と見做されることになり、わたしは確かにゲーム世界の中で体験していた＝生きていた、という記憶に関する誤認識が生じる。おそらく、私が体験した、東京の地下街で突然感じた、「ここに似た『ピクミン』のステージのある場所に、私は確かにいた」という記憶や、トイレに入っている際に襲ってくる「かつてそうだったように、突然、塊が自分を襲ってくる」という記憶は、こうして形成されたのだろうと思われる。

このゲームの記憶に関する誤認識で思い出されるのは、自閉症スペクトラムの人たちが課題をクリアーできないと言われるサリー・アン課題だ。[22]これについてもまた、グラツィアーノは言及し、通常言われている論調が、注意スキーマ理論で説明できると説いている。[23]しかし、「メタバース＝意識モデル」では、通常の論調とは逆の説明になる。これについて述べていこう。

サリー・アン課題とは、次のような課題だ。被験者には、場合によっては絵などを見せながら、次のように説明する。サリーが、家の中でバスケットAを開け、そこに人形を入れてバスケットA

を閉じる。サリーはそのまま家から出ていく。しばらくして、今度はアンが家に入ってくる。彼女はバスケットAを開け、そこに入っていた人形を見つける。アンは人形を取り出し、それを自分のバスケットBに入れ、それを置いて家を出ていく。その後、サリーが帰ってくる。さて、サリーは人形を取り出そうと、どこを開けますか。被験者は、これに答えることを要請される。

サリー・アン課題の正解は、「バスケットAを開ける」というものだ。アンはサリーのいないところで人形をバスケットBに入れたので、サリーは現在人形のある正しい場所を知り得ない。だから、アンは、自分が入れたバスケットAに、まだ人形が入っていると思っており、バスケットAを開けるはずなのだ。ところが、五歳以下の幼児や、自閉症スペクトラムの人たちの多くは、「バスケットBを開ける」と答えてしまう。これに対する課題考案者の見解は、五歳以下の幼児や自閉症スペクトラムの人たちは、心の理論を持っていない、というものだ。心の理論というのは、大仰な言い方だが、他人の心を推測する能力のことだ。これが彼らには欠落しているというわけだ。

グラツィアーノの注意スキーマ理論は、この一般的見解を根拠づけるものとなる。「わたしがリンゴを意識している」ことの自覚とは、わたしの心の働きをモニターし、わたしの心の働きを描き出すことだ。システム内に構成された自己モデルと事物の表象の間に注意スキーマを設定しように、自己モデルを他者モデルに置き換え、事物の表象と他者モデルの間に注意スキーマを設定するなら、それは即座に、他者の心の働きをモニターし、他人の心を推測する力となるだろう。すなわち、それは心の理論そのものだ。つまり他者に対して、自己モデルに対するのと同様、注意スキーマを構成できないという、能力の欠落が、サリー・アン課題を正解に導けない理由とされるわけだ。

「メタバース＝意識モデル」は、欠落ではなく、ある種の過剰として、サリー・アン課題がクリアーできない理由を説明することになる。なぜならそれは、ゲームをしている仮想世界の内側と外側の混同と同じく、特定の仮想世界の内側に外側が無際限に入り込むことで生じると考えられるからだ。自閉症スペクトラムの人たちは、他人の心の働きが推測できない、モニターできないのではなく、他人の立場を構想可能と仮定しよう。従って、サリー・アン課題を聞いて、サリーの立場を構想可能であり、バスケットAに人形を入れたサリーは、バスケットBに人形が移動されたことを知らないことも理解できる。ここでは、サリーの立場の仮想世界は、バスケットや人形といった事物のモデル、サリーという他者モデル、両者をつなぐ注意スキーマで構成されている。課題として聞いた世界の中の、さらに限定的な仮想世界が、このサリーの立場の仮想世界である。ただ、おそらく自閉症スペクトラムの人たちは、この限定的な仮想世界における無際限さの流入が、過剰なのだ。だから、サリーの立場の仮想世界における、サリーという他者モデルの構築に、人形やバスケットの構築に、そして注意インターフェースの構築に、イメージと性格の、不断のマッチングが進行し、「サリーの立場の仮想世界」外部が侵入してしまう。ここでの外部とは何か、それはサリーの知らない、バスケットBに入った人形の知識である。こうして、限定的仮想世界の外部が内部に侵入し、混同されることで、「サリーは、人形がバスケットBに入っているという知識を持っている」といった認識が形作られることになる。

ところで、ここでは、自閉症スペクトラム者が、他人の立場を構想可能と仮定し、少なくとも、自己モデル同様、他者モデルについても注意インターフェースを構築しようとすると仮定したが、この仮定によって初めて理解可能となることがある。それは、自閉症スペクトラム者の一部に顕著に見られる（もしかすると大部分かもしれない）、他者に対する興味、コミュニケーションを取りたがる傾向性だ。とりわけ成人女性で自閉症スペクトラムが認められる人たちは、他人を物のように位置付けながら、同時にコミュニケーションを取りたがる傾向を持つ。(24) それは一見矛盾したことのように思えるが、「メタバース＝意識モデル」では、むしろ説明可能となる。他者の心を理解しようとする傾向は強いため、自分の仮想世界＝自分の認識する世界、の中に、他者のモデルに定位した限定的仮想世界を作ろうとはする。しかし、そこでも、その限定的仮想世界外部、すなわち自分の認識する世界、が浸潤するため、人間ではない物に満たされた世界、物の性格が、他者のモデルに入り込んでくる。こうして、論理的に割り切れる形で、まるで事物のように他者を認識しながら、他者にコミュニケーションを取りたがる傾向の、一見矛盾した共立が現れると考えられる。

以上のように、「メタバース＝意識モデル」は、サリー・アン課題が正答できない理由を、心の理論の欠如、もしくは、他者に関して注意スキーマを構成できないという欠如に求めるのではなく、注意スキーマを構成することは可能だが、その構成が過剰であることに求めるのである。それは全く逆の見解になるが、その違いの由来は、ただ一つ、モデル構築における無際限さを考慮するか、否か、によるのである。

5　身体にとどまるな

メタバースは、仮想空間と現実空間の双対性を前提にした、もう一つの世界を提供しようとする。もはや日常の一部とすらなったSNSの延長線上に、メタバースは位置付けられ、大きなビジネスチャンスだと、多くの企業が参入を始めている。私は、そういう意味でのメタバースにはあまり興味がないのだが、メタバースは、これを通じて我々が、世界の外部を知るきっかけになるのではないか、と微かに期待している。

哲学は、思弁的実在論や新しい実在論を唱え、現象学の示した「わたし」の認識する世界外部の存在を示したところで、手をこまねいて、立ち止まってしまったように思える。[25] それどころか、多くの者は、認識世界の外部（第7章でも外部と言ったもの）と、認識世界内で想定される括弧付きの外部（第7章で外側と言ったもの[26]）を混同し、括弧付きの外部と立ち向かう身体の問題に留まろうとしている。

なにしろ我々は、脳が作り出す仮想世界の中に生きていて、それ以外知りようがないと思えるから、その外部など存在せず、その仮想世界だけで完結していると信じることは、極めて自然なことだ。それが端的に現れるのが、マインドアップロードを標榜する者たちの[27]、意識モデルだ。注意スキーマ理論は、その典型的なモデルとして本稿で取り上げたもので、脳の作り出す仮想世界をモデル化している。それは、仮想世界でありながら、その外部の現実世界が存在しないと想定される特殊な仮想世界である。しかし、本稿で述べたように、その特殊性は、現実を忘れて勝手に作り上げた仮定に過ぎない。脳が自らの仮想世界を作り出す物質過程は、無際限の制御不能な境界条件に晒され続けて進行する。つまりその仮想世界は、無際限を生み出す現実世界、しかし決して直接アクセスできない現実世界を、仮想世界外部に潜在させているのである。

アクセスできない現実世界を潜在させた仮想世界、それを忘れることで成立する意識のモデルは、計算の無際限さを伴わないが故に、計算可能となる。全ては、「わたし」とわたしに相関する事物（現象）のみで構成された認識世界、それは、現象学的世界に一致する仮構であり、だからこそ、マインドアップロードという話になるわけだ。一度この思考様式にはまってしまうと、そこから抜

け出すのは極めて難しい。それは、外部と接続する創造とは、無縁の世界である。(28)

メタバースは、外部のない世界観から抜け出す、いい材料になり得るわけだ。アバターでメタバースに入るのは、現実世界を生きる人間だ。メタバースは、アバターという自己モデルと相関を持った事物モデル(現象モデルと言ってもいい)、それに両者を結ぶ「注意スキーマ」から構成されることで、まさに注意スキーマ理論に対応する意識モデルと見做すことができる。この文脈において、しかし、メタバースは、注意スキーマ理論が考慮しなかった、計算の無際限性に開かれている。注意スキーマ自体を人間が担うことで、潜在する現実世界、潜在する外部は、誰もが理解可能だろう。だから、メタバース＝意識モデルは、外部へ抜け出す契機となるのである。

ここまでの論述によって、もはや明らかだとは思うが、第1節の最後に述べたマインドアップロードが意味を失う理由について、述べておこう。「メタバース＝意識モデル」では、注意スキーマはプレイする「わたし」であった。このとき初めて、無際限さに開かれた現実の脳の注意スキーマを、実装できたのである。この「わたし」を切り捨てることで、注意スキーマ理論は成立し、だからこそ計算可能となって、マインドアップロード可能となる。つまりここに、「わたし」を切り捨てたからこそ、わたしのマインドアップロードが可能となる、という端的な矛盾が見出せる。この意味で、マインドアップロードは、意味を失うのである。

無際限さを伴う注意スキーマ理論としてのメタバースは、オリジナルな注意スキーマ理論と違って、創造的な可能性がある。一見閉塞的に見える漫画やアニメは、無際限さに開かれ、外部に接続しているが故に、二次創作という文化を開いた。閉塞的に私を没頭させたゲーム世界も、現実と接続しているが故に、「ゲーム世界に生きていた」という記憶を作り出した。メタバースは、もう少し強い衝撃を我々に与え、硬直した計算可能な世界にとどまる地点から、我々を抜け出させてくれる可能性を持つのである。

註

(1) Lee, L-H., Braud, T., Zhou, P., Wang, L., Xu, D., Lin, Z., Kumar, A., Bermejo, C., and Hui, P. (2021) All One Needs to Know about Metaverse: A Complete Survey on Technological Singularity, Virtual Ecosystem, and Research Agenda, *arXiv* 2110, v3.

(2) グラツィアーノ、マイケル(2022)『意識はなぜ生まれたか――その起源から人工意識まで』鈴木光太郎訳、白揚社。

(3) 『ピクミン』は、後にシリーズ化され、『ピクミン2』、『ピクミン3』、『Hey! ピクミン』などが発売される。

(4) 『塊魂』は、後に、『みんな大好き塊魂』など続編が登場する。二〇〇四年に発売され、ゲームソフトとして初めてグッドデザイン賞を受賞する。

(5) 郡司ペギオ幸夫(2019)『天然知能』(講談社選書メチエ)および、その続編とでもいうべき、郡司ペギオ幸夫(2020)『やってくる』(医学書院)では、共立できない二項(問題と解答など)が、見出され、両者を接続しようとしながらこれを果たせない運動が進行するとき、二項を想定する枠組みの外部がやってくる、と述べる。すなわち、天然知能とは外部を召喚する受動の能動的仕組みであると唱える。これを藝術や創造性に特化して論じたものが、中村恭子+郡司ペギオ幸夫(2018)『TANKURI――創造性を撃つ』(水声社)である。

(6) 『天然知能』や『やってくる』(註(5)参照)における外部を召喚する仕組みを、肯定的・否定的アンチノミーを用いてより明確に構造化したものに、本書第3章および以下がある。浦上大輔+郡司ペギオ幸夫(2021)『セルオートマトンによる知能シミュレーション――天然知能を実装する』オーム社。

（7）特に、肯定的・否定的アンチノミーと量子論の関係については、Gunji, Y-P., and Nakamura, K.（2022）Psychological Origin of Quantum Logic: An Orthomodular Lattice Derived from Natural-Born Intelligence without Hilbert Space, *BioSystems* 215-216, 104649.

（8）言葉が、有限の確定記述で確定できることを否定した論考としては、クリプキ、ソール（1985）『名指しと必然性――様相の形而上学と心身問題』八木沢敬＋野家啓一訳、産業図書。

（9）カエルの段階での注意スキーマは、自己モデルが存在しないため、本来の意味での注意スキーマ（対象モデルと自己モデルを接続する内的モデル）になっていないが、ここでは注意を制御する内的モデルとして示されている。グラツィアーノ、マイケル（2022）（前掲書・註（2））、38-41を参照。

（10）上丘の役割を調べる実験については、Stein, B. J., Rowland, B. A.（2020）Neural Development of Multisensory Integration, In: *Multisensory Perception, from Laboratory to Clinic* (Sathian, K., Ramachandran, V. S. eds.), Academic Press.

（11）巻末の付録として、「わたしがリンゴを意識している」をもたらすモデルを提示している。グラツィアーノ、マイケル（2022）（前掲書・註（2））、241-255。

（12）チャーマーズ、デイヴィッド・J（2001）『意識する心――脳と精神の根本理論を求めて』（林一訳、白揚社）では、因果関係のネットワークにおける最終到達位置にある「気付き」までの意識的働きと、心理学的意識、その埒外にあって主観的感覚（クオリア）を伴う意識の働きを、現象的意識として区別し、後者は現代の科学で解明できないだろうと論じた。その意味で、前者に関する意識の問題をイージープロブレム、後者の問題をハードプロブレムと位置付けた。

（13）実体との関係づけに関して還元不可能であることから、不可能問題が作られると考え、ハードプロブレムではなく、メタプロブレムであると論じている。グラツィアーノ、マイケル（2022）（前掲書・註（2））、134-141。

（14） このような外部からの浸潤が「やってくる」構造こそ、天然知能である。郡司ペギオ幸夫（2019）（前掲書・註（5））。

（15） グラツィアーノにおける注意スキーマは、身体スキーマと比較されているが、運動制御だけではなく、身体の部分を部品として意識する身体イメージをも併せ持つ概念と考えられる。実際、註（17）にある身体操作感と身体所有感は、身体運動を自覚する意識、身体を所有しているという意識であり、各々、身体スキーマ、身体イメージの自覚的記述に対応しているとも考えられるが、身体イメージが肯定的指示であるのに対し、身体所有感は、たとえ問題とする身体が、身体全体ではなく、手など部分であっても、指示ではなく、その丸ごとを不可避に受け入れる感覚であり、概念的に、身体イメージとは異なるものと考えられる。その意味で、注意スキーマは、身体所有感に対応するような、不可避な丸ごとの「わたし」は、俎上に載せていないと考えられる。グラツィアーノ、マイケル（2022）（前掲書・註（2））、151-153。

（16） 身体スキーマは多くの場合、身体図式と訳される。Head, H. M. D., Holms, H. M. D.（1911）Sensory Disturbances from Cerebral Lesions, *Brain* 34(2-3), 102-254.

（17） 身体操作感、所有感に関しての最近の実験的研究については、Ehrsson, H. H.（2020）Multisensory Process in Body Ownership In: *Multisensory Perception*（Sathian, K., Ramachandran, V. S. eds.）（前掲書・註（10）参照）。

（18） Minoura, M., Tani, I., Ishii, T., and Gunji, Y-P.（2019）Observing the Transformation of Bodily Self-consciousness in the Squeeze-machine Experiment, *Journal of Visualized Experiment* 145 および、Minoura, M., Tani, I., Ishii, T., Gunji, Y-P.（2020）Squeezed and Released Self: Using a Squeeze Machine to Degrade the Peri-Personal Space (PPS) Boundary, *Psychology of Consciousness: Theory, Research, and Practice* 8(3), 248-257 では、動かない身体によって生じる、受動的、否定的な、受け入れざるを得ない身体の所有感を問題にしている。

（19） 人工的神経回路網における神経細胞については Rumelhart, D. E., McClelland, J. L., and Group PDPR.（1986）

Parallel Distributed Processing, vol. 1 and 2, MIT Press.

（20） 現実の神経細胞内の複雑さと細胞間の複雑さの相互作用を考慮する議論は、注意の選別（収縮）と弛緩が起こり、それによって意識がもたらされるという議論へとつながる傾向にある。例えば Arecchi, F. T.（2004）Chaotic Neuron Dynamics, Synchronization and Feature Binding, *Physica A* 338(1-2), 218-237 や Dehaene, S., Changeux, J-P.（2011）Experimental and Theoretical Approaches to Conscious Processing, *Neuron* 70(2), 200-227 および Gunji, Y-P., Shinohara, S., Haruna, T., and Basios, V.（2017）Inverse Bayesian Inference as a Key of Consciousness Featuring a Macroscopic Quantum Logic Structure, *BioSystems* 152, 44-65.

（21） これら内部モデルが、無際限さと共にあることの一つの表現が、量子力学を用いなくとも現れる認知科学における量子論である。それについては、Gunji, Y-P., and Nakamura, K.（2022）（前掲論考・註（7））と共に、Gunji, Y-P., and Haruna, T.（2022）Concept Formation and Quantum-like Probability from Nonlocality in Cognition, *Cognitive Computation* 14, 1328-1349 を参照。

（22） Baron-Cohen, S., Leslie, A. M., and Frith, U.（1985）Does the Autistic Child Have a "Theory of Mind"?, *Cognition* 21(1), 37-46.

（23） グラツィアーノにおけるサリー・アン課題の話題（グラツィアーノ、マイケル（2022）（前掲書。註（2）、73-74 を参照）では、カラスやチンパンジーがこの課題を解けるという議論を紹介している。

（24） 自閉症スペクトラム者の持つ積極的なコミュニケーションへの興味については、内海健（2015）『自閉症スペクトラムの精神病理——星をつぐ人たちのために』（医学書院）や、前川美行（2017）「自閉症スペクトラムのイメージ表現の変容——ランドマークの出現と「私」の生成」（『箱庭療法学研究』30（1）、17-29 に詳しい。後者は、自閉症スペクトラム者の「外部」に対する感覚を示している。

（25） 思弁的実在論については、メイヤスー、カンタン（2016）『有限性の後で——偶然性の必然性についての試論』（千葉雅也＋大橋完太郎＋星野太訳、人文書院）を、新しい実在論については、ガブリエル、マルクス（2018）『なぜ世界は存在しないのか』（清水一浩訳、講談社選書メチエ）を参照。

（26） 外部と括弧付きの外部の区別は、他者と異者のような違いを有する。

（27） マインドアップロードについては、グラツィアーノ、マイケル（2022）（前掲書・註（2）、219-224）に詳しいが、生物学的にオリジナルな「私」とコピーされた私に関して、様々な言い回しをして、その意味を曖昧にしている。知識のある人間の心をアップロードすることで、人類の知的進化に貢献するといった機能的側面をも強調する。

（28） Gunji, Y-P., and Nakamura, K.（2022）Kakiwari: The Device Summoning Creativity in Art and Cognition. In: *Unconventional Computing, Philosophies and Art*（Adamatzky, A. ed.）, World Scientific.

第9章 「砂山／砂粒集合体」トラウマを生きる真生粘菌

1 はじめに

菌類は、異質なものが総動員して働く場を創り出し、その中でも化学反応など論理的に認識できる過程と、その外側にある認識できない過程を繋ぐインターフェースとなって、異質なもののコミュニケーションの場となる、ようにも思える。しかし、もし、そのように考えるなら、それは、認識可能な自分たちのこちら側と、理解できないが既に認識できるあちら側とのコミュニケーションの場を構想するだけで、想定外に存在する徹底した外部（これはもちろん、第7章で述べた外側、外部の区別の意味での外部である）については、理解を妨げるものとなるだろう。これに対して、菌類の一つ真生粘菌は、外部を受け入れる装置の構築に、重要なメタファーを提供してくれる。外部と言われてピンと来ない読者はたくさんいるだろうし、逆に早わかりして（それは外部を外側とみなすことだ）、そういうことは誰でも考える問題だとする読者もいるだろう。そのような読者のために、まず創造の話から始めよう。

造形作家の二藤建人の個展で、同氏と美学者の粟田大輔と三人で鼎談したときのことだ。(1) 私は、受動と能動を共立させ、その記憶を担保しながら受動と能動を共に捨て去ることで、受動／能動を共に肯定するアンチノミーと、共に否定するアンチノミーが共立し、それが外部を召喚する装置として機能する、と唱えた。流石に藝術に携る者は勘所がある。粟田は、コンタクト・インプロビゼーション[2]を、現代舞踊家が練習に取り入れる話を説明してくれた。二人のダンス初心者が、体のどこかを絶えず接触させながら踊り続ける。最初は肩同士が、引き続き背中と掌、といった具合に、絶えず二人はどこかで接触しながら踊り続ける。この訓練が十分になされた後、二人は各々独立に一人で踊ることになる。そうすると、その人は、風が吹いているわけでもないのに、空気に突き動かされ、しかし傍目から見る限り能動的に、踊ることができるというのである。

　まさに、コンタクト・インプロビゼーションは、受動・能動に関する、肯定的および否定的アンチノミーの好例だ（本書では何度か取り上げたが、復習の意味でもう一度言うことにする）。当初、初心者は先ほど受動、いま能動といった具合に間断なく受動と能動の交代を感じるだろう。しかし、接触を維持したダンスに十分熟達すると、常に受動と能動が同時進行するような、そういった感覚を感じることになる。ここに、受動と能動が分離できず、常に一体となって受けいれられる、「受動／能動」肯定的アンチノミーが成立することになる。受動、能動は二項対立的であると定義されるため、両者の共立は矛盾（アンチノミー）となるわけだ。この直後、ダンサーは一人になる。ここがポイントだ。ここには接触を通じての受動も能動もない。だからこそ、受動も能動も否定され、「受動／能動」否定的アンチノミーが成立する。ただしこの状態において、肯定的アンチノミーが解消されたわけではない。練習によって獲得された肯定的アンチノミーは体が記憶している。だからこそ、一人になったとき、肯定・否定の両アンチノミーが共立することになる。このとき初めて、

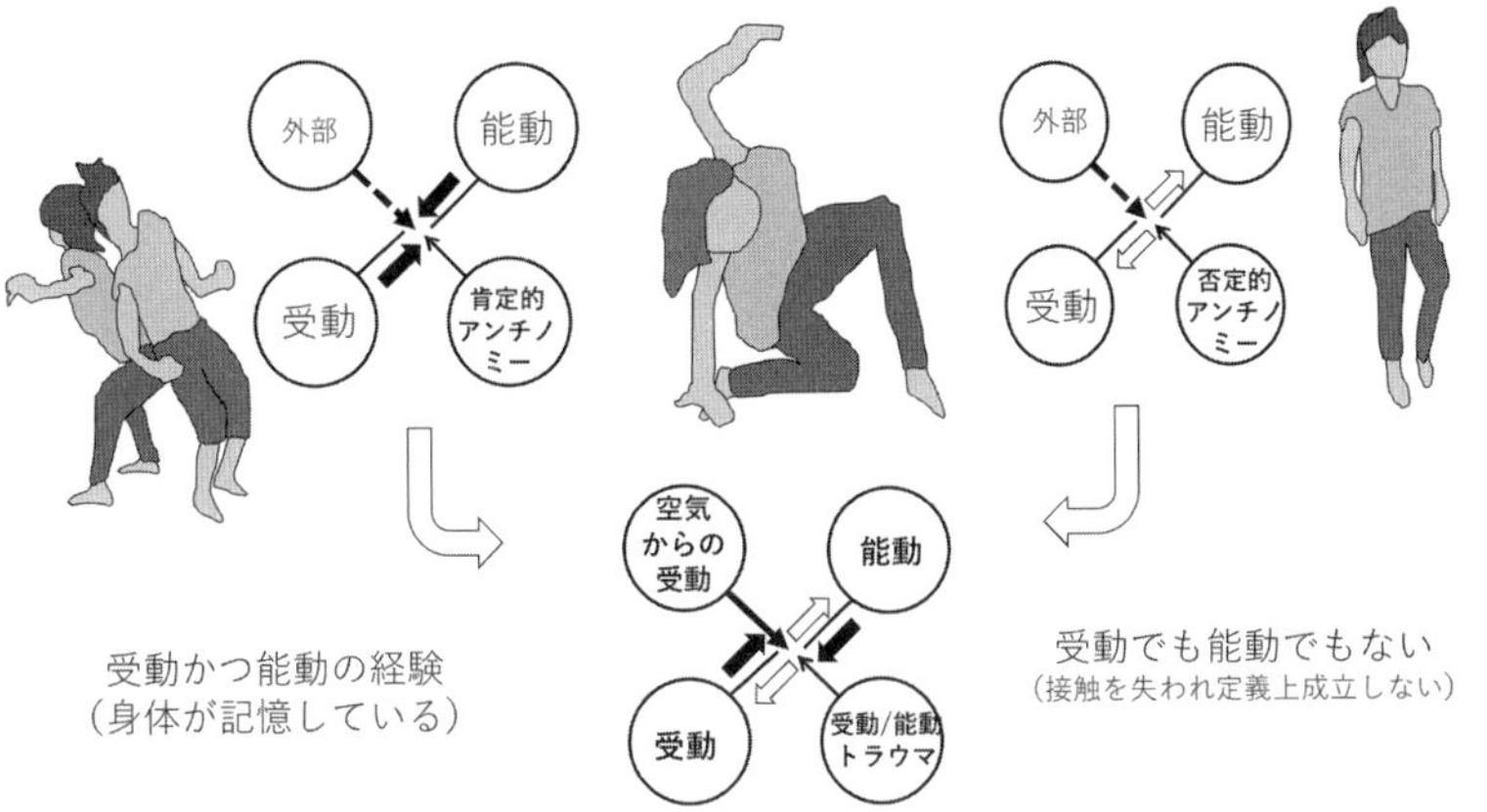

図9—1　コンタクト・インプロビゼーションに現れる受動／能動トラウマ

接触を通じて定義される受動、能動とは全く異なる、「空気に動かされる」受動＝能動が、やってくる。これこそ、想定されたものの「外部」がやってくる瞬間だ（この状況は、西・三輪の提唱する「てあわせ」でも実現されていると考えられる[3][4]）。

この状況を**図9—1**に示そう。図9—1には三つの図式（天然知能図式[5][6][7]）が示されているが、その各々にある右上と左下の円には、二項対立を成す受動と能動が記されている。各図式の右下には、その受動・能動の関係を媒介するものが記されている。左の図形は、能動・受動を共に認める肯定的アンチノミーを示すため、受動・能動は中央に吸引されている。右の図形は、能動・受動を共に退ける否定的アンチノミーを示すため、受動・能動は周辺へと追いやられている。肯定的・否定的アンチノミーを共立させる構造が、ここでは「受動／能動」トラウマと呼ばれている。肯定的アンチノミーのみ、否定的アンチノミーのみでは決して召喚されない外部が、両者の共立するトラウマ構造において初めて呼び込まれる。それを表す図が図9—1下段にある図形である。トラウマと呼ぶ理由は、本稿の最後に述べよう。

コンタクト・インプロビゼーションは、「外部」に対する我々の多くの誤解を払拭してくれるはずだ。初心者であるダンサーが、接触を通じて踊る相手は、通常、他者であり外部であると考えるだろう。そのような他者と滑らかに、受動・能動が融合したかのように踊れるようになる。このとき、理解できなかった他者と理解し合え、他者（第7章の意味で、本来は外部にいるが、ここでは外側に位置づけられる）と「わたし」は通じ合い、完結した世界が立ち上がる、というわけだ。ところが、そこで考えている他者は、あらかじめ認識され、これと接続しさえすれば問題は解決すると想定されるカッコつきの他者に過ぎない。そういうものを、本稿では外部や他者とは呼ばない。外部とは、一人になったときに現れる、知覚されなかった、「わたし」を動かす空気であり、接触と無関係な受動・能動である。受動と能動の融合で良しとする者は、想定された受動・能動の外部まで召喚できることを決して知ることがない。それをわからない者は、創造に立ち会えない者であり、真の意味での他者を知らない者である。

2 真生粘菌と砂山のパラドックス

真生粘菌は、複数の核を持ちながらも一個の細胞であり、簡単に掌大にも広がる、肉眼で見ることのできる巨大細胞である。細胞の内部は流動する原形質で満たされているが、それ以外にも細胞骨格と呼ばれる物質がその中に含まれている。ただしこの細胞骨格が、袋状の細胞を内側から支え、ある場合には管状の構造を作り出し、まるで血管系のように、原形質を高速で輸送する。(8) こうして粘菌は、細胞骨格を含む原形質によって、一個の全体を維持しながら、変形し、運動する。部分である原形質が生きている全体を構築し、一個の全体のために、部分の構造がその都度、形成され、配置され、壊されては再配置される。この部分と全体の関係を、ここでは砂山のパラドックスを出発点としながら議論し、冒頭述べた、そして本書の核である、肯定的・否定的アンチノミーの共立を、まさに真生粘菌が体現している、という議論を展開しよう。[9][10][11][12]

砂山のパラドックスとは次のようなものだ。まず膨大な、しかし無限ではない砂粒から成り立っている砂山を考える。砂山は砂粒から構成されていると考えているので、両者は全体と部分の関係にあり、異なる概念である。これが第一の仮定である。ここで砂山から砂粒を一粒取り除く操作を考える。砂粒の大きさに比して砂山は圧倒的に大きいため、砂粒一つを取り除いても砂山であることに変わりはない。従って、砂山から砂粒を一粒とっても依然として砂山である、と考えられる。これが第二の仮定である。通常の我々の生活を顧みる限り、二つの仮定は自然なもので、共に成り立つと考えて支障がない。

ここで砂山から砂粒をひたすら取り除き続けるという操作を考えてみる。これは通常の時間感覚からは想定できない操作であるが、原理的には成立するだろう。このとき、先の第一の仮定と第二の仮定とが矛盾する。砂山が皿の上の小さな小山ほどになり、一粒の砂粒を取っても砂山は砂山である、と言わなければならない。この操作はとうとう砂粒二粒となり、そこから一粒取り除いても、第二の仮定から依然として砂山だと言わなければならない。しかしもはやそれは一粒の砂粒であり、これを砂山と言うことで、砂粒を砂山と見なすことになる。これは第一の仮定に矛盾する。こうして砂山はパラドックスに見舞われる。

砂山のパラドックスは、接続する現実をどのように取り扱っていくか、その処方箋を与えるものと考えるべきだろう。ここではそれを生命の現実、として捉え直そう。つまり砂山を全体、砂粒を部分と捉え、両者を無関係で独立なものとは考えない。部分の集まりとして全体を成し、全体が成立することで部分が部分として意味を持つ。このとき、砂粒の数と無関係に（部分とは無関係に）勝手に砂山（全体）を規定することはできない。それが砂山のパラドックスの意味するものとなる。パラドックスは、部分と全体の補完関係が一粒の砂粒＝砂山では成り立たない、ことを意味することになる。一個の砂粒（部分）は全体となり、部分の意味を失うからだ。いや、それ以前に、ある程度少数の砂粒から成る砂粒集合体は、もはや砂山を成さないのだろう。ある明確ではない数以上でないなら、部分と全体の補完関係を成す砂山は成立しないと想像することが自然だから。読者の多くはこう思うかもしれない。これを生命の全体性という議論に引きつけて考えるなら、たとえば、個体数がある数に達した群れは、部分と全体の補完関係を劇的に成立させるのではないか。しかし、そのような議論は、部分と全体の補完関係それ自体を不問に付してしまう。現象として数により劇的な変化はありそうだが、その原因は「わからないが内在する」とされてしまうからだ。

＊＊＊

砂山のパラドックスに部分と全体の補完関係を見出すとき、パラドックスの問題は、真生粘菌の問題となる。原形質を離散化して砂粒のようなものだと考えよう。多数の砂粒から構成されるということが砂粒（部分）からみた真生粘菌ということになる。砂山とは、全体性、つまり一つにまとまった統一体のこととなる。ここで部分と全体の関係を、操作と状態の関係に置き換える。まとまっている砂山が砂粒から構成されている様子は、砂粒の位置を移動させることで可視化される。

一つにまとまった砂山（もはや砂粒の数は一〇粒以下の少数で構わない）が与えられ、砂粒を移動させ続ける。ただし砂粒が原形質のように、すなわち液体のように動くように、砂粒の動きは連鎖的に動くように考えよう。この動きを簡単に実装するために次のように仮定する。砂山の周囲にある外気を、砂粒と同じ大きさの泡で満たされたものと考える。その上で、周囲の泡を一つ選び、泡と隣接する砂粒の位置を入れ替えていくのである。すなわち、泡が砂山の中を通り抜けることで、砂粒は動いていくことになる。これが状態としての砂山と、操作としての砂粒になる。砂山の外に立っている全体を見渡す人が、砂粒の移動を実現するなら、砂山の全体性を維持しながら砂粒を移動することは可能だろう。人は砂山の全体を参照し、山が壊れないように砂粒と仮想的な泡の位置を入れ替え、砂粒を移動させせられるからだ。

「砂粒を一粒とっても依然として砂山である」といった都合のいい現実性は、「砂山において砂粒を移動しても、常に動かした砂粒が、砂山から分離されることなく、砂山の他の砂粒と接続するように移動できる」ことを意味することになる。人が砂粒を操作する場合、その部分と全体の補完関係は、人が実現することとなる。しかし、現実性は、都合のいいものばかりではない。それが、「砂粒を一粒ずつ、際限なく取り続けること」である。いまや砂山は、部分と全体の補完性のみを問題にしているのだが、ここでは際限なく取り除くという、山の外部へ捨て去ること、すなわち外部の関与を意味している。かくして「際限なく取り続ける」砂粒の現実性は、「砂粒への外部の際限なき関与」であり、砂粒を操作として定義する限り、「砂粒をランダムに動かすこと」と置き換えることができる。ランダムとは、決定論的操作の外部にあるものだからだ。それは、泡と砂粒の位置をランダムに置き換え続ける操作になる。

かくして、「際限なく取り続けること」＝「砂粒をランダムに動かすこと」によって、パラドックスが現れる。それは部分と全体の補完的関係の破綻として現れる。一つだった砂山は、ランダムに砂粒を動かすことで、あっと言う間にバラバラになってしまう。侵入する泡は砂山を縦横に切り裂き、小さな砂山の断片を生み出し続けるからだ。さて、このようにパラドックスを前提にした上で、都合のいい現実、生命の現実を逆照射してみよう。砂山を壊さないで砂粒を移動させる人は、一体、何をやっていたのか。それはつまり、人の代わりに実現される部分と全体の補完関係とは、何を実現しているか、を示すことに他ならない。

ここで、一粒分動いた砂粒、すなわち泡と入れ替えられた砂粒は、しばらくの間、動かないと仮定しよう。この仮定だけで、実は砂山は壊れない。砂山の外周付近にある砂粒が一粒分、動いたとしよう。まだその砂粒は一部で他の砂粒に接している。もし動いた砂粒がそれ以降も動けるなら、侵入した泡がどこかを迂回した後、再度、その砂粒の方へ戻って砂粒を動かすことが可能となる。こうして、その砂粒は他の砂粒から離れ孤立していき、砂山は崩壊することになる。ところが、泡との位置の交代によって一粒分だけ動き、それ以上動けなくなるなら、砂山は少し変形しながらも砂粒間の連結を壊さず、砂山として一体であることを維持し続ける。一度動いた砂粒は停止し、自由に動ける砂粒で構成された流体のような砂山の中に、徐々に成長する「部分的」砂山（動けない砂粒の塊）を形成することになる。この部分的砂山の周囲で動ける砂粒は一粒分だけ動き、「部分的」砂山を成長させる。つまり、内部に動けない部分を持ちながら、砂山は変形することになる。かくして砂山は、アメーバのように変形しながら移動することになる。

その変形は、外周の形を変形させるだけではない。一粒分の動きは三次元的で、砂粒の重なりも許すから、砂山内部に穴を作り出すことも可能だ。穴はひとつとは限らない。複数の穴があき、穴が砂山内部で成長するなら、砂山はもはや網目状の構造、ネットワークになるだろう。それでも網目が壊れ、一繋がりであるという構造が壊れることはない。そこには「部分的」砂山が本質的な役割を果たす。網目構造の中の、山の一部と、他の一部をつなぐ線状構造ができたとする。それは、線状構造の両側の砂粒が移動することで形成された線状構造であるから、その線自体はまだ動いていない。ここで、線状構造の中間あたりから泡が侵入したとする。泡と位置を入れ替えた砂粒は山の方へと移動し、線状構造は切断されることになる。しかし真ん中で切れ、枝状構造となった線がそれ以上切れて断片になることはない。枝の先端から泡が入れば、泡は砂山本体の方へ移動し、泡と砂粒は位置を入れ替えて、砂粒は先端方向へと移動する。このとき、泡が枝の先端と根元を行き来し、枝の外へ抜けていくなら、枝はさらに切れるだろう。ところが、「一度動いた砂粒は動かない」という「部分的」砂山の効果により、泡は一方向にしか動かない。だから、変形しながらも砂山の全体は枝の先端方向へと移動し、切れることがない。逆に、どこかから侵入した泡が枝の先端から排出されれば、枝は砂粒一個分だけ縮む。この場合にも、砂山本体から枝に侵入してきた泡は、「部分的」砂山の効果により、枝の根本から先端へと一方向にしか動かない。だから、枝は途中で切れることなく、縮むのである。結局、先端を持つ枝はいずれ縮退し、砂山の全体性は守られることになる。

停止した砂粒は、いずれ動くことが可能となる。つまり「部分的」砂山はリセットされ、全て動くことが可能となり、再び砂山の周囲を満たす泡が選ばれ、砂山内部を通過することで砂粒が動き、停止し、「部分的」砂山を形成する。この繰り返しによって、アメーバ運動が実現し、ネットワー

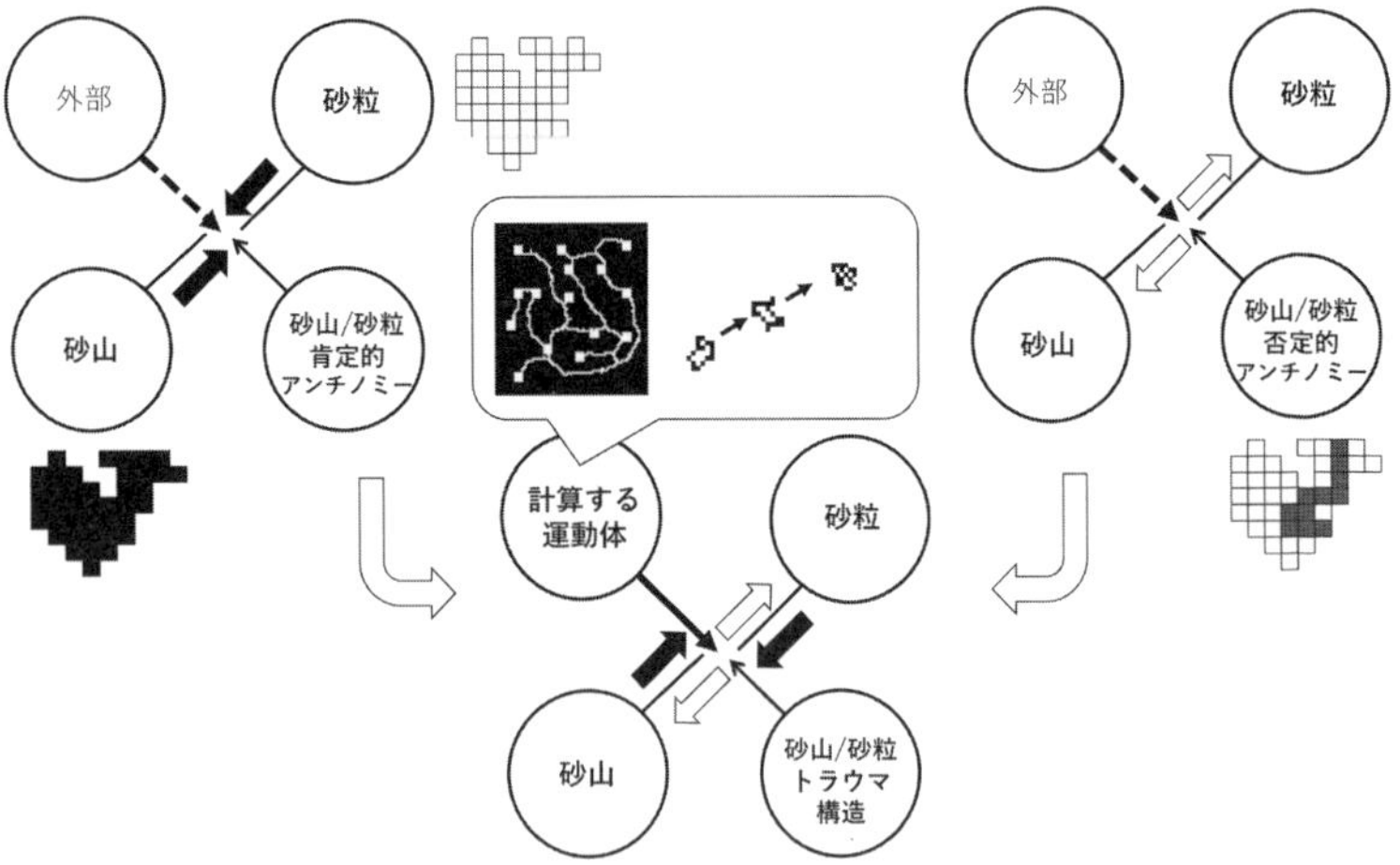

図9—2　真生粘菌に現れる砂山／砂粒トラウマ構造

ク形成が実現されるのである。

3　トラウマ構造としての「部分的」砂山

砂山は、こうして、思いもよらないダイナミックな運動体となる。ある場合には、アメーバのように運動し、ある場合には、網目構造を形成する。その駆動力は、部分的「砂山」である。この「部分的」砂山に、冒頭述べた、肯定的および否定的アンチノミーの共立が見出される。

受動と能動が二項対立的だったように、砂山（全体）と砂粒（部分）は本来、二項対立的である。その意味で、砂粒と砂山は、天然知能図式の右上と左下に位置付けられる。現実の中で、砂粒を移動させながら砂山という全体を維持する。それは、砂山であることと砂粒であることを同時に満たしている。そして、このとき出現したものが砂山のパラドックスだった。つまり砂山のパラドックスは、「砂粒／砂山」肯定的アンチノミーを体現するものの一つと考えられる（**図9—2**上段左図）。

では絶えず形成される、「部分的」砂山はどうだろうか。これもまた明らかに、砂山でありながら砂粒であると言えるだろう。もはや動けないことの集合体として全体性を担保する砂山でありながら、絶えず砂粒が付加されていくことで、その砂山が砂粒で構成されていることを明示している。だから、「部分的」砂山もまた、「砂粒／砂山」肯定的アンチノミーを実現している。ところがちょっと視点を変えると、「部分的」砂山は否定的アンチノミーも満たしている。砂山とは全体性の体現者であり、全体とは定義上、外部を存在させてはいけない。にもかかわらず、「部分的」砂山は、その周囲に移動可能な砂粒を配しており、外部が存在する。この意味で、「部分的」砂山は、砂山ではないと言える。また、「部分的」砂山に砂粒を肯定的に見出すとき、それは運動する砂粒が砂山へと吸引される動態に注目していると言える。ところが同じものを、砂粒が動かなくなる点に注目してみるなら、それは動けないことで砂粒の意味を失っていると言える。つまり「部分的」砂山に砂粒の否定を見出すことになる。こうして「部分的」砂山には、「砂粒／砂山」肯定的アンチノミーと、同じく否定的アンチノミーの共立を見出すことになる。

砂山のパラドックスから出発した本章の議論は、真生粘菌に対する一つの見方である。しかし真生粘菌は明らかに、砂山性、砂粒性を持ち、「部分的」砂山を有している。第一に、単細胞で常に一個の全体を有しているという意味で砂山であった。第二に、流動する原形質から構成されているという意味で砂粒であった。そして、第三に、原形質内の細胞骨格物質が化学重合して細胞骨格化＝ゲル化し、脱重合して細胞骨格分解＝ゾル化することの繰り返しによって、「部分的」砂山形成とそのリセットを実現している。こうして真生粘菌は、アメーバ運動やネットワーク形成を実現しており、その本質に「部分的」砂山、すなわち、「砂粒／砂山」肯定的・否定的アンチノミーの共立を見出せる。

かくして、本書で何度も繰り返し述べた、「受動／能動」に関する肯定的、否定的アンチノミーの共立と同じ、トラウマ構造が見出せた。これをなぜトラウマ構造と呼ぶかについて、ここでも改めて説明しよう。心的外傷という意味でのトラウマは、二項対立的状態のもつれを無意識に潜在させるものではないだろうか。津波の被害者は、端的に圧倒的な被害者であるだけにもかかわらず、生き残ってしまったという加害者意識（サバイバーズ・ギルト）を感じてしまう(13)。津波は端的に理不尽なものであり、加害者を見つけることができない。しかし、被害者となってしまった原因を見つけようとするなら、不可避的に被害・加害図式に絡め取られ、無意識にその二項対立の中を逡巡することになる。その運動は、見つけられない加害者を見つけようと、様々な文脈を総動員しながら、被害・加害のもつれを無意識の中に潜在させる。このもつれの中に、無理やり加害者意識が形成されてしまう。だから、分離し難い被害・加害のもつれという形態において、トラウマは「被害／加害」肯定的アンチノミーを有することになる。

トラウマを持つ者において、「被害／加害」肯定的アンチノミーが解消されることはないだろう。にもかかわらず、そこには癒しの可能性がある。絶望的な津波の被害に遭った人が、数年後、避けていた海を、静かに見ることができるようになったといった可能性である。そこでは、被害、加害を共に有するもつれが解消されることはないだろう。しかし、その構造を担保したまま、被害、加害の強度が脱色されることはあるのだろう。だから海が見られるようになる。この徹底した脱色の果てに、被害者・加害者意識を極力排したような、「被害／加害」否定的アンチノミーが成立する。つまり癒される者において、「被害／加害」肯定的アンチノミーと否定的アンチノミーが共立する。

癒しの可能性において、この構造をトラウマ構造と呼ぶのである。

藝術家は、本稿の意味でのトラウマ構造を有している。トラウマ構造の原型ともいうべき概念「書き割り」を共に構想した日本画家の中村恭子は、それを吐露する。(14)今回、本書カバー絵を飾る絵画も、中村の《古墳蝉》であるが、ここでは巨大な古墳に、中国で死者の口に入れる玉蝉が突入し、ミクロとマクロを共立させながら、古墳の時代によってミクロとマクロを脱色している。それは作品でありながら、作品化の過程をメタ的に表している。トラウマ構造があってこそ、自分の想定する外部を召喚し、作品を創り出すことができる。創造は、当事者のものであるから、それがどのように創造なのか、いかなる藝術的感興であるのかは、当事者しかわからない。しかし、それは、個別的でありながら普遍的である。それは外部を召喚する装置を作り、首尾よくしかし徹底的に受動的に外部を召喚する意味で、普遍的なのである。

個別的で普遍的、その対極にある態度が、全てを客観化可能とする科学主義である。科学主義は科学の先端で既知の向こう側と格闘する科学、それ自体ではない。そうではなく、でき上がったとされる既知の理論の中で、全てを組み合わせで理解し、全てを客観化しようとする枠組みが科学主義である。それは、むしろ人文学の中に広がっている。人工知能の普及により、科学主義が広く行き渡り、芸術や創造の世界に科学主義が押し寄せている。彼らは、個別的な創造の現場を理解できず、主観的、相対的なものの評価を全て退けるか、全て認めるかしかできない。こうしてある者は創造を全否定し、ある者は全てを認めて多様性という。藝術は相対的で、人それぞれというわけで、最後の一筆にこだわる、作家自身にしかわからない完成の到来を、単なる主観的こだわりと揶揄する。(15)トラウマもまた個別的、普遍的だ。藝術作品の到来と、癒しの到来は同じものだ。科学主義者は、トラウマを苦しむ者に対しても、藝術に対する態度と同じ態度をとるのだろうか。当事者における作品を、馬鹿げた主観的思い込みというのなら、そうなるだろう。真生粘菌が実現する「砂粒・砂山」外部の召喚は、生きるということが、トラウマを生き、その外部を呼び込む創造であることを教えてくれるのである。

註

（1）二藤建人『Reopening|私と世界を隔つもの』二〇二一年五月一二日－一六日、LEESAYA。

（2）Pallant, C. (2006) *Contact Improvisation: An Introduction to a Vitalizing Dance Form*, McFarland & Comp. Inc. Pub.

（3）西洋子＋三輪敬之（2016）「被災地での共創表現と共振の深化――このフィールドは、何を語りかけているのか」『アートミーツケア学会オンラインジャーナル』7、1-18。

（4）西洋子（2019）「共創するファシリテーションのダイナミックレイヤ」『共創学』1（1）、13-22。

（5）郡司ペギオ幸夫（2019）『天然知能』（講談社選書メチエ）において最初にこの四項図式を掲げたため、ここでは天然知能図式と呼ぶ。郡司ペギオ幸夫（2020）『やってくる』（医学書院）では天然知能図式の外部が「やってくる」と表している。

（6）本書第3章では、外部を召喚する装置に関して、初めて、肯定的および否定的アンチノミーの共立や、トラウマ構造という用語を用いている。

（7）天然知能図式やトラウマ構造について英語でこれを述べた論考は、Gunji, Y-P., and Nakamura, K. (2022) Kakiwari: The Device Summoning Creativity in Art and Cognition. In: *Unconventional Computing, Philosophies and Art*（Adamatzky, A. ed.),

World Scientific および、Gunji, Y-P., and Nakamura, K.（2022）Psychological Origin of Quantum Logic: An Orthomodular Lattice Derived from Natural-Born Intelligence without Hilbert Space, *BioSystems* 215-216, 104649.

（8） Valverdú, J., Castro, O., Mayne, R., Talanov, M., Levin, M., Baluska F., Gunji, Y-P., Dussutour A., Zenil, H., and Adaamtzky, A（2018）. Slime Mould: The Fundamental Mechanisms of Biological Cognition, *BioSystems* 165, 57-70 に詳しい。

（9） Gunji, Y-P., Tani, I., and Shirakawa, T.（2019）Broken Paradox of the Heap: Comment on "Does Being Multi-Headed Make You Better at Solving Problems? A Survey of Physarum-Based Models and Computations", *Physics of Life Review* 29, 44-47 では砂山のパラドックスと真生粘菌の関係について簡単に論じ出ている。

（10） Gunji, Y-P., Shirakawa, T., Niizato, T., and Haruna, T.（2008）Minimal Model of a Cell Connecting Amoebic Motion and Adaptive Transport Networks, *J. Theor. Biol.* 253(4), 659-667 の論文、Gunji, Y-P., Shirakawa, T., Niizato, T., Yamachiyo, M., and Tani, I.（2011）An Adaptive and Robust Biological Network Based on the Vacant-Particle Transportation Model, *J. Theor. Biol.* 272(1), 187-200 の論文および、Tani, I., Yamachiyo, M., Shirakara, T., and Gunji, Y-P.（2014）Kaniza Illusory Contours Appearing in the Plasmodium Pattern of *Physarum Polycepharum, Frontiers in Cellular and Infection Microbiology* 28 は、本稿で論じた議論をそのままプログラム化して粘菌のモデルを提案したものであり、その振る舞いについても論じている。これを日本語で示した著作が、郡司ペギオ幸夫（2010）『生命壱号——おそろしく単純な生命のモデル』（青土社）である。

（11） Gunji, Y-P., Shirakawa, T., Niizato, T., Yamachiyo, M., and Tani, I.（2011）（前掲論文・註（10））。

（12） Tani, I., Yamachiyo, M., Shirakara, T., and Gunji, Y-P.（2014）（前掲論文・註（10））は、粘菌における視覚的錯覚、カニッツァの三角形を扱っている。

（13） 宮地尚子（2020）『トラウマにふれる』（金剛出版）および、宮地尚子編（2021）『環状島へようこそ——トラウマのポリフォニー』（日本評論社）。

（14） 中村恭子＋郡司ペギオ幸夫（2018）『TANKURI——創造性を撃つ』（水声社）。特に、中村恭子＋郡司ペギオ幸夫（2020）「書き割り少女――脱創造への装置」『共創学』2(1), 1-12. Nakamura, K., and Gunji, Y-P.（2020）Entanglement of Art Coefficient or Creativity, *Foundations of Science* 25, 247-257 や、Nakamura, K.（2021）De-Creation in Japanese Painting: Materialization of Thoroughly Passive Attitude, *Philosophies* 6(2), 35 では、自作の制作を題材に、書き割りについて論じている。

（15）ソートイ、マーカス（2020）『レンブラントの身震い』（冨永星訳、新潮社）において、数学者であるソートイは、人工知能が数学者を脅かす可能性に怯えながら、創造をインスピレーションの賜物とする藝術家に対し、制作を神秘的に見せるための演出のようなものと捉えている。

第10章　量子論の心理学的起源

1　はじめに

第4章で簡単に量子論的認知科学に触れたが、認知における個別の意思決定が、他の個別的意思決定と相互作用するような現象は、広く知られている。それはなんらかの形で全体性が寄与する現象であると考えられてきた。そして、その説明に量子力学を用いようという学問領域が、量子論的認知科学と呼ばれるものである。ただし、第4章でも述べたように、量子力学を用いる根拠は脆弱である。[1] ここでは、量子力学と量子論理の関係を述べた後、量子論理が、天然知能から自然に導かれる過程を詳細に論じよう。[2] まず、量子力学はどのように有効で、どのように認知科学で使われるのか、簡単に述べ、量子論理について説明する。つまり、順序関係という簡単な構造を持つ集合の中で、代数操作が定義された束という構造を説明し、ある特殊な束としての量子論理を定義する。[3] その上で、量子力学からどのように量子論理が得られるかを説明するのである。

これに対し、本書で一貫して論じてきた天然知能、それも肯定的アンチノミーと否定的アンチノミーの共立によって定義された天然知能によって、量子力学を前提することなく量子論理が自然に導かれることを示す。ただし、本書で論じてきた召喚された外部が、量子論に寄与することを示すのではなく、外部を召喚する構造自体が、既に量子論理になっていることを示すのである。外部から「やってくる」[4]ある種の無際限さ、その境界条件のコントロール不可能性が担う、受動と能動の両義性と、その内部から見る観測者における自由意志、主観性、クオリアなどは、量子論的構造が受け入れるものであって、量子論自体ではないということになる。その辺りも含めて、本章で論じることになる。

したがって、本章の最後の節では、本書全体にわたって論じてきた、「わたし」のあり方、天然知能を通じて理解される「わたし」の理解と、その中で限定される量子論的認知科学を含む、論理的理解の関係についても、論じられることになる。

2　認知科学における量子力学の寄与

量子力学を、物理的実体と無関係に、単なる情報理論、数学の道具として使い、それによって、認知や意思決定の解読を試みる。それこそが、量子論的認知科学というものだ。[5]では、量子力学の何が、認知現象の解読に有利にはたらくのか。まずはこれについて概観しよう。

量子力学を用いた計算とは、複素数を係数とする線形ベクトル空間での計算であり、その計算においては内積が定義され、ヒルベルト空間が装備されている。[6]ベクトルとは空間の中に位置付けられた矢印であり、二つのベクトルから計算される内積は、ベクトル間の、つまり矢印の成す角度を計算できる。ベクトル空間というのは、互いに直交する軸から構成される空間である。我々が住んでいる三次元空間は、横の広がり方向の軸、奥行き方向の軸、高さの軸から構成され、各々の軸を、互いに直交する（そして軸に直交する）面で表すことができる。ここではこの面を便宜的に、基底面と呼ぶことにしよう。この、いわば、直交した三つの基底面に囲まれた領域が三次元空間で、この中に、矢印で状態を表現する空間が、ベクトル空間である。

ベクトルが、基底面の各々でどのように見えるか、これを評価するには射影変換を用いる。実体のある矢を想定し、この矢を次のように配置してみる。第一の基底面と第二の基底面には、矢の軸方向が平行で、第三の基底面には、矢の軸方向が直立するように、配置するのである。ここで、各々の基底面でどのように見えるかは、どのような影になるかによって評価される。ある基底面に直交する上方から光を投射すれば、影が落とされ、見えが決まるわけだ。第一の基底面に直交するように、この基底面上方から光を落とすなら、第一の基底面には矢の形そのものである影が、落とされるだろう。第二の基底面の場合も同様だ。これに対して第三の基底面には、ただの黒い点の影が落とされることになる。この落された影の長さは、射影変換したベクトルの内積を取ることで得られる。量子力学では、この落された影の長さが、見え方の確率に一致している。つまり影の長さの総和は、確率である以上、1と仮定される。ここで述べた例のように、二つの基底面では矢の長さを保存した影が落とされ、一つの基底面では点が落とされる場合、点は面積がないので確率0、他の二つの基底面では各々確率0.5となり、三つの基底面での見え方の総和は確率1になっている。

ベクトル空間上に定義された一個のベクトル（矢印）、それが、ある状態を表していると考えるわけだ。ところがその状態は、決定論的に一つに決まっているわけではなく、その「現れ＝表れ」は、確率的にしか決まらない。それが、ベクトルで表現することの意味である。簡単のために二次元ベクトル空間で考えてみる。二つの基底面は、もはや面ではなく直線となるが、一方を0－基底面、他方を1－基底面と呼ぶことにする。このとき、このベクトル空間で表現されるどんなベクトルも、0－基底面の見え方と1－基底面の見え方を確率的に含むことになる。さらに簡単に、0－基底面の見え方とは、「認識できない」、1－基底面の見え方を「認識できる」としよう。例えば、0－基底面と1－基底面の対角線に沿ったベクトル（矢印）として、「私が不安を感じる」という状態が表されているとする。これは、「私が不安を感じる」確率は0.5で、ある場合には不安を感じ、別の場合には不安を感じることがなく、その割合が等しいことを意味する。個別には、不安を感じるか、感じないかのいずれかであるが、ベクトル表現は、それを確率的な全体として表しているることになる。別言すると、ベクトルは、直交する基底面の成分を適宜、配分することで表現されることになる。

不安を感じるか、感じないかと問われれば、それは状況や気分によるのだから、常にその気分が「認識できる」などと決定できないのは、当たり前である気もする。その意味で、確率的な表現は、妥当に思える。ただし、認識できる、できない、といった意思決定が互いに直交し、任意の状態が、ベクトルの角度として表せるという仮定は、射影によって確率が計算できるとする、量子力学の枠組みを踏襲することで設けられている。そして、この、直交成分を確率的に配分して表現できる、という枠組みが、計算論的には極めて有効なのである。通常の計算なら、認識できる、できないは、同時に成立しない。ところが、量子論では、「認識できる」と「できない」を確率的に配分し、重ね合わせることができる。これが量子力学でいう状態の「重ね合わせ」である。

重ね合わせの状態を設定し、計算してから、「認識できる」と「できない」が各々どのような確率で成立するのかは、各々を射影変換して内積を取ることで計算できる。こうして、相容れない複数の状態を重ね合わせておいて、最後に各々の確率を評価するのであるから、様々な場合に分けて計算する必要はない。もし「認識できる」場合の計算をし、その後で「認識できない」場合の計算をするのなら、計算する時間は二倍かかることになるが、重ね合わせで計算するのなら、それが一度で終わる。そういうメリットが、量子力学を用いた表現にはあるわけだ。

量子論的認知科学は、第4章で挙げたような、グッピー効果[7]など、いわゆる論理積に関する誤謬を説明可能とする。もう一度簡単に説明しておくと、論理積の誤謬[8]とは、二つの事象の各々の確率よりも、両者の「かつ」をとった確率が大きくなるという問題である。二つの事象の各々の確率を0.2と0.5とすると、二つの事象が互いに独立なら、その「かつ」をとった確率は0.2×0.5で0.01と極めて小さくなる。にもかかわらず、認知現象では、「かつ」を取ることで確率が上昇する。これがなぜ、量子力学を使って計算すると説明できるのか。その理由は、事象の確率を、射影変換してから内積を取るという定義のもとで計算することに求められる。「かつ」で結ばれた二つの事象は、ベクトルの足し算にはなるのだが、確率の計算は、射影変換されたベクトルで内積を取るため、事象の内積は分配され、二つの事象の各々の確率以外に、事象の共鳴効果という余剰がつく。こうして、第一の事象の確率と第二の事象の確率の和以上に確率は上昇してしまうわけだ。

こうして、認知科学における量子力学の寄与はある程度理解できるだろう。しかし、冒頭述べたように、なぜ量子力学を用いていいのか、その物理学的根拠はない。これを解読していくために、量子力学を別な形に翻訳しておいて、それがどのように、日常的な心理、認知と直接的に関与しているかを考えることにする。これもまた第4章で議論している、束という論理構造への翻訳を考えるのだが、量子力学から直接、どのようにして量子論理と呼ばれる特定の束が得られるかを、まずは示していこうと思う。

3　量子論理のための準備

前節で述べたように、量子力学とは、複素数を係数とする、内積の定義されたベクトル空間で、ヒルベルト空間の装備されたものだ。ここから直接、量子論理と呼ばれる束を得ることができる。束とは、要素の間に順序関係の存在する順序集合で、特に、「または」と、「かつ」(9)と呼ばれる演算について閉じたものである。集合とは、単に要素の間に区別があればいい。その間に大小関係のような順序は一切求められない。これに対して、順序集合は、要素の間に、大小関係のような順序が存在する場合もある。場合もあるということは順序がつけられない場合もあるということだ。順序というのは、推移性を持つ。蟻よりコオロギが大きく、コオロギよりカブトムシが大きいなら、蟻よりカブトムシが大きい。前二つの大小関係から、蟻よりカブトムシが大きいという大小関係を引き出す論理的仕掛けが、推移性である。推移性を持つことで、局所的な順序関係は、直接順序関係が見出せない、順序に関して離れた位置にある要素についても順序関係を見出すことができる。こうして、順序集合は、論理的にグローバルな制約を持つことになる。

さらに、「または」や「かつ」という演算について閉じているという制約を担うことで、順序集合は束となる。演算が、演算を定義した集合について閉じているというのは、演算の結果得られた要素が、その集合の中に存在することを意味する。八百屋でお釣りを計算するとき、引き算という演算が使われるわけだが、折角お釣りを二円と計算しても、金庫に一円玉がなければ引き算の用をなさない。これが閉じていないということに相当する。順序集合の要素を二つとってきてその「または」を計算するという操作は、一〇〇と九八をとってきて引き算を計算する操作と同様の演算操作である。ここで二つの要素の「または」とは、いずれの要素以上の要素の中で最小の要素のことである。つまり二つの要素を自分たちと考えると、自分たちより上のもので最も自分たちに近い、手近な「上位」のモデル、ということになるだろう。同様に、手近な「下位」のモデルが、「かつ」である。

どうして、上位のモデルや下位のモデルが、「または」や「かつ」といった論理演算に対応するのか。それは順序関係を包含関係で表す場合について考えるとすぐわかる。まず、順序集合の要素を集合とする。例えば、猫、犬、猿を要素とする集合を用意する。このとき、ここから要素を集めて、いくつかの集合を作ってみる。全ての集め方を考慮すれば、八個の集合を作ることができる。各々の集合は、要素を｛と、｝とで囲んで表すことにすると、一番大きな集合が、｛猫、犬、猿｝、二個の要素を集めた集合は｛猫、犬｝、｛猫、猿｝、｛猫、犬｝となる。一個の要素だけからなる集合が｛猫｝、｛犬｝、｛猿｝となり、これに、空集合と呼ばれる要素を持たない集合が加わることになる。空集合は、一般に、∅によって表される。この八つの集合に包含関係で順序を定義して、順序集合とするわけだ。包含関係とは、含まれる小さい方の集合を下位、含む大きい方の集合を上位として定義される順序関係である。ある集合が別の集合に含まれるとは、前者の全ての要素が後者の要素になっていることを意味する。後者は、前者に入っていない要素を含むことで、前者より大きくなる。ここから、空集合より｛猫｝が大きく、｛猫｝より｛猫、猿｝が大きい、などの順序は容易に理解できるだろう。定義から、｛猫、犬｝と｛猫、猿｝との間に、包含関係は成立しないこともわかる。順序集合は、全ての要素に順序がつかなくてもいいので、前述の八個の集合も、順序集合を成しているのである。

ここで｛猫｝と｛犬｝の「または」を計算してみよう。｛猫｝と｛犬｝の両者以上の集合とは、｛猫、犬｝と｛猫、犬、猿｝の二つになるが、その中で最小のものが「または」であるから、それは｛猫、犬｝であることがわかる。つまり、この全ての集め方を網羅した集合によって、｛猫｝と｛犬｝の「または」は、和集合｛猫、犬｝になっていることがわかる。和集合｛猫、犬｝の要素は、和集合をとるもとの集合の｛猫｝または｛犬｝のどちらかの要素になっている。だから、「または」が上位の集合の中で最小のものになっていることは理解できるだろう。「かつ」についても同様に理解できる。｛猫、犬｝と｛猫、猿｝との「かつ」をとるとは、｛猫｝と∅との中で最大のものだから｛猫｝となる。これが、｛猫、犬｝と｛猫、猿｝との共通部分を意味し、｛猫｝の要素が、｛猫、犬｝の要素であり、かつ｛猫、猿｝の要素であることは明らかだ。だから、共通の下位のもので最大のものをとる操作とは、「かつ」に対応するのである。この場合、どの二つの集合をとって「かつ」や「または」をとっても、網羅した八個の集合のどれかになるため、この八個の集合からなる順序集合は、束になっていることがわかる。

「または」が和集合、「かつ」が共通部分に対応するのは、集合が与えられたとき、その全ての要素の選び方を網羅して集合を作る場合に限る。例えば、先の例で、｛猫、犬、猿｝と｛猫｝、｛犬｝、∅だけからなる順序集合を考えてみる。このとき、｛猫｝と｛犬｝の「または」は定義から｛猫、犬、猿｝になる。しかしその和集合は｛猫、犬｝であって、「または」に一致しない。しかし、任意の二つの集合をとってきて、その各々について「または」と「かつ」を決めると、確かに、｛猫、犬、猿｝と｛猫｝、｛犬｝、∅のどれかとして存在するため、これが束になっていることはわかる。

つまり、束における「または」と「かつ」は、和集合と共通部分の集合という取り方を、一般化した操作ということができる。順序関係を包含関係で定義した順序集合の場合、一般の束とは、全ての要素の取り方を網羅した集合の集まりから、いくつかの集合を除いた形で定義される。それはつまり、情報の喪失を意味している。こうして、或る、特殊な情報の喪失の仕方を持った束として量子論理が定義される。

4 量子力学と量子論理

量子力学から量子論理がどのように構成されるか。具体的にみていくことにしよう。量子論理は、オーソモジュラー束という束の形で定義されるが[10]、その要素は集合であり、順序関係は包含関係で定義される。こうして、要素が集合、順序関係は包含関係で与えられる順序集合が、量子力学を定義するベクトル空間によって定義される。このベクトル空間は、係数が複素数で、内積が定義され、ヒルベルト空間が装備されたベクトル空間であった。ここで定義されたベクトルの集合が、当該の順序集合の要素となる。その上で、オーソモジュラー束を特徴づける直補操作を定義する。一個のベクトルの集合に対して、それに直補操作を施した、「直補ベクトル集合」は、当該のベクトル集合の全てのベクトルと直交する（つまり内積をとると0になる）ベクトルを集めたものと定義される。この操作のもとで、ベクトル集合に直補操作を二回続けて施すと、もとのベクトル集合に戻るベクトル集合だけを集める。この制限のついたベクトル集合を要素とし、包含関係を順序関係とする順序集合が、実は束になっているのである。

これを示すには、いくつか直補操作の性質に関して証明しておく必要がある。第一に、ベクトルの要素が全て0である0ベクトルが、任意の直補ベクトル集合に入っていることを示そう。これはほとんど自明で、どんなベクトルであっても0ベクトルとの内積は0になり、その意味で直交しているので、当該の直補ベクトル集合には0ベクトルが含まれることになる。

第二に、二つのベクトル集合の間に大小関係があるとき（ここで簡単な説明のために、この段階で小さい方を小ベクトル集合、大きい方を大ベクトル集合と呼ぶ）、各々の直補ベクトル集合の大小関係は逆転する。これを示すために、大ベクトル集合の直補ベクトル集合の任意の要素を一つとってくる。これが小ベクトル集合の直補ベクトル集合に入っていれば、大小関係が逆転していると言えたことになる。実際、取り上げた任意の要素（ベクトル）は、大ベクトル集合のどの要素とも直交している。小ベクトル集合は、大ベクトル集合の一部を成し、小さいので、ここから、取り上げた任意の要素は、小ベクトル集合のどの要素とも直交していると言える。それは、取り上げた任意の要素が、小ベクトル集合の直補ベクトル集合に入っていることを表している。これで題意が示せたことになる。

第三に、任意のベクトル集合が、それに二回直補操作を施したベクトル集合より小さいことが言える。これを示すために、ベクトル集合の任意の要素を取り上げる。ところで、そのベクトル集合の直補ベクトル集合の要素であるベクトルは、当該のベクトル集合の任意の要素と直交する。これは、逆に、ベクトル集合の要素が、直補ベクトル集合の任意の要素と直交することを意味する。すなわち、当該のベクトル集合の任意の要素と直交するベクトルは、直補ベクトル集合の要素であるのだから、直補ベクトル集合の任意の要素と直交するベクトルは、直補ベクトル集合の直補ベクトル集合の要素となる。つまりそれは、二回直補操作を施したベクトル集合である。こうして題意が成立する。

第四に、一回直補操作を施したベクトル集合と、三回直補操作を施したベクトル集合とは同じである。前述の第三の性格は、任意のベクトルに関して二回直補操作を施したベクトル集合より小さいと言えるから、小さい方のベクトル集合を一回操作の直補ベクトル集合とすると、一回操作の直補ベクトル集合より三回操作の直補ベクトル集合は大きい、と言える。また、第三の性格で示された大小関係に、第二の性格である、直補操作の適用による大小関係の反転を適用すると、三回操作の直補ベクトル集合より一回操作の直補ベクトル集合は大きい、と言える。この、互いに逆の大小関係から、一回直補操作を施したベクトル集合と、三回直補操作を施したベクトル集合とは同じである、と言える(ここでの「AよりBは大きい」は、「BはA以上である」の意味なので、「AはB以上」かつ「BはA以上」は、AとBが等しいことを意味する)。

第五に、一回直補操作を施したベクトル集合は、ここで定義した制限のある順序集合の要素である、と言える。制限のある順序集合とは、直補操作を二回続けて施すと、もとのベクトル集合に戻るベクトル集合だけを集めて構成された順序集合である。第四の性格より、一回操作の直補ベクトル集合は、これに直補操作を二回続けて施すと、もとに戻ることがわかる。こうして、題意が成立することが示された。

以上の性格を用いて、問題の制約のある順序集合が、束であることを示す。これは以下のようにして証明される。束である以上、まず、「かつ」と「または」が定義される。「かつ」操作は、二つのベクトル集合(それは制約のある順序集合の要素である)の共通部分を取ることで、そのまま、これが「かつ」の操作をとった集合になっている。第一に、共通部分は、当該の二つの集合の部分になっているので、そのどちらにも含まれ、どちらよりも包含関係の意味で小さいことは明らかだ。次に当該の二つの集合の、どちらよりも小さい集合を仮定する。仮定より、この集合の要素は全て、二つの集合のいずれにも入っている。ということは、二つの集合の共通部分に入っているので、共通部分は、仮定された集合より大きいことがわかる。つまり共通部分は、束で定義される「下位」の最大のモデルという意味で、「かつ」になっている。

次に、確かにこうして定義された共通部分が、ここで定義された束の要素になっていることを示そう。まず二つの集合の共通部分は、各々の集合より小さいことは自明だ。とすると、前述した、直補操作に関する第二の性格、集合の大小関係が、直補操作をとることで逆転する、という性格から、各々の集合の直補集合より共通部分の直補集合は大きくなることがわかる。この大小関係にもう一度、直補操作を施すなら、再度大小関係は逆転し、共通部分の二回直補集合より、各々のベクトル集合の二回直補集合が大きいという大小関係が得られる。制約された順序集合の定義から、各々のベクトル集合の二回直補集合は、各々のベクトル集合と同じものだ。すると、共通部分の二回直補集合は当該のどのベクトル集合より小さいので、共通部分がそもそも「かつ」であることから、共通部分の二回直補集合より共通部分の集合は大きくなる。ところが同時に、直補操作に関する第三の性格より、任意の集合は、その二回直補集合より小さいので、共通部分であっても例外ではなく、共通部分は、その二回直補集合より小さい。こうして、大小関係に関して逆の関係が共に成立するため、共通部分は、その二回直補集合に一致する、と言える。すなわち、共通部分は、先の制約された順序集合の条件を満たしている。共通部分とは「かつ」のことであったのだから、先の制約された順序集合は、「かつ」について閉じている、と言える。

今度は、「または」について考える。ここで二つのベクトル集合の「または」を、二つのベクトル集合の和集合に、二回直補操作を施したもの、と定義する。この定義が妥当であることを示そう。第一に、この定義が「または」の定義として妥当であることを示そう。当該の、制約のある順序集合の要素であるベクトル集合を二つとり、その和集合を考える。各々のベクトル集合より和集合が大きいため、この大小関係に二回直補操作を施せば、大小関係は保存される。各々のベクトル集合は、二回直補操作したものに一致するから、各々のベクトル集合より、その和の二回直補集合の方が大きいという大小関係が得られる。つまり和の二回直補集合は、二つのベクトル集合の上位にある。そこで当該の各々のベクトル集合より大きいベクトル集合を仮定すると、これも上位ということになる。和集合は、上位の中で最小のものなので、和集合より仮定したベクトル集合が大きいという大小関係が得られる。この大小関係に二回直補操作を施せば、和集合の二回直補集合より仮定した集合の二回直補集合が大きくなる。ところが仮定した集合は、制約のある順序集合の要素なので、二回の直補操作でもとに戻る。ここから和集合の二回直補集合は、仮定した集合より小さいという大小関係が得られ、和集合の二回直補集合が、「または」であることがわかる。

その上で、この制約のある順序集合が、「または」について閉じていることを示そう。直補操作に関する第四の性格より、一回直補操作を施したベクトル集合と、三回直補操作を施したベクトル集合とは同じであった。そこで、和集合の二回直補集合における一回分の直補操作を、この性格に従って三回分の直補操作に置き換えると、和集合の二回直補集合は、和集合の四回直補集合に一致することがわかる。それは、「和集合の二回直補集合が、これに二回の直補操作をすると、もとに戻る」ことを意味しているから、制約のある順序集合の要素であることを意味している。つまり、問題の順序集合は「または」について閉じている。以上から、問題の順序集合は「または」と「かつ」についても閉じていて、束であることが示されたことになる。そこで、これ以降、これを、「この束」と呼ぶことにする。

この束は、単に束であるのみならず、まず、直可補束である。直可補束は、第一に、要素とその直補要素の「かつ」が束の最小要素に一致すること、第二に、二つの要素の間に大小関係があるとき、各々の直補要素の大小関係は逆転すること、第三に、要素は、二回直補操作を施した要素と一致すること、という三つの性格によって定義される。いま、問題にしている「この束」では、要素はベクトル集合であり、第三の性格はこの束の定義から満たされている。第二の性格は直補操作に関する第二の性格によって満たされている。したがって、第一の性格のみを示せば、この束が直可補束であると言える。まず、全てのベクトル成分が0である0ベクトルのみを要素とする集合が、この束の最小要素であること、またベクトル集合の全体の集合が、この束の最大要素であることを示そう。任意のベクトルと0ベクトルの内積は0となるから、0ベクトルのみを要素とする集合の直補集合は、全体の集合であり、全体の集合の直補集合は、0ベクトルのみを要素とする集合であることがわかる。ここから、0ベクトルのみを要素とする集合は、二回の直補操作によってもとに戻り、全体の集合もまた、二回の直補操作によってもとに戻ることがわかる。つまり、0ベクトルのみを要素とする集合も、全体の集合も、この束の要素である。先に示したように、この束の全ての直補集合は0ベクトルを含む。束の要素は、ベクトル集合の直補集合に対する直補集合なので、これもまた0ベクトルを含むことがわかる。つまり0ベクトルのみを要素とする集合は、この束の任意の要素より小さく、最小要素であることがわかる。最後に以下を示す。この束の要素である任意のベクトル集合と、その直補集合との「かつ」、すなわち共通部分に、あるベクトルが含まれているとする。それは当該のベクトル集合と、その直補集合との両者に含まれているので、そのベクトル自体の内積を取ると0になるはずだ。それはそのベクトルが0ベクトルであることでしか成立しない。だから、ベクトル集合と、その直補集合との「かつ」は、0ベクトルのみを要素とする集合、すなわち、この束の最小要素であることが言える。以上から、この束は直可補束であると言える。

量子論理であるオーソモジュラー束は、次のオーソモジュラー律の成立によって定義される。すなわち、「要素の間に大小関係が存在するなら、大きな要素は、小さな要素の直補要素と大きな要素との「かつ」をとり、それと小さな要素との「または」を取ったものに一致する」ということだ。量子力学の場合、これを証明するに際して、ヒルベルト空間が意味を持つ。ヒルベルト空間の存在によって加法という新たな集合上の算術が定義でき、それ用いることで、オーソモジュラー律が成立するのである。

5 トラウマ構造から二項関係へ

さていよいよ、天然知能が外部を召喚する構造、すなわち、二項対立的なA, Bを用意し、両者を共に認めるA／B肯定的アンチノミーと、両者を共に排除するA／B否定的アンチノミーによって、人間の認知において、量子論的構造が一般的に得られるという議論を展開しよう。[11] まず、二項対立的A, Bとは何か、という点だが、ここでは、脳の外側にある対象をA、脳の内側にある表象をBとする。脳の外側にあるものを、端的に脳の内側に表象として写しとり、表象を計算資源として計算することを意識と考える表象主義は、表象が確定されることをもって批判されるが、本稿では、表象は確定されないため、表象主義とは決定的に異なるものである。

もう一つ注意をしておこう。私が論じている場所は、抽象的な論理の世界ではなく、現実世界であるという点である。二項対立的なものを論理的に考えるなら、Aに対してBはAの否定となるだろう。A／B肯定的アンチノミーとはAとBが共に成り立つことであるから、Aかつ「Aの否定」によって、これが矛盾（アンチノミー）であることは明らかだ。ではA／B否定的アンチミーはどうなるか。AもBも成り立たないのであるから、ここでは、「Aの否定」かつ「Bの否定」が成立することになる。Bは「Aの否定」で定義されていたから、Bの否定は二重否定によってAに戻る。つまり「Aの否定」かつ「Bの否定」は、「Aの否定」かつAとなって、肯定的アンチノミーと同じ状況になってしまう。そのように、二項対立が客観的に正しく、それ以外の状況として考えられないなら、肯定的アンチノミーと否定的アンチノミーは一致するだろう。しかし、それは抽象的で仮想的な論理の世界の話であり、現実は、ある見方をすれば（ある文脈では、ある境界条件のもとでは）二項対立が見出せる、ということなのであり、二項対立以外に状況を考えることはできない、わけではないのである。

だから、さらにある見方をすれば、両者の共立する矛盾も見出せるし、両者が共に見いだせない矛盾も見出せる。つまり各々において、見方も異なるため、A、B自体も変質しているわけだ。その意味で、肯定的アンチノミーと否定的アンチノミーは同じものにはならない。それは、第3章で述べた「てあわせ」や第9章の現代舞踏のトレーニングで述べた、受動／能動の肯定的アンチノミー、否定的アンチノミーを思い出せば、理解可能だろう。まず身体の一部を接触させながら、接

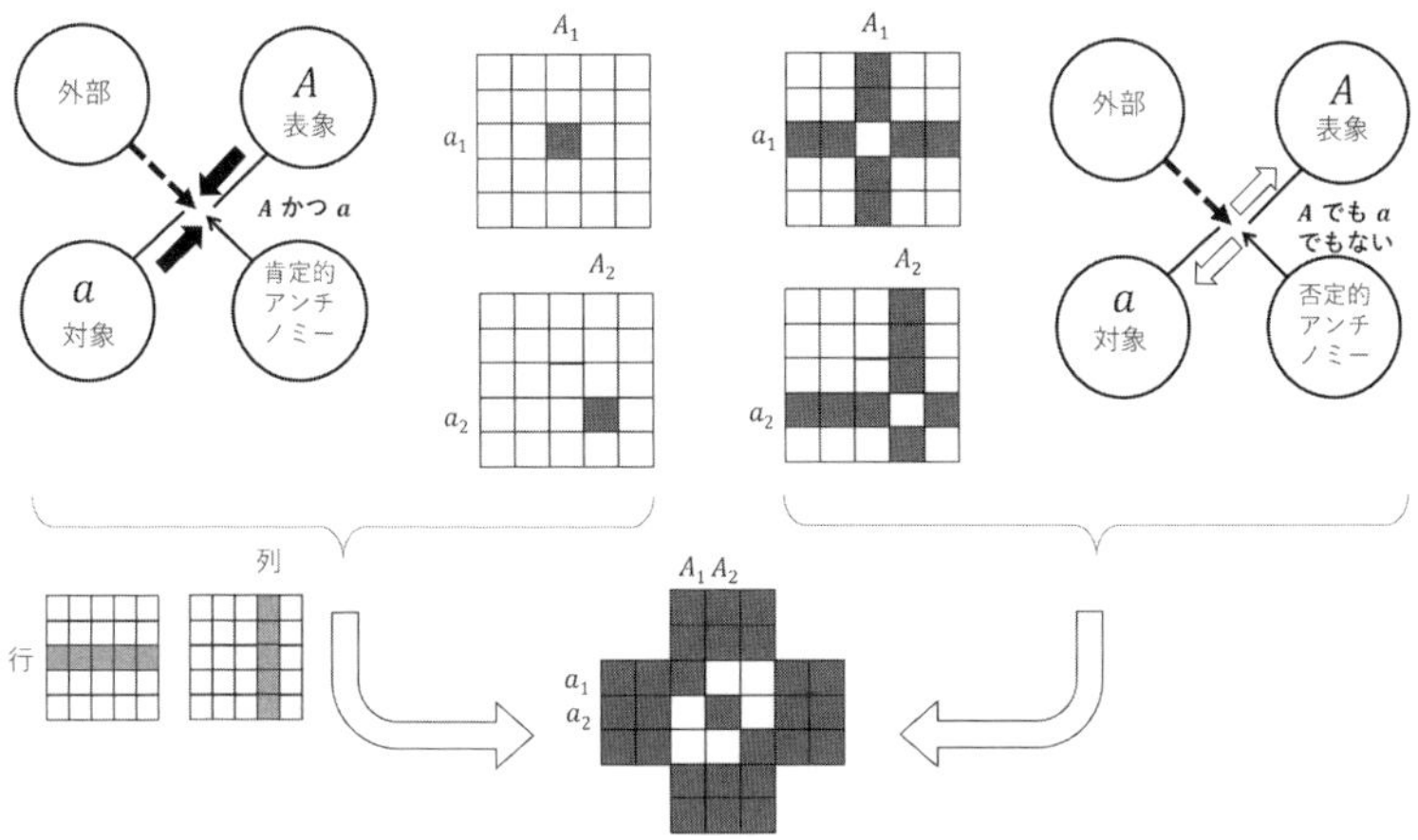

図 10—1　対象と表象の関係として与えられる、肯定的アンチノミーと否定的アンチノミー（上段）と両者の共立（下段）

触即興ダンスを踊る段階では、接触を通した受動・能動が成立しているが、この段階を踏んで一人で踊る新たな段階になったとき、受動も能動もなく否定的アンチノミーが成立していることは自明だが、その肯定的アンチノミーは記憶として受動かつ能動を担保する。その意味で、否定的アンチノミーにおける受動・能動（こちらは現在、認識されるもの）と、肯定的アンチノミーにおける受動・能動（こちらは記憶の中）とは文脈が異なるのである。さらに、見方というと、見るものが恣意的にコントロールできると思われがちだが、現実は完全に制御できず、だから、見方も制御できるわけではない。ある場合には、こう見え、別の場合にはこう見えるとは、多義性を意味しているのである。

その上で対象と表象の肯定的アンチノミーについて考えよう。対象と表象は脳の内と外にあり、そもそも一致しようがない。目の前の猫（対象）をネコ（表象）とする、という過程は、異質なものを無理やり一致させるという意味で、アンチノミーであり、一致とは「猫」と「ネコ」を共に受け入れることであるから、肯定的アンチノミーを意味することになる。この、対象と表象の関係を、表にして考えてみる（図10―1）。縦には対象が並んでおり、横には表象が並んでいる。ここで理想的には、対象と表象は一対一に対応づけられ、対象は表象として認知されると仮定する。もちろん、天然知能においてその一致はあり得ないのだが、この理想のもとで、その不可能性を構成するので、理想が実現可能なように、対象と表象の数は一致すると仮定される。つまり対象と表象の関係は、正方形の格子空間として描かれ、対象と表象の一致は、対角線上に乗るように設定されている。この意味で、肯定的アンチノミー、すなわち対象と表象が一致するとは、両者の間に「関係がある」ことで定義される。例えば上から三行目が「猫」、左から三列目が「ネコ」であり、両者に関係があるとき、三行、三列の交わる位置にある格子が灰色に塗られ、「関係がある」ことを示している。逆に関係がない場合、その位置の格子は白抜きのままである。この関係の表は、関係がある、ない、のいずれか二項であるため、二項関係と呼ばれる。

この意味で、一致することが認識できるのは、その対象が、当該の表象とのみ関係があり他の表象とは関係ないときに限り、同様に、その表象が、当該の対象とのみ関係があり他の対象とは関係ないときに限る。だから、ある対象と表象が肯定的アンチノミーにあるとは、その対象の行、表象の列の格子のみに関係があり、その行の他の全ての列、その列の他の全ての行との交点は、関係がないことを意味することになる。図10―1上段左図では、対象を小文字、表象を大文字のアルファベットで表しており、α_1とA_1、α_2とA_2が肯定的アンチノミーにあることを示している。

否定的アンチノミーは、二項関係の「関係がある」、「ない」を反転させることで表せる。したがって、α_1とA_1、α_2とA_2が否定的アンチノミーにあることは、図10―1上段右図のように表せる。

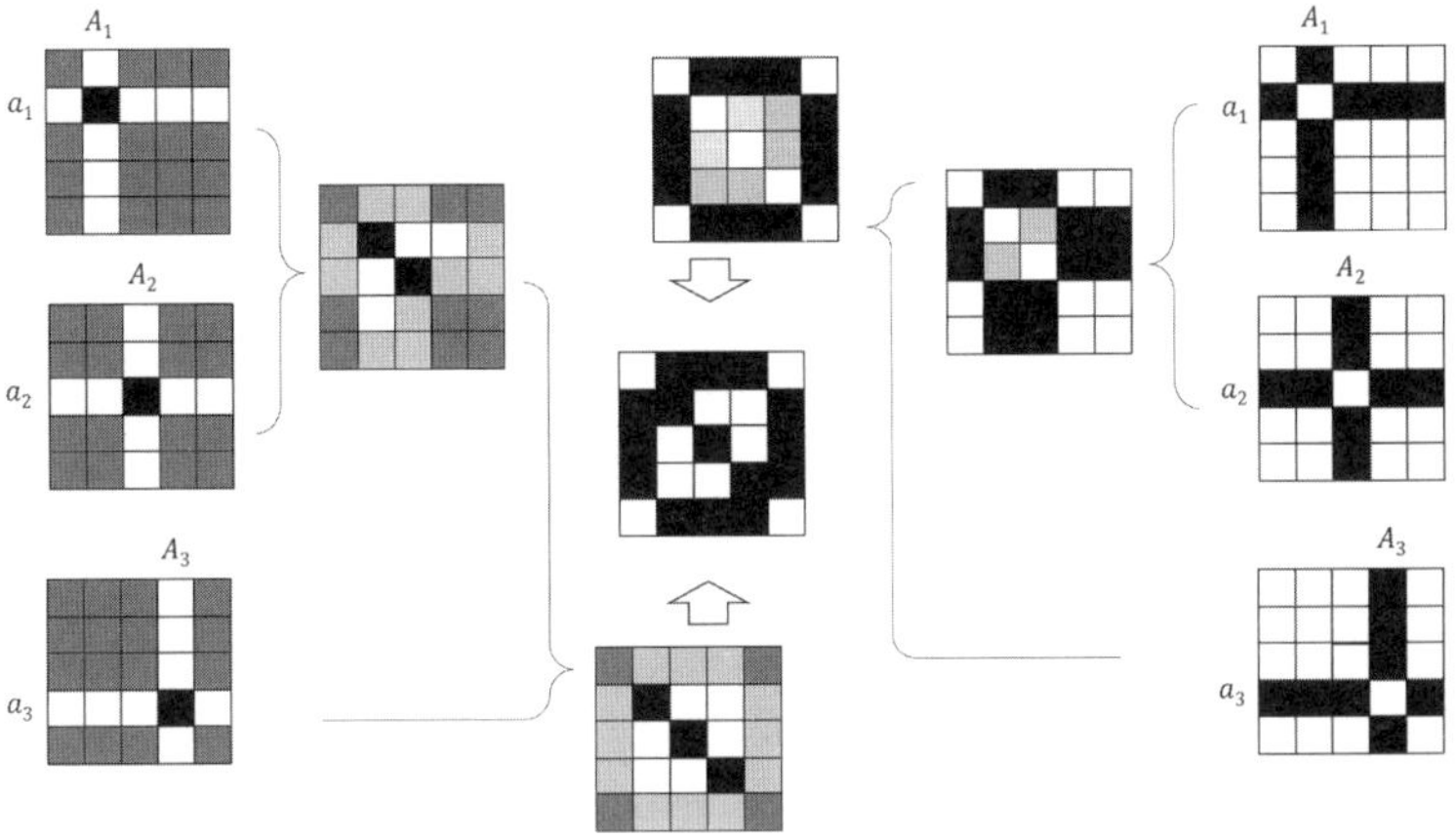

図10―2　肯定的アンチノミーの対（左から中央）と否定的アンチノミーの対（右から中央）の合成

各々、その左側に示される肯定的アンチノミーと比較すると、問題になる行と列の関係の色が灰色か白かに反転していることがわかるだろう。この両者の比較から、肯定的アンチノミーと否定的アンチノミーとの共立は原理的に無理であるように思える。

ところが、この共立を実現する方法が少なくとも一つ存在する。それは、肯定的アンチノミーと否定的アンチノミーを、図10―1下段のように、関係の表の中で分化させることである。それは結果的に第4章で述べた文脈を形成する、という描像に一致する。各々の、対象と表象の対の肯定的アンチノミーは、肯定的アンチノミーでまとめられ、否定的アンチノミーは否定的アンチノミーでまとめることができる。これが図10―1下段のような、対角関係（表の対角線上の格子のみが「関係のある」格子になっていて他はない）と、それを取り囲む「関係のある格子」によって、構成される、十字構造となるのは、直観的に理解できると思うが、**図10―2**でも簡単に述べよう。左から中央へは、肯定的アンチノミーを重ねる操作を示している。左端で濃い灰色の格子は、未定義部分を示している。各々の肯定的アンチノミーでは、「関係ある」格子が黒、「関係ない」格子が白で表され、これを重ねていく。肯定的アンチノミーでは、対象と表象が共立し、そこに関係のあることが鍵なので、「関係ある」格子は重ねても「関係ある」格子であり、「関係ない」格子は「関係ない」格子が重なることでしか実現されない（重ならないときには薄い灰色で表している）。その結果、図10―2中央下図のように中央に対角関係が存在するパターンが得られる。

否定的アンチノミーの場合は、逆に「関係ない」ことが重要で、「関係ない」格子は重ねても「関係ない」格子であるが、「関係ある」格子は、重なりがないときのみ「関係ない」格子となる。こうして、図10―2中央上段の図のような、十字のパターンが得られる。重ねて得られたパターンを各々、黒かそれ以外かで二値化し、さらに重ねると、図10―2中央の図が得られる。こうして、図10―1下段にある対角関係を囲む十字パターンが一般的に得られるわけだ。

この対象と表象の二項関係から、直接、オーソモジュラー束を得ることができる。その方法はラフ集合を用いるもので、第4章でも定義は与えているが、ここではより直観的に捉えることにする。対象と表象の関係によって、我々は概念を構築する。この概念の構築に関して、近年の認知言語学の大いなる発展を踏まえることで、概念の定義と、それを要素とする論理構造＝束の関係が、直観的に理解できるだろう。

6　認知言語学的概念の表現

概念というと、集合論でも定義されている外延と内包の対によって定義される概念がまず想起される。ここで外延とは、具体的対象の集まりであり、内包とは、性質の集まりである。したがって本稿との対比において、外延は脳の外の対象、内包は脳の内の表象とみなせるものである。集合論において、外延の要素は、内包の要素である性質を全て満たすものと定義される。同じく、内包の要素は、外延の要素に全て適用可能なものと定義される。6以下の正の偶数という「概念」を考えてみよう。外延は、2、4、6の三つの対象（要素）から構成されることになる。内包は、自然数であること、2で割り切れること、という二つの性質（要素）から構成されている。外延の要素の一つ、2を取り上げると、内包の要素の全てを満たしていることがわかる。それは2以外の全ての外延の要素にも当てはまることがわかる。逆に、内包の要素の一つ、2で割り切れる、を取り上げると、この性質が2、4、6という外延の全ての要素に適用可能であることがわかる。またこれ以外の性質についても、同様に外延の全ての要素に適用可能だ。つまり、全ての対象は、概念を定義する性質を、全て満たしているということになる。

この内包と外延の定義を使って、対象の集合と性質の集合の間の二項関係から束を構成する方法が、概念束と呼ばれている。(12) 対象の部分集合と、性質の部分集合をとり、一方の部分集合の要素が他の部分集合の要素の全てと関係があり、その逆も成り立つとき、その部分集合の対を、概念と定義するのである。つまり概念は、性質の集まり（内包）として定義され、それを全て満たす対象の集まり（外延）を、その概念のモデルとするわけだ。内包と外延は対になっており、集合であるため、一方のみ（例えば内包）に関して順序を包含関係で定義すれば、束になることが証明できる。本書では何度か出ているが、包含関係における順序とは、小さい集合の全ての要素が、大きい集合に含まれているということである。このように概念を定義し、それを順序に関して構造化したものが概念束であるが、この概念には以下のような問題がある。

例えば、鳥という概念の定義を、飛ぶ、嘴を持つ、卵を産む、という性質の集まり（内包）で定義すると、これら全てを満たすスズメやカラスは鳥とみなされ、鳥の外延の要素となるが、ペンギンは飛べないため、鳥とみなされないことになる。ペンギンだけではない。飛べない鳥、ヤンバルクイナや、キーウィ、ダチョウにヒクイドリなど、これらは全て鳥ではなくなる。この場合、「スズメ、カラス」を外延とし、「飛ぶ、嘴を持つ、卵を産む」を内包とする概念として、「飛ぶ鳥」が定義され、「ペンギン、ヤンバルクイナ、キーウィ、ダチョウ、ヒクイドリ」を外延とし、「嘴を持つ、卵を産む」を内包とする概念として、「飛べない鳥」が定義されることになる。

これは現実に我々が使っている概念と合わない。そう異議申し立てをしたのが、認知言語学である[13]。鳥の例のみならず、通常使われる概念は、列挙された性質を全て満たす、概念の中でも典型的な対象（スズメやカラスのように）と、ごく一部しか満たさない典型性に関して周縁に位置するような対象（ペンギンのように）がある、というわけである。これはプロトタイプ理論と呼ばれている[14]。外延と内包の関係について、互いに全てを満たしているのではなく、外延の中の対象は、家族の中の父母や兄弟姉妹のように、一部の性質だけを互いに共有するというあり方も提唱されている。これは家族的類似と呼ばれるものだ（提案者は、ウィトゲンシュタインである[15]）。言語学において、プロトタイプ理論や家族的類似は、もともとメジャーなものではなかったが、これをむしろ中心に据えるような学問体系こそが、認知言語学である。

特に、メタファーが単なる修辞ではなく、我々の認知や言語の基礎に深く関わっていると考えるジョージ・レイコフは、言語の基礎にメトニミー（換喩）を考える[16]。メトニミーとは、概念の一部に過ぎないものが、全体を乗っ取ったかのように概念を指す言葉として使われる現象である。単なるテーブル（食卓）を食事の光景全体を指す言葉として用いる、寝るという行為の起点という部分に過ぎない「床に就く」ことを、寝ること全体を指す言葉として用いる、などがメトニミーの例である。

食卓を概念と捉え、対象の集まりとして、「座卓、太郎の家族、カレー」、を考えることにする。食卓の定義づける性質の集まりとして、「食べる人、食べられるもの」をあげておこう。この両者の間の二項関係を考えると、「太郎の家族」は「食べる人」とのみ関係があり、他とは関係ない。「カレー」は「食べられるもの」とのみ関係があり、他とは関係がない。「座卓」はどうか。「座卓」は食べる人と食べられるものを媒介するものだ。つまり「座卓」は、「食べる人」と「食べられるもの」の両者と関係がある。そう考えるなら、食事する風景の全体が「食卓」と呼ばれたことは、理解可能だ。「食卓」は、部分でありながら全ての性質を満たす重要な部分であるからだ。

このメトニミーを満たす形で「食卓」を概念とするには、概念束の意味での概念はもはや役に立たない。そこで次のように考えればいいだろう。対象のある集合と、性質のある集合の対が、以下の条件を満たすとき、これを概念と考えるのである。集合の対象と関係のある性質を全て集め、その性質の集合のどれかとだけ関係のある対象が、当該の集合の対象だけに限る。これがその条件である。特に、ある性質の集合に対し、この集合内の性質とだけ関係を持ち、それ以外の性質とは関係を持たない対象について、「この対象は、この性質の集合で、関係が尽くされる」という言い方をすることにする。

この条件のもとで概念を考えるとき、「座卓、太郎の家族、カレー」と関係のある性質の集まりとは、「食べる人、食べられるもの」となるが、これと一つでも関係のあるものを集めると、「座卓、太郎の家族、カレー」となる。したがって、この対象の集まりと性質の集まりの対は、概念である。概念束の概念なら、「座卓」と「食べる人、食べられるもの」の対、「太郎の家族」と「食べる人」の対、「カレー」と「食べられるもの」の対となる。メトニミーを満たす形での概念は、後の二つの対は成立するが、最初の対は満たさない。「食べる人、食べられるもの」と関係のある「太郎の家族」も「カレー」も概念の対象を満たすものになるからだ。この定義によって、鳥もまた、飛べる鳥と飛べない鳥に分けることなく、うまく定義できることがわかるだろう。そして、この、メトニミーを満たす概念の定義こそ、ラフ集合から誘導される束（これを、「ラフ集合誘導束」と呼ぶことにする）の要素＝概念なのである。

ラフ集合誘導束から得られる概念は、全てにおいてメトニミーが成立するわけではない。各々の概念は、対象の集まりと性質の集まりの対であるが、対象の集まりの中に、前述の「座卓」のような、全ての性質と関係を持つ対象が、少なくとも一つ存在することが、メトニミー成立の条件である。この条件が成り立つとき、全ての性質と関係を持つ対象の一つが、その概念の名前として採用される。それがメトニミーと考えられる。したがって、ラフ集合誘導束の場合、メトニミーには至らない概念も存在するが、常にメトニミーの成立に開かれているわけだ。その意味でラフ集合誘導束は、認知言語学と整合的である。さて、いよいよ、これを用いて、天然知能から得られる二項関係から、量子論理を導こう。

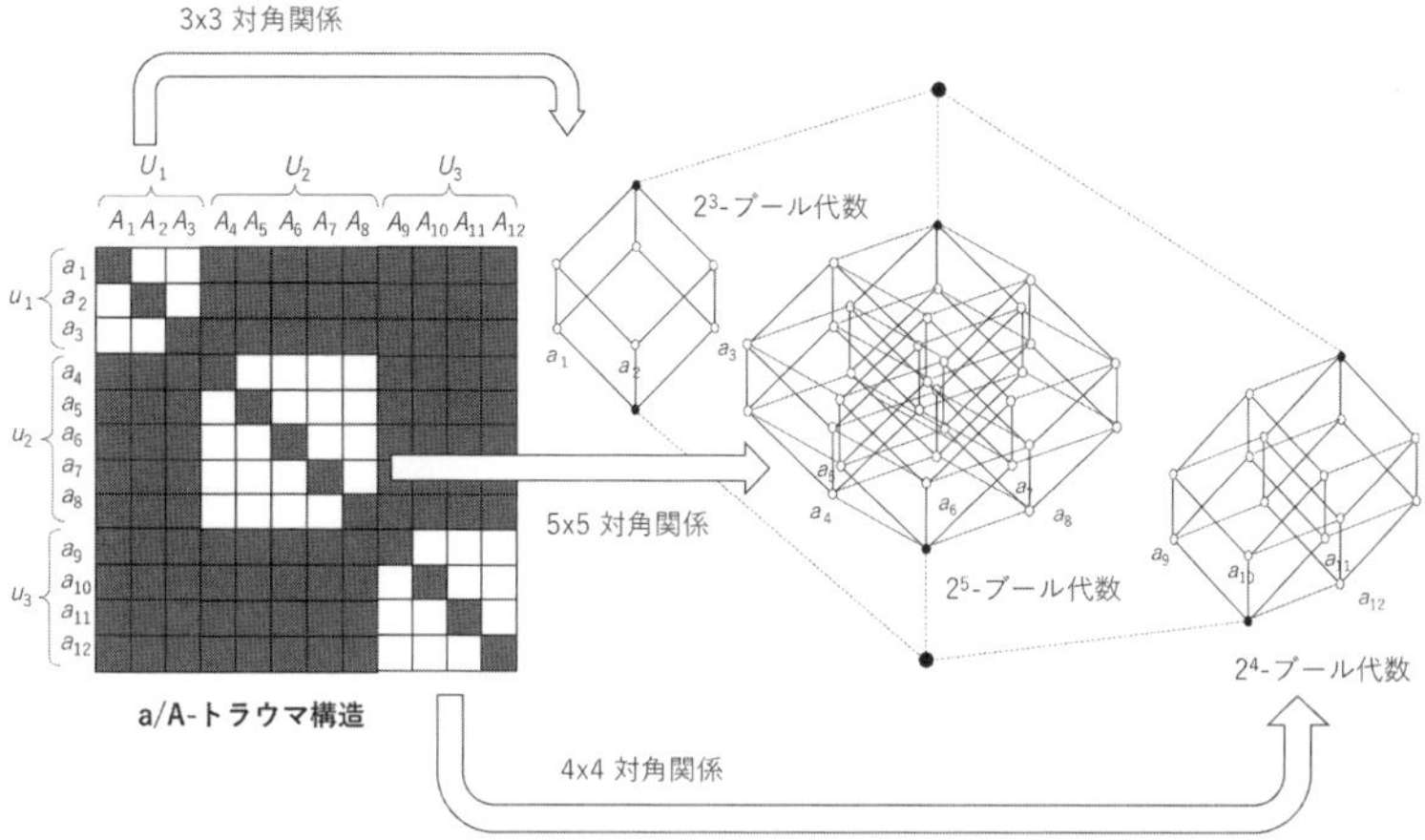

図 10—3　二項関係における肯定的アンチノミーと否定的アンチノミーの共立と、量子論理（オーソモジュラー束）の関係。肯定的アンチノミーはブール代数に、否定的アンチノミーはブール代数の貼り合わせに使われる。

7　天然知能から得られる量子論理

対象と表象に関する、対象／表象－肯定的アンチノミーと否定的アンチノミーの共立が、二項関係において実現されるとき、対角関係とそれを取り囲む関係ありの領域が分化し、図10—1下段や10—2中央の図に見られる十字構造が得られることは、すでに述べた。このような十字構造は、対角関係の大きさ、すなわち縦と横の格子の数に関して特徴づけられ、対角関係を取り囲む関係ありの領域に関しては原理的にいくらでも伸長可能だ。重要な点は、これら局在化した対角関係が、タイルを貼り合わせるように敷き詰められ、異なる文脈の共立を許す、対象と表象の関係が構成されているということだ。天然知能から構想される脳の内・外を接続しようとする営みは、そのような二項関係としてモデル化されることになる。

そのような十字構造のパッチワークを有限の大きさで切り取ってみよう。ここでも対象と表象の関係は、理想的には全て一対一に決まるよう仮定されるので、縦と横の格子の数は同じとなり、正方形になる。それは、**図10―3**左図のような二項関係を典型的例とする。ここでは、左から3×3対角関係、5×5対角関係、4×4対角関係が認められる。これらが、対象／表象－肯定的アンチノミーを表す部分である。これら三つの対角関係の外側の領域は、全て「関係がある」格子で満たされている。この領域は、対象／表象－否定的アンチノミーを表す部分である。ただし二項関係において、今までと同様、「関係あり」の格子は濃灰色で、「関係なし」の格子は白抜きで描かれている。

図10―3左図にある二項関係を、前節で述べたラフ集合誘導束によって表してみよう。ラフ集合誘導束の概念は、メトニミーを基礎づけ、プロトタイプ理論や家族的類似を説明するものだった。これを用いて、どのような構造を持った束が得られるのか考えよう。図10―3の二項関係の左上に位置する、対角関係について考えてみよう。小文字で表され、縦に並んだ対象のうち、この対角関係に属しているのは、a_1, a_2, a_3 の三つの要素である。この中のa_1という一個の要素（対象）から成る集合を考え、これが概念を構成するか否か、吟味してみよう。対象a_1と関係のある表象は、A_1および、A_4からA_{12}の間の表象であることが、二項関係の表からわかる。では、A_1および、A_4からA_{12}の間の表象からなる集合だけで、関係が尽くされる対象は何があるだろうか。対象a_1は確かにこの表象の集合だけで関係が尽くされる。ではa_2はどうか。こちらは、A_2と関係を持つため、A_1および、A_4からA_{12}の間の表象では、関係が尽くされない。したがって、a_2は条件を満たさない。同様に、他のいかなる対象も、条件を満たさないことがわかる。したがって、対象の集合$\{a_1\}$と表象の集合$\{A_1, A_4〜A_{12}\}$とは、概念になっていることがわかる。同様に、集合$\{a_2\}$とそれに対応する表象集

合の対、集合$\{a_3\}$とそれに対応する表象集合の対、も概念である。概念の対は、一対一に決まるので、対象か表象いずれか一方について注目するだけでいい。そこで以降、対象の集合だけに注目することとしよう。

次に、対象で二つの要素からなる集合、例えば、$\{a_1, a_2\}$はどうだろうか。このいずれかと関係のある対象は、$\{A_1, A_2, A_4\sim A_{12}\}$ということになる。これと関係を尽くしている対象はというと、$\{a_1, a_2\}$に限定されることがわかる。対象a_3はもちろん、a_7などもA_3と関係を持つため、これも$\{A_1, A_2, A_4\sim A_{12}\}$では関係が尽くされない。関係が尽くされる対象で構成される集合は、$\{a_1, a_2\}$ということになり、$\{a_1, a_2\}$と$\{A_1, A_2, A_4\sim A_{12}\}$との対が、概念であると判明する。同様に、$\{a_1, a_3\}$、$\{a_2, a_3\}$が構成する対も、概念である。

対角関係に注目する場合、そこにある対象を全て集めた集合、$\{a_1, a_2, a_3\}$についてはどうだろうか。これに関係する表象を全て集めると、A_1〜A_{12}の全ての表象が網羅されることになる。このとき、もちろん$\{a_1, a_2, a_3\}$の各々は、全ての表象を集めた集合に関係を尽くされているが、同様に、他の全ての対象も、関係を尽くされていることは明らかだ。つまり、全ての対象から成る集合と、全ての表象から成る集合の対は概念であるが、$\{a_1, a_2, a_3\}$は概念を構成できないのである。因みに、対象に関する空集合の場合はどうか。空集合は要素が存在しないので、存在しない要素と関係を持てる表象は存在せず、対応する表象の集合も空集合となる。したがって同様に、これに尽くされる集合も空集合となり、空集合は概念を構成する。

異なる対角関係に属す対象の場合は、概念とならない。例えば、3×3対角関係に属すa_3と、5×5対角関係に属すa_4を選び、$\{a_3, a_4\}$を考えてみる。これらの要素と関係のある表象をとると、対角関係とその外部が、各々の列で重複するため、それは全ての表象からなる集合｛A_1, A_2, …, A_{12}｝が得られることになる。このときもちろん、この表象の集合で尽くされる対象はa_3、a_4に限定されず、全ての対象となる。だから、異なる対角関係から対象を選び構成された対象の集合は、ラフ集合誘導束の要素（概念）にはならないのである。

改めて対角関係の構成要素である対象を考えると、それは｛a_1, a_2, a_3｝であった。ここから要素の取り方の全ての可能性を考えると、空集合、一つだけ取った集合が｛a_1｝, ｛a_2｝, ｛a_3｝ということになり、それ以外は、この全ての組み合わせの和集合を考えればよい。このように、集合の全ての取り得る部分集合を集めた集合を、当該の集合の冪集合と呼ぶ。冪集合の要素は、集合であり、その順序関係は包含関係で定義される。｛a_1, a_2, a_3｝の冪集合について、その要素を円で表し、順序関係を線で結んだ図が、図10―3の二項関係のすぐ右に描かれた図である（ただし大小関係に関して、要素と要素の間に別の要素が入ってくる場合、線分は引かない）。これはハッセ図と呼ばれる(17)。それはちょうど、立方体を斜め上から見たように描かれている。一番下の黒い円が空集合（点線については後で述べる）、そこから伸びる線分で結ばれた直上の円が、｛a_1｝, ｛a_2｝, ｛a_3｝を表している（ただし煩雑なので、図では中括弧、｛｝は省いている）。これを線分に従って上がっていくと、a_1とa_2から上へ伸びる線分が交わり、円が描かれている。そこは、両者の和集合、｛a_1, a_2｝を表している。このようにして線分を上がっていくとき、その下に位置する集合の和集合が現れ、全ての可能な組み合わせの和集合が出現することがわかる。ただし、前述のように、｛a_1, a_2, a_3｝は概念として許されず、最も大きな概念は、全ての対象を集めた集合となる。これが黒円で表されている。

対角関係の構成要素が作る概念を考えると、｛a_1, a_2, a_3｝の冪集合から最大の要素である｛a_1, a_2,

$a_3\}$ を取り除き、これを $\{a_1, \ldots, a_{12}\}$ に置き換えたものが最大の概念となる。逆に、$\{a_1, a_2, a_3\}$ 以外については冪集合が成立している。冪集合は束になっている。その要素である二つの集合の「かつ」は集合の共通部分を取ることに一致し、「または」は和集合をとることに一致する。従って、冪集合の束とは、通常の集合論の論理を意味し、古典論理と呼ばれる論理を意味する。そのような束は、束論でブール代数と呼ばれている（特に要素の集合の冪集合は要素数が、2^n個となるため、2^n－ブール代数と呼ばれる）。ところがここでは、$\{a_1, a_2\}$ と $\{a_2, a_3\}$ の上限は、その和集合ではなく、$\{a_1, \ldots, a_{12}\}$ となる。つまりブール代数は崩れている。この点に注意して先に進めよう。

3×3対角関係で述べた議論は、全ての n×n対角関係で成り立つことがわかる。つまりその対角関係を構成する対象について、n個の対象を全て集めた集合以外を取り除き、それを $\{a_1, \ldots, a_{12}\}$ に置き換えた以外は、冪集合になっているということである。こうして、図10―3左図として示した二項関係から、右図の全体として示される束が得られることになる。すなわち、3×3対角関係、5×5対角関係、4×4対角関係の各々は、2^3-、2^5-、2^4-ブール代数となるが、ただし各々の最大の要素は、共通していて、$\{a_1, \ldots, a_{12}\}$ に置き換えられる。これら全てのブール代数の最小の要素もまた共通で空集合となる。つまり図10―3右図にあるように、三つのブール代数が、最大要素と最小要素とを共有する形で、全体の束が描けることになる。ここに、点線の線分は順序関係ではなく、点線の線分で結ばれた円が、同じものであることを示している。

この図10―3右図が示すものは束になっており、さらに、オーソモジュラー束（量子論理）になっていることが、次のように言える。ここで、図10―3右図を、対象／表象－トラウマ順序集合と呼ぶことにする。また、最大要素以外で 2^3-、2^5-、2^4-ブール代数となっている部分について、不完全2^3-、2^5-、2^4-ブール代数と呼ぶことにする。

　まず、ブール代数とは、包含関係を順序とした冪集合と考えることができ、冪集合は「かつ」を共通部分、「または」を和集合で定義した束であることを思い出そう。したがって、各々の不完全ブール代数から二つの要素を取って、「かつ」や「または」を取るなら、それはブール代数の「かつ」、「または」操作に従うため、その要素は当該の不完全ブール代数もしくは最大要素か最小要素となることがわかる。では、異なる不完全ブール代数から二要素を取ってくる場合（例えば2^3-不完全ブール代数から一つ、2^5-不完全ブール代数から一つ取る）はどうか。これで「または」を取ると、取ってきた二要素は、最大要素にまで達して初めて順序が決まるので、「または」の要素は最大要素となる。逆に「かつ」を取ると最小要素（空集合）であることがすぐわかる。こうして、対象／表象－トラウマ順序集合では、どのような二要素を取ってきても、その「かつ」および「または」操作に関して閉じていることがわかる。すなわち、問題の順序集合は、束になっている。

　次に、この束が、直可補束になっていることを示そう。直可補束は三つの条件で定義されていた。第一の条件は、要素とその直補要素の「かつ」が束の最小要素に一致することであった。ブール代数である冪集合では、要素（集合）の直補要素とは、全体の集合からその集合を除いて共通部分を持たないようにした補集合である。不完全ブール代数では、該当する対角関係を構成する対象の集合が全体の集合であり、これを参照して補集合をとったものが、直補要素となる。したがって、その「かつ」すなわち共通部分は空集合なる。対象／表象－トラウマ順序集合では、最小要素、最大要素以外では、任意の要素に対して、その要素が属する不完全ブール代数の中に、直補要素が存在し、その「かつ」は最小要素（空集合）であることがわかる。また最小要素と最大要素とは、明らかに、互いに直補要素になっており、両者の「かつ」は空集合である。以上から、直補要素の任意の要素に対して、第一の条件が成り立つ。

第二の条件は、二つの要素の間に大小関係があるとき、各々の直補要素の大小関係は逆転すること、であった。仮定が成り立つのは、最大要素、最小要素を含めて、二つの要素が一つの不完全ブール代数に属しているときに限る。この場合、第一の集合が第二の集合に含まれると仮定し、第二の集合の補集合が第一の集合の補集合に含まれることを示せばよい。第二の集合の補集合に入っている要素を考えると、それは補集合の定義から、第二の集合に入っていない。したがって、第一の集合が第二の集合に含まれるとの仮定から、もちろん第一の集合に入っていない。つまり第一の集合の補集合に入っている。以上から、第二の集合の補集合は、第一の集合の補集合に含まれたと言える。

第三の条件は、要素が、二回直補操作を施した要素と一致すること、であった。最大要素、最小要素以外の要素について、各々の不完全ブール代数の中で、集合の直補操作は、各々の全体を参照した補集合であるから、二回補集合を取ったものが元の集合に一致するのは自明である。最大要素、最小要素の場合、互いに直補要素になっているので、二回直補操作を取れば、元に戻ることがわかる。以上から、対象／表象－トラウマ順序集合が直可補束であると証明できた。

最後に、直可補束がオーソモジュラー律を満たしていることが示せれば、オーソモジュラー束であると言えることになる。ここでのオーソモジュラー律は、「集合（対象／表象－トラウマ順序集合の要素）の間に包含関係が存在するなら、含む集合は、含まれる集合の直補要素と含む集合との「かつ」をとり、それと含まれる集合との「または」を取ったものに一致する」ことである。ブール代数では「かつ」や「または」に分配律が成立する。分配律とは、以下のようなものだ。第一の集合と第二の集合の共通部分を取ってから、第三の集合との和集合を取ることは、第一の集合と第三の集合との和集合をとり、第二の集合と第三の集合の和集合を取ってから、両者の共通部分をとったものに一致する。つまり、最初に操作する二項に、後の操作を振り分けて（分配して）から、最初の操作をするということである。

対象／表象‐トラウマ順序集合において、二つの集合（要素）の間に包含関係が存在するのは、最大要素、最小要素を含め、両者が同一の不完全ブール代数に属する場合だけである。したがってそのとき、分配律が成立する。だから、オーソモジュラー律における「含まれる集合の直補要素と含む集合との「かつ」をとり、それと含まれる集合との「または」を取ったもの」は、分配律を用いて、「含まれる集合の直補要素と含まれる集合との「または（和集合）」をとり、含む集合と含まれる集合との「または（和集合）」をとり、二つの和集合の共通部分を取ったもの」に同じである。これは、全体集合と含む集合の共通部分ということになるので、「含む集合」に他ならない。したがって、オーソモジュラー律が成り立ち、直可補束である対象／表象‐トラウマ順序集合は、オーソモジュラー束、すなわち量子論理であることが示されたことになる。

8　そして量子論理の外部へ

第1節で述べたように、本章で問題にした構造は、外部を召喚する天然知能の構造自体であり、召喚された外部の振る舞いではない。その構造だけで、量子論理が導けるのであり、量子論自体は、クオリアや主観性、「わたし」の能動性、積極性や、自由意思の問題に直接関わらないだろうと思われる。脳の外側にある対象と、脳の内側にある表象を突き合わせようとしながら、完全に突き合わせることが叶わない構造、それが、対象／表象‐肯定的アンチミーと否定的アンチノミーとを共立させる、対象／表象‐トラウマ構造であった。それは、外部を受動的に引き受けようとする、積極的、能動的な構えであり、その、対象と表象を一致させようとしながら、一致の強度を脱色する構造が、量子論をもたらしたのであった。

もちろん、対象／表象‐トラウマ構造は、近似において、外部を引き受けた構造でもある。目の前の猫という対象が、ネコと表象されようとするとき、猫とネコを一致させようとする肯定的アンチノミーと、猫はネコというよりは別な何かであり、ネコは猫というよりは別な何かを表象する否定的アンチノミーを共立している。この限りで、猫をネコと思いながら、そうではない可能性が潜在し、ネコである知覚に、潜在する感覚を付与している。だから、それは、ネコであるとの知覚が成立する、そのとき、その場所における恣意的で主観的な感覚の、近似的モデルになっているということはできるだろう。

しかし、対象／表象‐トラウマ構造は、際限なく外部を引き受けることになる。ここで言う無際限さとは、確定することのコントロール不可能性である。猫がネコと知覚されながらも、そうではない可能性を担うとき、他でもあり得た可能性は、猫のネコとしての確定を微細なレベルでコントロール不可能とする。脳の中で、猫がネコとして知覚されるとは、ネコの記憶を担う神経細胞と、猫を感覚刺激として受け取る神経細胞の興奮が、同期していることによって、脳内で実現されるだろう。神経細胞のそのような反応は、その周囲の神経細胞や、神経細胞の興奮を引き起こす脳内溶液の複雑な物理化学を要件とした環境のもとで実現される。その環境の微細な変化が、その反応の形成に影響を与えるという意味で、猫がネコとして知覚される反応は、コントロール不可能でありながら、実現される。だから、それは機械論的に決定論的な、すなわち条件を整えれば、何度でも再現可能な反応ではない。物理化学的因果律に従いながら、非決定論的であり、受動的な機械なのか、能動性を担う非機械なのか決定できないのである。だから、受動か能動か決定できないが故に、内部に置かれたものは、能動性を無根拠に主張でき、自由意思を自ら主張することが可能となる。[18]

この環境条件の制御不可能性があるからこそ、自由意思が擁護可能となり、「わたし」が構想可能となり、文脈の制御不可能性ゆえに、私的な主観的感覚、私にしか感じられない感覚が擁護可能となる。このような性格は、すべて外部からもたらされる制御不可能性、無際限さを取り込まない限り、問題とならない。すなわちそれは、通常考える計算可能な概念ではないものだ。

人工知能は、現象学に依拠し、マーヴィン・ミンスキーが構想したと言っていいだろう。[19] 知性を担う主体は、主体と関係づけられた知覚されたものによって構成される仮想世界を生きることになる。それは、主体が機械である場合に限定されない。人間であっても、脳科学や認知科学は、計算可能なものを問題にし、脳が仮構する仮想世界を主体にとっての現実世界と構想する。それは、人工知能の描像に何も変わらない。

知覚されたものの周囲に、無際限で制御不能な環境が見出されない限り、仮想世界は内的に閉じ、その外部が垣間見られることはない。外部を問題にしないなら、それは計算可能であり、制御可能となる。その計算可能な中で何かを定義するだけなら、すべては定義されるだけの話になる。計算可能なシステムにおいて、部分と全体の関係を複雑さにおいて定義し、ある複雑性を持ったものを「意識」と定義する。[20] 仮想世界内に、事物や「わたし」、わたしと事物を関係づける関係スキーマを定義し、全ての内的計算過程を外部へ出力する出力装置として装備する。[21] こうすると、関係スキーマの出力によって、「リンゴを意識している」が出力可能となり、自意識が表現できる。しかしこれらは、全て仮想世界内での定義に過ぎない。

外部との相互作用を直接問題にするのではなく、外部を召喚する構造についてのみ問題にする。それが、天然知能を掲げて意識や、創造性について解読する本書のアプローチであった。外部との相互作用を直接問題にしても、それはメタファー以上のものではなく、むしろ主観性、このわたし、創造における当事者性は全て手から漏れていく。そうではなく、外部を召喚する装置を、自らに於いて開設し、「わたし」の体験、創造体験の当事者になる。それが、本書の方法論なのである。量子論理は、制御不可能なところに成立する主観性や「わたし」と、制御可能なところに成立する客観的理解の間に成立する、臨界的な理解と考えられる。

註

（1） 量子力学が認知科学で使える情報論的根拠を示そうとした文献として以下を挙げる：Foulis, D. J.（1999）. A Half-Century of Quantum Logic What Have We Learned?, In: *Quantum Structures and the Nature of Reality : The Indigo Book of Einstein meets Magritte*（D. Aerts, D., and Pykacz, J. eds.）, Springer および、Blutner, R., and Beim Graben, R.（2016）Quantum Cognition and Bounded Rationality, *Synthese* 193, 3239-3291 それらの静寂性については、Gunji, Y-P., and Haruna, T.（2022）Concept Formation and Quantum-like Probability from Nonlocality in Cognition, *Cognitive Computation* 14, 1328-1349.

（2） Gunji, Y-P., and Nakamura, K.（2022）Psychological Origin of Quantum Logic: An Orthomodular Lattice Derived from Natural-Born Intelligence without Hilbert Space, *BioSystems* 215-216, 104649

（3） 前田周一郎（1980）『束論と量子論理』、槙書房。

（4） 郡司ペギオ幸夫（2021）『やってくる』医学書院。

（5） 量子論的認知科学の最近の文献として Aerts, D., Arguëlles, J. A., Beltran, L., Geriente, S., Sassoli de Bianchi, M., Sozzo, S., Veloz, T.: Quantum Entanglement in Physical and Cognitive Systems: A Conceptual Analysis and a General Representation, *Eur. Phys. J. Plus*, 134, 493; Bruza, P. D., Wang, Z., and Busemeyer, J. R.（2015）Quantum Cognition: A New Theoretical Approach to Psychology, *Trends Cogn. Sci.* 19, 383-393; Khrennikov, A.（2021）Quantum-like Model for Unconscious-Conscious Interaction and Emotional Coloring of Perceptions and Other Conscious Experiences, *BioSystems* 208, 104471.

（6） 量子計算については、例えば、Nielsen, M. A., and Chuang, I. L.（2000）*Quantum Computation and Quantum Information*, Cambridge University Press.

（7） グッピー効果については、Aerts, D., Broekaert, J., Gabora, L., and Veroz, T.（2012）The Guppy Effect as Interference, *Quantum Interaction 2012*, 36-74.

（8） 論理積の誤謬で有名なものは、リンダ効果で、確実な知識がないにもかかわらず、「リンダは銀行員である」よりも「リンダは銀行員かつフェミニストである」を尤もらしいと推論する誤謬：Tversky, A., and Kahneman, D.（1983）Extensional Versus Intuitive Reasoning: The Conjunction Fallacy in Probability Judgment, *Psychological Review* 90(4), 293-315.

（9） 束論ではここでいう「または」を上限、「かつ」を下限というが、言葉が固いのであえて、「または」、「かつ」と言っている。

（10） 前田周一郎（1980）（前掲書・註（3））ならびに Gunji, Y-P., and Nakamura, K.（2022）（前掲論文・註（2））

でも解説している。
（11） 本書第3章で論じている。Gunji, Y-P., and Nakamura, K.（2022）（前掲論文・註（2））でも詳しく論じている。
（12） 概念束については、Ganter, B., and Wille, R.（1999）*Formal Concept Analysis: Mathematical Foundations*, Springer.
（13） 認知言語学の入門書としては、野矢茂樹＋西村義樹（2013）『言語学の教室――哲学者と学ぶ認知言語学』中公新書。
（14） プロトタイプ理論については、Rosch, E. H.（1973）Natural Categories, *Cognitive Psychology* 4(3), 328-350.
（15） ウィトゲンシュタイン（1976）『ウィトゲンシュタイン全集8　哲学探究』藤本隆志訳、大修館書店。
（16） レイコフ、ジョージ（1993）『認知意味論――言語から見た人間の心』池上嘉彦＋河上誓作他訳、紀伊国屋書店。
（17） Davey, B. A., and Priestley, H. A.（2002）*Introduction to Lattices and Order*, 2nd edition, Cambridge University Press.
（18） Gunji, Y-P., and Nakamura K.（2020）Dancing Chief in the Brain or Consciousness as Entanglement, *Foundations of Science* 25, 151-184 および、Gunji, Y-P., Nakamura, K., Minoura, M. and Adamatzky, A.（2020）Three Types of Logical Structure Resulting from the Trilemma of Free Will, Determinism and Locality, *BioSystems* 195.
（19） ミンスキー、マーヴィン（1990）『心の社会』安西祐一郎訳、産業図書。
（20） Tononi, G.（2012）. Integrated Information Theory of Consciousness: an Updated Account, *Archives Italiennes de Bilogie* 150(2-3), 56-90.
（21） グラツィアーノ、マイケル（2022）『意識はなぜ生まれたか――その起源から人工意識まで』鈴木光太郎訳、白揚社。

おわりに

本書の「はじめに」は、脳科学や人工知能が、創造を積極的に論じてこなかったという一文から始まっている。人工知能と3Dプリンターによって、レンブラントのような絵画が作成され、脳科学、認知科学、神経科学は、もちろん人間の創造性をも考慮して、人間の意識や心を解読しようとしているはずだ。脳科学者や人工知能研究は、むしろ創造性を、科学として解読しているのではないか。読者の多くはそう思うかもしれない。しかし、それらにおいて、創造それ自体は積極的に論じられることはなかった。ここでは意識の科学における動向について簡単に述べておこう。この創造の問題は、意識をどう捉えるかの根源に触れる問題である。本書を既に読んだ読者は、何が問題になっているか理解でき、その意味で様々な研究の趨勢を整理できるだろう。

現在、脳科学、認知科学、人工知能は、意識が計算可能であることを前提に進んでいる。つまり、何らかの意思決定とは、計算が完了することによって実現すると想定され、計算は、脳という神経細胞のネットワークで実現されていると考えられる。それは、逆に、脳が、我々が想定する計算素子のネットワークであると考えることに他ならない。その上で、ネットワークの複雑さによって、それが意識であるか否かを決定できるだろうとの目論見がある。ネットワークが部分に分割できないタイプの複雑さを有するとき、そこに意識を見出そうとする理論も提案されている。その意識を計測する指標は、統合情報量と呼ばれている。

つまり意識とは、局所的に計算される部分をつなぐ計算、関係性それ自体であるという議論が、この底流にある。この、「意識」とは関係性それ自体であるという議論は、意識を語る現代科学のほぼ全てにわたっているのではなかろうか。本書の第8章でも取り上げた注意スキーマ理論もその一つである。第8章で述べたように、計算が完了することを前提とし、無際限さを考慮しない限りで、これらの理論は、脳が作り出す仮想世界で閉じており、その外部を問題としていない。その限りで、創造を論じることはない。

意識に関する様々な他の理論はどうだろう。それらは、ほぼ同じ描像へ向かっている。それは次のような描像だ。我々の意識というものは、自らの経験によって世界の認識様式を限定し、見たいものだけを見ている。つまり、日常的に経験し、日常的に反復される世界の認識の仕方が全てで、他は無視してしまう。そのぐらい頑迷で、変化に弱いものが我々の意識だ。しかし、その頑迷さ故に、何かを見て、聞いて、判断する場合、それが何であるか日常的なものだけを参照し、見慣れたものと予想するため、その判断は極めて速い。つまり経験に固執することで、計算の速い計算機として意識が実現される、というわけだ。

元来、心理学者は様々な認知バイアスを見出してきた。例えば、「給料の二割を貯金したら」と言われると若者は反発するが、「八割で生活して残りを貯金したら」と言われると、やってみる気になる。このような認知バイアスに関する様々な理論が、「経験への固執」の理論によってかなりの範囲、一般的に説明できる。それを根拠づける理論も現れ、認知バイアスも含めて、人間の認知や意思決定の癖が、「経験への固執」のもとで一元化され明らかにされつつある。それがベイズ推定であり、それを根拠づけるための一般理論が、自由エネルギー原理である。もちろん経験に固執するだけでは不便もある。経験的に顔写真しか知らない他人の顔は、正面から見るように体を向き直す必要がある。この身体による補正が、能動推論と呼ばれる。

以上のような議論それ自体は、人間の創造性を否定するものではない。経験への固執は、経験を知覚、認知する方法への固執であり、知覚された対象それ自体への固執ではないからだ。しかし、創造性とは何かにコミットするような議論ではなく、むしろ繰り返される日常を正当化する議論が、理論の中心だ。例えていうなら、絵筆と絵の具によって描いてきた絵とはどのようなものか、の議論に終始し、この道具さえあれば原理的になんでも表現できる、と言っているようなものだ。何か描こうという創造へのキッカケは、ここにはない。原理的にできるという創造への関与は、やはり極めて消極的で、議論の中心は、世界を限定することに他ならない。

それだけを考えれば、「ほとんどの」人の、「ほとんどの」時間を占める日常の知覚、認知、意思決定を理解できるというわけだ。したがって、そこでは、「ほとんどの」場所から逸脱する者、状況、試みは、理論の埒外に置かれることになる。しかし、藝術家は、まさにそのような意味での反復、日常を打ち壊し、日常を作り出す以前の、赤ん坊の感性を取り戻そうとする者である。翻って、それは藝術家に特化した問題だろうか。そんなことはない。平凡な我々であっても、日々、ふとしたはずみで、新しい味、新しい匂い、新しい音、新しい感興に触れ、ハッとすることを経験しているはずだ。似たようなものを食べ、経験した味と予想するだけなら、ハッとすることなど絶対にない。それは運良く偶然、遭遇した経験ではなく、むしろ我々の知覚、認知、感性が、そのような外部に積極的に開かれているからではないのか。だとすると、むしろ日常を、経験に依拠した閉じたネットワークと理解する、脳科学、認知科学、人工知能の理論の方にこそ、ある種の誤謬があるのではないか。すなわち、それらは、創造が、常に我々の知覚、認知、意思決定に関与していることを忘れているのではないか。

いや、「ほとんどの」だけではない。意識の理論は、意識を、脳が作り出す仮想世界として理論化する。仮想世界は全てが相関項であり、その内部で構成される自己イメージもその中の一つの対象である。しかし、仮想世界を創り出す本当の意味での「わたし」、わたしの意識は、いわば関係の総体となる。この意味で、それは実体がなく、原理的に物象化不可能である。意識の問題が「ハードプロブレム」とされるのは、不可能問題を創り出しているからだ、という結論が不可避となる。これらは、意識に計算の無際限さがなく、閉じていると仮定することから帰結される。閉じた仮想世界であるから、「ハードプロブレム」は解けない問題を作り出したといえ、マインドアップロードも可能となる（量子論的認知科学は、この無際限さを、論理のぎりぎりの地点で構想するものといえる）。

外部なんてない。それもいいだろう。外部があると思うから、不可能問題に振り回される。意識の理論家の多くは、そういう立場にある。計算の無際限さ、外部から来るものは切り捨てられる、とすると、様々なものを人工知能で代替できる。ただしストッパーとして、人間が関与し、それによって、切り捨てられた無際限さは補完される。飛行機の自動操縦のように、ストッパーがパイロット一人の場合はこれで大丈夫だろう。政治はどうだ。ストッパーは一人だろうか。無際限さの問題は、簡単には片付かないだろう。いずれにせよ、無際限さは厄介なもので、できる限り切り捨てられるはずだ、ということになるが、「わたし」とは、無際限さを実践することで固有なのである。私は、人工知能を友人にできるだろうが、私自身が人工知能によって代替されると言うなら、断固としてこれを拒否するだろう。

初出一覧

＊　本書の収載に際して、適宜加筆・修正を施している。

はじめに（書き下ろし）
第1章　ダサカッコワルイ・ダンスという創造＝脱創造（原題「これは確かに、ダサカッコワルイ・ダンスだわ」Body Arts Laboratory ウェブサイト「Report」二〇二二年二月二七日）
第2章　クイズ番組のドラァグ・クイーン的解体（『ユリイカ』二〇二〇年七月号）
第3章　共創と共生——天然知能で読み解く『共生学宣言』（原題「共創と共生——天然知能で読み解く「共生学宣言」」『共創学』第三巻第一号、二〇二一年）
第4章　「わたし」に向かって一般化される量子コンピューティング（『現代思想』二〇二〇年二月号）
第5章　全体という不在（原題「テレンス・ディーコン『不在としての生命・意識』」『現代思想』二〇二三年一月号）
第6章　圏論の展開から、あるいは脱圏論への転回（原題「圏論の展開〜脱圏論への転回」『現代思想』二〇二〇年七月号）
第7章　『リング』という希望（『現代思想』二〇二二年九月号）
第8章　メタバース＝宙吊りにされた意識モデル（原題「「以前、確かにそのゲームの世界に自分が住んでいた」という記憶はどこから来るのか——メタバース＝宙吊りにされた意識モデル」『現代思想』二〇二二年九月号）
第9章　「砂山／砂粒集合体」トラウマを生きる真生粘菌（原題「「砂山／砂粒」トラウマを生きる真正粘菌」『ユリイカ』二〇二二年五月号）
第10章　量子論の心理学的起源（書き下ろし）
おわりに（書き下ろし）

郡司ペギオ幸夫（ぐんじ・ぺぎお・ゆきお）
1959年生まれ。東北大学理学部卒業。同大学大学院理学研究科博士後期課程修了。理学博士。現在、早稲田大学基幹理工学部・表現工学専攻教授。
著書に、『生きていることの科学』（講談社現代新書）、『いきものとなまものの哲学』『生命、微動だにせず』（以上、青土社）、『群れは意識をもつ』（PHPサイエンス・ワールド新書）、『天然知能』（講談社選書メチエ）、『やってくる』（医学書院）など多数。

かつてそのゲームの世界に住んでいた
という記憶はどこから来るのか

2022年11月24日　第1刷印刷
2022年12月 6 日　第1刷発行

著者　郡司ペギオ幸夫

発行者　清水一人
発行所　青土社
東京都千代田区神田神保町1-29　市瀬ビル　〒101-0051
電話　03-3291-9831（編集）　03-3294-7829（営業）
振替　00190-7-192955

組版　フレックスアート
印刷・製本所　双文社印刷

装幀　國枝達也
装画　中村恭子筆《古墳蝉》
一幅、絹本彩色、123.5 × 40.5 cm、2021年

Printed in Japan
ISBN978-4-7917-7516-3